Ripley's
L'encyclopédie
de l'incroyable
2016

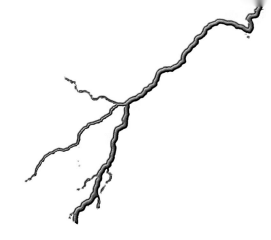

Édition française publiée par © Zethel,
une marque des éditions Leduc.s, 2015
17 rue du Regard
75006 Paris - France
www.zethel.com

Traduction   Vincent le Leurch

Nathalie Baud

Christian Jauberty

Paul Clemens

Emmanuel Dazin

Maquette   Emilie Guillemin

Couverture   Patrick Leleux PAO

ISBN : 979-10-285-0112-9
Loi n° 49 956 du 16 juillet 1949 sur les publications destinées à la jeunesse.
Reproduction, même partielle, interdite.

Achevé d'imprimer par Leo Paper
Dépôt légal : octobre 2015
Imprimé en Chine

Ripley's
L'encyclopédie de l'incroyable

Z
ZETHEL

Retrouvez ce dévoreur de nouilles complètement dingue page 129 !

SOMMAIRE

Le talentueux Robert Ripley

➜ Ce n'est pas tous les jours qu'on rencontre quelqu'un d'exceptionnel. Nous savons tous comment cela se passe : une porte s'ouvre, la personne entre dans la pièce et tout s'illumine. Marilyn Monroe avait ce pouvoir de fascination si rare et particulier. Tout comme Nelson Mandela, Jack Kennedy… et Robert Ripley.

Toujours tiré à quatre épingles, Ripley n'a cessé d'exercer sur les autres un attrait spécial, depuis ses premiers dessins *Believe It or Not !* publiés quotidiennement dans le *New York Globe* qui racontaient les bizarreries de la planète, jusqu'à son décès en 1949, après une vie passée à traquer l'étrange.

Étoile parmi les étoiles, Ripley a réalisé une multitude de choses éblouissantes. Qu'ils'agissedesesBizarroriumsconstruitspourhébergersa collectiond'objetsglanés,desacarrièreinnovanteàlaradioetàlaTVoùil intervenaitdepuisunaquariumàrequinsouousleschutesduNiagara,ou encoredetoutessesexplorationsàtraverslemonde.Desvoyagesquil'ont conduitenPapouasieNouvelle-Guinée,danslaRussiecouvertedeglaceet danslecentredelaChine,brefdesdestinationsquepresquepersonnene connaissaitàl'époque.LesAméricainsl'adoraient.Àunmoment,ondisait même qu'il était plus populaire que le président des États-Unis !

Aujourd'hui,l'empiredeRipleyressembleàunegalaxie,avec31musées, 3 aquariums, un entrepôt plein à craquer de milliers d'objets, 30 000 photos et 100 000 dessins, ainsi qu'un réservoir de fans à travers le monde.

Au plus fort de sa popularité, Ripley recevait jusqu'à 170 000 courriers par semaine, plus que le Père Noël, et les fans l'assaillaient pour un autographe.

Chez lui, Ripley recevait la crème de la crème des intellectuels et des célébrités des États-Unis. À Port Moresby, en Nouvelle Guinée, il préférait s'entourer de chasseurs de têtes (à gauche) et à Fidji on le voit ici avec un cannibale. Les photos ont été prises en 1932.

NEHI NEWS

WARM DAYS AHEAD
MORE BUSINESS
GREATER PROFITS

Volume 2, No. 2

MARCH, 1940

STUDY YOUR SALES
MANUAL. IT MEANS
MONEY TO YOU.

Columbus, Ga.

RADIO PROGRAM HITS NEW POPULARITY PEAK

After a series of spectacular broadcasts, which moved at a fast clip, ROYAL CROWN'S CBS 88-station coast-to-coast radio program featuring "Believe-It-Or-Not" Bob Ripley has hit a new popularity peak. Following the opener in New York February 16th, Ripley and the cast sojourned to Florida, where two outstanding programs were broadcast. The listening audience has steadily increased and the program is now rated one of the top half-hour shows on the air.

Stimulated by scores of favorable program reviews, which include the prized Variety and Radio Daily columns, and innumerable letters and gratifying expressions from ROYAL CROWN Bottlers, the cast is determined to march the program to an even greater height.

The St. Augustine, Florida, "Marine Studio" program was heralded a broadcast triumph by many radio columnists, and proved an exciting venture for Bob Ripley and the listeners. The daring presentation won a number of hearty program endorsements and many letters stated that ROYAL CROWN was putting thrill into radio listening.

In pictorial form we review the highlights of the program broadcast from Marineland—located near St. Augustine, Florida.

TOO LATE NOW! Bob Ripley dons the diver's suit . . . willingly but not enthusiastically.

TO SHARK-INFESTED WATERS! Down in the deep he goes to tell the world how it feels to meet a man-eating shark face to face.

A HUNGRY PORPOISE FED BY HAND! Lurching forward at great speed, the mammal feeds from human hands.

WE'RE ON THE AIR! Action and thrills are sent through these radio engineers to over a million listening radio fans.

En 1940, le *Nehi News* rendit un hommage bien mérité aux talents radiophoniques de Robert Ripley. La même année, le *Radio Guide* estima que l'émission radio de Ripley était le « programme le plus intéressant et effrayant de toutes les ondes ». Parmi ses prouesses radiophoniques, Robert Ripley fut par exemple le premier à être retransmis partout dans le monde en simultané et, comme en témoigne la Une du *Nehi News*, le premier à proposer une émission en direct sous l'eau, depuis l'aquarium à requins du Marineland de Floride. Ripley a toujours aimé le monde aquatique. Trois aquariums ont été construits sous son nom, dont le plus grand qui a ouvert à Toronto au Canada en 2013.

Hawaï était l'une des destinations préférées de Ripley. Il est allé cinq fois dans l'archipel au cours de sa vie. Lors de son dernier voyage en 1948, il s'offrit un tour de pirogue à balancier dans les vagues en compagnie des gens du coin, comme lors de son premier séjour en 1922. Depuis des siècles, ces pirogues s'affrontent lors de courses dans les îles du Pacifique.

Regardez un peu !

→ **Nous, chez Ripley's, nous assurons que tout ce qui est dans ce livre est authentique. Aucune image n'est truquée, aucun récit n'est exagéré, rien n'est inventé.**

Nous mettons tout en place pour parvenir à un tel résultat. Tout au long de l'année, des chercheurs, correspondants, écrivains et éditeurs mandatés par Ripley's rassemblent tous ces ingrédients qui pimentent chacun de nos livres. Ils épluchent des dossiers, les réseaux sociaux, suivant des pistes qui aboutissent aux États-Unis ou ailleurs dans le monde. Parfois, ces pistes débouchent sur un résultat qui va au-delà de ce qu'ils imaginaient mais s'il n'y a pas de preuves, ils abandonnent.

Nous avons rassemblé des milliers d'histoires pour ce nouveau livre et rencontré des gens étonnants dont certains de nos préférés sont mis en avant ici.

NOUS IRONS LOIN !

→ En 1933, Robert Ripley a été photographié mesurant la moustache de Desar Arjan Dangar, un policier du Kâthiâwar en Inde (à droite, ci-contre). Près de 80 ans plus tard, Edward Meyer, le documentaliste de Ripley's, alors en voyage dans le Rajasthan, toujours en Inde, tomba sur Ram Singh Chauhan, un homme également pourvu d'une moustache exceptionnelle. Devinez quoi ? Cet homme n'était autre que le petit-fils du premier. Tous deux avaient une moustache d'une longueur identique : 2,6 mètres.

COMPTEZ SUR NOUS !

Vous vous êtes toujours demandé quel était le quotidien d'une personne aux ongles incroyablement longs ? Nous avons rencontré Ayanna Williams chez elle à Houston au Texas qui nous explique tout.

Page 124

Nous avons beaucoup aimé les tatouages tigrés de **Katzen Hobbes**. Nous les avons donc photographiés nous-mêmes !

Page 235

RIPLEY'S FAIT SON SHOPPING !

Ripley's a acheté cette gravure à l'eau-forte de Paul McCartney réalisée par l'artiste américain Michael Stodola sur le capot d'une Beetle Volkswagen…

Ainsi que ce portrait de Marilyn Monroe en scotch de déménagement, acquis auprès de l'artiste hollandais Max Zorn.

BOULE DE POILS !

Cette année, Ripley's a récupéré une boule de poils énorme et odorante coincée dans l'estomac d'un tigre ! Dans notre collection, nous en avions déjà qui venaient de plusieurs vaches. Celle du tigre a été nettement plus périlleuse à retirer ! Comme le dit très justement Edward notre documentaliste : « Si une vache se réveille en pleine opération, elle se contentera de meugler. » Découvrez toute l'histoire page 91.

DE L'ART À DÉGUSTER !

Quand il fait ses courses au supermarché de son quartier, l'artiste Carl Warner remplit son panier d'aliments qu'il transforme ensuite en étonnante œuvre d'art. Le saumon fumé devient une mer au soleil couchant, les brocolis se transforment en coraux autour desquels nagent des radis comme s'ils étaient des poissons tropicaux. Le musée Ripley's de Londres lui a consacré une exposition où figurait cette alléchante scène hivernale, construite avec des pâtisseries.

BIEN JOUÉ ! → L'énorme citrouille de 454 kg sculptée en forme de diablotin à Hong Kong par Ray Villafane et Andy Bergholtz méritait bien notre certificat Ripley's Believe it or Not! tellement elle nous a impressionnés ! Nous ne remettons pas souvent de trophées mais cette citrouille sculptée est la plus grosse que nous ayons vue. Voir pages 208 et 209.

1,000 lbs

Nous avons rencontré le magicien et artiste de foire **Jason Black dit le Scorpion Noir** à Austin au Texas pour comprendre ses motivations, et aussi pour prendre quelques photos étonnantes.

Quand nous avons découvert l'incroyable contorsionniste russe **Vittalli Illis**, nous l'avons invité au musée de Londres pour une session photo sens dessus dessous.

Nous avons convié **Ariana Page Russell**, une artiste de Brooklyn qui nous avait envoyé des photos bluffantes d'art corporel, dans notre QG d'Orlando pour prendre d'autres clichés d'elle.

Page 116

Page 18

Page 192

Un Bizarrorium à l'école

Les ingénieux élèves de CM1 de l'école élémentaire Kelly Mill dans le comté de Forsyth en Géorgie aiment telle-ment les livres Ripley's qu'ils ont créé leur propre **musée Ripley's** dans leur classe. Près de 1 500 visiteurs se sont pressés pour admirer les objets bizarres et excentriques que les enfants avaient créés de leurs propres mains.

LE TATOO RIPLEY

➜ Christopher Sudduth de Phoenix, Arizona, aime tellement Robert Ripley qu'il se l'est fait tatouer sur le bras, posant avec une tête réduite. Il dit que c'est « un hommage à l'homme le plus intéressant qui ait jamais existé ».

Ce modèle en papier mâché reproduit les cheveux incroyable-ment longs d'Asha Mandela, tels que montrés dans le *Big Livre de l'incroyable 2012*.

Un bonhomme de neige (haut) et un manchot royal géants (à côté de son créateur, Matthew Arundale) sont deux des plus grandes réalisations de la classe.

COURRIER MAGIQUE

Gagnant !

Cette année, nous avons lancé un concours d'envoi de lettres pour savoir quel serait le courrier le plus dingue qu'on enverrait à notre QG de Floride. Les règles étaient les suivantes : pas d'enveloppe, de boîte ou d'emballage. L'adresse et les timbres devaient figurer directement sur l'objet. Voici quelques exemples de courriers reçus, y compris celui de Michele Cassidy qui a gagné haut la main en nous envoyant du McDonald's collé sur une assiette en carton, avec notre adresse dessous !

La photo originale qui a servi à Christophe pour son tatouage.

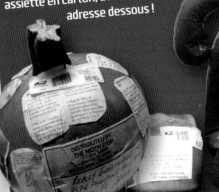

REJOIGNEZ-NOUS

FACEBOOK

Facebook.com/BigLivre

PINTEREST

Pinterest.com/RipleysBION

INSTAGRAM

instagram.com/ripleysodditorium

DÉCOUVREZ ÉGALEMENT LES ÉDITIONS ZÉTHEL !

Z ETHEL

sur Facebook

www.zethel.com

Vous connaissez une histoire incroyable ou vous avez juste un bout d'info...

CONTACTEZ-NOUS

On a hâte de vous lire !

ENVOYEZ-NOUS VOS TRUCS !

Par e-mail...

info@zethel.com

INCROYABLE !

SOURIS surfeuses

Shane Wilmott a appris à ses souris à faire du skateboard en leur construisant un parc miniature dans le jardin de sa maison dans le Queensland, en Australie, avec des mini-planches, mini-rampes, et même un cercle enflammé à travers lequel elles peuvent sauter. Il leur a aussi appris à faire du surf. « Elles adorent ça, explique-t-il. Les souris sont faites pour les sports de glisse parce que leur centre de gravité est très bas. Lorsqu'elles tombent, elles veulent immédiatement remonter sur la planche. »

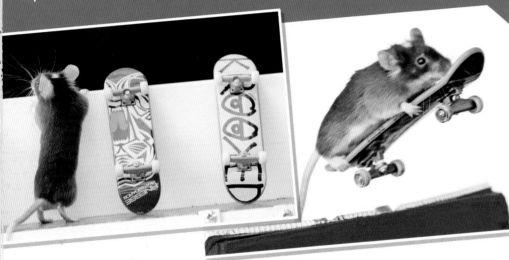

le magot du métro Grâce à du fil dentaire et de la colle de piège à souris, le Portoricain Eliel Santos gagne 150 dollars par jour en récupérant l'argent, les bijoux et les téléphones qui sont tombés à travers les grilles du métro de New York.

la ville qui pue Un tas de fumier de chèvre a pris feu spontanément dans une ferme de Windsor, dans le Vermont, répandant une odeur pestilentielle jusqu'à 8 km à la ronde.

trafiquant mouillé Un Vietnamien essayait d'introduire illégalement en Nouvelle-Zélande 7 poissons tropicaux, cachés à l'intérieur de sacs en plastique dans ses poches de pantalon. Son plan a échoué quand les agents de l'aéroport d'Auckland ont remarqué l'eau qui s'écoulait de ses poches.

oies ramoneuses Dans l'Angleterre victorienne, ceux qui n'avaient pas les moyens de s'offrir des ramonages les remplaçaient en faisant tomber des oies vivantes dans leurs cheminées.

un pourboire de 17 500 $ Aurora Kephart, barmaid du restaurant Conway de Springfield, dans l'Oregon, reçoit souvent des billets de loterie en guise de pourboire. En octobre 2013, un de ces billets lui a rapporté 17 500 $.

trop dard Une tentative de vol de voiture a échoué à Craighall, en Afrique du Sud, lorsque les suspects ont été pris en chasse par un essaim d'abeilles furieuses.

CACHETTES ORIGINALES

DANS LE TABLEAU DE BORD D'UNE VOITURE

Les garde-frontières entre le Mexique et les États-Unis ont trouvé en 2001, dans une voiture suspecte, une femme de 61 kg, cachée derrière le tableau de bord, qui les épiait à travers la boîte à gants.

DANS LE PASSAGE DE ROUE D'UN CAR

Un Tunisien de 21 ans est resté caché pendant 30 heures dans le passage de roue d'un car en 2011, s'accrochant désespérément tandis que le véhicule effectuait un voyage de 800 km à travers l'Europe.

COUSU DANS LE SIÈGE D'UNE CHEVROLET

En 2001, le Mexicain Enrique Aguilar Canchola s'était dissimulé dans le siège d'un monospace Chevrolet, mais il fut découvert lorsque les garde-frontières remarquèrent ses jambes et ses bras qui dépassaient de la base du siège.

DANS LE TRAIN D'ATTERRISSAGE D'UN JUMBO-JET

Un Roumain de 20 ans s'est caché en 2010 dans le train d'atterrissage d'un jumbo-jet ralliant Vienne à Londres. Il a survécu au voyage de 97 minutes malgré le manque d'oxygène et des températures inférieures à - 40 °C.

DANS LES COFFRES À BAGAGES D'UN AVION

Un homme s'était caché dans les coffres à bagages d'un avion à destination de Panama, à l'aéroport Pearson de Toronto, en 2012, mais il fut découvert avant le décollage.

atterrissage d'urgence

Découvrant une panne peu de temps après avoir décollé de l'aéroport de Reid-Hillview, en Californie, le pilote d'un monomoteur a réussi à poser son engin dans une rue de San José en pleine heure de pointe, parvenant à éviter les voitures avant d'arrêter l'avion sur une voie de dégagement.

une bouteille mais sage Lors d'une plongée dans la rivière Saint-Claire, dans le Michigan, Dave Leander remarqua une bouteille qui dépassait d'une épaisse couche de vase. À l'intérieur, il découvrit un message qui avait été écrit par deux jeunes femmes 97 ans plus tôt, en 1915.

des billiards de dettes Chris Reynolds du comté de Delaware, Pennsylvanie, devint brièvement l'un des hommes les plus endettés du monde lorsqu'un e-mail l'informa que son compte PayPal était débiteur de 92 billiards. Tout rentra dans l'ordre lorsqu'il se connecta sur le site de la banque et put vérifier que son solde était à zéro.

voyage dans l'espace-temps Ed Grigor d'Endicott, dans l'État de New York, avait perdu une montre en or gravée à son nom en 1959. Il a pu la récupérer lorsqu'elle fut retrouvée 53 ans plus tard, à Las Vegas, à 3 200 km de là.

termites ruineux Une vieille Chinoise a perdu plus de 10 000 $ de ses économies à cause des termites qui ont dévoré les billets rangés dans un tiroir. Les insectes avaient endommagé l'équivalent de 60 000 $, mais la banque est heureusement parvenue à authentifier la plupart des billets.

AFFRANCHI

Yasar Bayrak, un prisonnier turc, s'est évadé en 2008 de la prison de Willich, en Allemagne, en parvenant à s'expédier lui-même à l'intérieur d'une grande boîte FedEx destinée au linge sale.

DANS LA SOUTE À MARCHANDISES

Roberto Viza Egües a fui Cuba en 2000 en se cachant à l'intérieur d'un conteneur de fret Air France à l'aéroport de La Havane. Après 14 heures de vol par des températures glaciales, il arriva à Paris où sa demande d'asile fut rejetée.

DANS UNE VALISE

Le Mexicain Juan Ramirez Tijerina, qui purgeait une peine de 20 ans pour détention illégale d'armes, essaya de s'évader de la prison de Chetumal en se cachant dans la valise de sa compagne Maria del Mar Arjona lors d'une visite de celle-ci. L'attention des gardes fut attirée autant par la nervosité de Maria tandis qu'elle sortait que par la taille de la valise dans laquelle s'était niché le prisonnier âgé de 19 ans.

un trésor dans le jardin Un morceau de granit gravé, épais de 15 cm, qui servait de marche dans le jardin de Bronwen Hickmott dans le Devon, en Angleterre, se révéla être une pierre de lune aux motifs élaborés, âgée d'au moins mille ans et issue d'un temple bouddhiste. On n'en a recensé que sept dans le monde. Elle a été vendue aux enchères pour plus de 875 000 $.

confondu Un homme, qui utilisait des faux billets de 100 $ pour faire des achats dans un magasin de North Attleborough, dans l'État de Massachussets, s'est fait prendre. Il avait mis sur ses billets un portrait d'Abraham Lincoln à la place de Benjamin Franklin.

Photo de famille sur la lune !

UNE FAMILLE SUR LA LUNE

➜ Lorsque l'astronaute américain Charles Duke s'est posé sur la Lune avec la mission Apollo 16, il y a laissé, dans une pochette en plastique, une photo le représentant en compagnie de sa femme et de ses deux fils, dans l'espoir que des extraterrestres pourront l'y découvrir. Au dos, il avait inscrit : « Voici la famille de l'astronaute Charles Duke, venu de la Terre, qui s'est posé sur la Lune en avril 1972. »

erreur de la banque En s'endormant avec le doigt sur la touche 2 de son clavier, un employé de banque allemand fatigué a transformé le versement de 62,40 € d'un client en un retrait de 222 222 222,22 €.

le même nom Deux semaines après avoir emménagé dans une maison de Barnsley, en Angleterre, en 2012, Richard Migley, un ancien militaire âgé de 40 ans, trouva trois masques à gaz datant de 1937 dans une vieille boîte au grenier, dont un qui portait son nom.

deuxième chance Après avoir accidentellement jeté un ticket de jeu de grattage à la poubelle, Joseph et Joanne Zagami de North Attleborough, dans le Massachusetts, le retrouvèrent et s'aperçurent qu'ils avaient gagné un million de dollars.

la monnaie de sa pièce Afin de protester contre l'injonction de rembourser 500 000 $ à sa compagnie d'assurances, un homme de Harrisburg, dans l'Illinois, décida d'en payer 150 000 en pièces de 25 cents, soit 160 sacs de 23 kg, livrés par camion, pour un total de près de 4 tonnes.

bébé maire Bobby Tufts a été réélu au poste de Maire de Dorset, dans le Minnesota, en août 2013, alors qu'il n'avait pas encore l'âge d'aller à l'école maternelle. La ville, de 25 habitants environ, l'avait élu une première fois douze mois plus tôt, à 3 ans. Et sa campagne en faveur des crèmes glacées a assuré sa réélection.

UN GROS CHÈQUE

➜ Signé et établi pour un montant de 2 240 dollars australiens, ce chèque sous forme d'affiche géante semblait sans valeur à la plupart des passants jusqu'à ce qu'ils s'aperçoivent qu'il était parfaitement valide. La National Australia Bank avait fait placer quatre de ces affiches, deux à Sydney et deux à Melbourne, pour faire la promotion de ses taux d'intérêt. Lorsque l'information que les chèques pouvaient être encaissés se répandit, ce fut la ruée. Luka Pendes fut parmi les quatre heureux gagnants assez rapides pour profiter de cette offre.

Couche par couche

➜ **Keng Lye crée à Singapour d'incroyables œuvres en 3D, comme cette pieuvre plus vraie que nature, en appliquant de multiples couches de résine.**

Il verse de la résine dans un récipient, puis le couvre d'une feuille de plastique pour laisser durcir la résine à l'abri de la poussière. Lorsqu'elle est sèche, il la peint minutieusement à la peinture acrylique. Puis il ajoute de nouvelles couches de résine et de peinture, donnant à chaque fois plus de relief et de réalisme à sa composition. Le procédé est si laborieux que même le plus simple des modèles peut prendre cinq jours à exécuter, mais le résultat est la meilleure récompense de tous ses efforts.

un vrai tordu

→ **Vittalii Illis, un mince contorsionniste russe de 20 ans engagé par la compagnie itinérante du Cirque des Horreurs, est capable de se déboîter les omoplates dans les deux sens, les faisant entrer et sortir de leur cavité articulaire à volonté.**

Il stupéfie le public en se luxant les épaules pour faire pivoter ses bras vers l'arrière et autour de son corps afin qu'ils se rejoignent devant. Il sait aussi ramper sur scène comme une araignée inquiétante avec ses jambes tordues en avant et ses bras en arrière.

Vittalii, qui est également jongleur, acrobate et funambule, est d'une souplesse exceptionnelle depuis sa naissance. Il a commencé sa carrière au cirque en Russie à 6 ans comme acrobate. Mais son entraîneur était si impressionné par sa capacité à tordre son corps dans des positions incroyables qu'il mit au point son numéro de contorsionniste.

Vittalii fait chaque jour des exercices d'assouplissement pour rester en forme... N'importe quelle forme.

Ripley's interview

Vous entraînez-vous chaque jour ? *Oui, chaque jour, pendant environ une heure et demie.*

Est-ce que votre numéro est douloureux ? *Non. Grâce à ma souplesse naturelle et à l'entraînement quotidien, c'est facile pour moi.*

À l'entraînement, est-ce que vous répétez toujours les mêmes gestes ? *Pas chaque jour. J'aime découvrir des mouvements nouveaux. Ou j'essaye de reproduire ce que font d'autres contorsionnistes.*

Aimez-vous travailler au Cirque des Horreurs ? *Oui. Le spectacle est très original, très différent d'un cirque ordinaire. L'organisation m'a tellement plu que j'ai décidé de revenir. C'est ma deuxième année avec eux.*

Votre famille appartient-elle au monde du cirque ? *Pas du tout. Je suis le seul. Je viens d'une famille très ordinaire.*

Comment occupez-vous vos loisirs ? *J'aime beaucoup le football. Je suis supporter de Chelsea. Le week-end, je regarde des films. J'aime beaucoup les comédies. J'aime rire.*

TUTU MAN

→ Depuis 2003, le photographe Bob Carey a réalisé plus de 200 autoportraits en tutu rose aux quatre coins des États-Unis, du Grand Canyon au métro de New York. Lorsqu'un cancer du sein fut diagnostiqué chez sa femme Linda, ils convinrent que le rire serait le meilleur des traitements. Pour faire partager cette idée au monde, ils publièrent les photos dans un livre, *Ballerina*, dont les profits vont à la Fondation Carey qu'ils ont créée pour venir en aide aux familles atteintes du cancer du sein.

le roi retrouvé L'analyse de l'ADN a établi qu'un squelette, trouvé sous un parking du centre-ville de Leicester, en Angleterre, était celui du roi Richard III, mort près de là à la bataille de Bosworth en 1485 et dont le cadavre n'avait jamais été retrouvé.

l'honnêteté récompensée Sans abri, Billy Ray Harris de Kansas City, Missouri, avait restitué une bague de diamants qui avait été par erreur laissée dans sa coupelle. Son honnêteté a été récompensée par 192 000 $, donnés par 6 000 personnes du monde entier grâce à une collecte de fonds sur Internet organisée par la propriétaire de la bague, Sarah Darling.

mariage à l'économie Le mariage de Georgina Porteous et Sid Innes, près d'Inverness en Écosse, en 2013 leur a coûté à peine plus d'un euro, le prix qu'elle a payé pour sa robe de mariée sur un site Internet d'échanges. Elle a fabriqué les alliances elle-même à partir de bois de cerfs. Les invités ont apporté la nourriture du banquet et tout le reste a été donné ou prêté gratuitement.

LA DENT SOUS L'OREILLER

→ Guy Whittall passa une nuit paisible à l'Humani Lodge, au Zimbabwe, ignorant qu'un crocodile de 2,4 mètres était caché sous son lit. Au matin, il laissa pendre ses jambes à quelques centimètres des mâchoires du monstre de 150 kg. Ce sont les cris de la femme de chambre qui l'ont alerté de la présence de cet invité indésirable.

Martin Kober de Buffalo, New York, a trouvé une peinture de Michel-Ange valant **300 millions de dollars** derrière son canapé.

Inocenta Hernandez a découvert un **trou** profond de 12 mètres et large de 90 cm qui est apparu sous son lit, à Guatemala City, en 2011.

En 2010, Linda DeForest et sa famille ont dû quitter leur nouveau domicile en Indiana lorsqu'ils trouvèrent un **obus en parfait état** dans leur cave. L'engin fut désamorcé le lendemain.

Au Royaume-Uni, un homme a trouvé dans son jardin un récipient égyptien **vieux de 3000 ans.**

Un serpent-tigre venimeux de 45 cm parvint à se glisser dans le lit d'un patient, dans un hôpital de Melbourne le 24 décembre 2012. Mais il dut être abattu après s'être blessé dans les mécanismes du lit.

En 2012, une vieille femme russe eut la surprise de trouver un **cambrioleur ivre** qui ronflait tranquillement sous son lit.

Pour se mettre à l'abri de la pluie, un **ours brun** haut de 2,4 mètres, s'est introduit dans une maison de Naples, en Floride, en août 2013. Il s'est endormi dans l'abri de la piscine où l'ont découvert Mason MacDonough, 7 ans, et sa baby-sitter.

ÉTONNANTES DÉCOUVERTES

message intact Lucy Elliott, de Coventry en Angleterre, avait 12 ans lorsqu'elle jeta en 1994 une bouteille de plastique contenant un message dans la mer, en Cornouailles. Quand la bouteille s'échoua sur une plage de Norvège, 1 200 km plus loin, après un voyage de 19 ans, le message était encore suffisamment lisible pour permettre de la retrouver.

robot plieur Des chercheurs de l'université de Berkeley, en Californie, ont appris à un robot à plier le linge. Face à un tas de serviettes, le robot utilise des caméras à haute résolution pour estimer leur forme et trouver les coins adjacents, puis il commence à plier, défroissant la serviette après chaque pli pour arriver à une pile impeccable.

robot témoin Alex Cressman et Laura Wong ont utilisé un robot démineur de 4,5 kg pour porter les alliances lors de leur mariage à Annapolis, dans le Maryland. La mariée, ingénieur en mécanique, avait aidé à concevoir le robot Dragon Runner, contrôlé durant la cérémonie par un de ses amis équipé d'un sac à dos.

photos sous-marines Cinq ans après avoir perdu son appareil photo lors d'une plongée à Hawaï, Lindsay Scallan, de Newnan en Géorgie, a appris qu'il avait été retrouvé à Taïwan, à plus de 9 500 km de là. L'appareil était couvert d'algues et de bernacles, mais les photos étaient intactes sur la carte mémoire.

réunion surprise Lorsque Christine Greenslade, 66 ans, décida de retrouver ses anciens camarades de classe à Penzance, en Angleterre, en 2013, ils furent stupéfiés de la voir vivante alors qu'un journal local avait publié par erreur son avis de décès en 1980.

décibel quand tu cries Les montagnes russes Gold Striker d'un parc d'attractions de Santa Clara, en Californie, durent être fermées lorsqu'il fut constaté que le volume des cris du public dépassait les normes convenues avec les habitants du voisinage. L'attraction put rouvrir après des travaux recouvrant une partie du parcours d'un tunnel insonorisé.

morse mystérieux Lors des travaux de rénovation de la gare de St Pancras à Londres en 2003, les archéologues ont mis à jour un cimetière du XIXᵉ siècle contenant les restes de 1 500 personnes et ceux d'un morse du Pacifique de 4 m de long dont les os ont été retrouvés dans un cercueil avec 8 squelettes humains.

y'a qu'à se baisser Michael Dettlaf, 12 ans, d'Apex en Caroline du Nord, a gagné 11 996 $ en dix minutes grâce au règlement des parcs de l'Arkansas qui permet aux visiteurs de garder les diamants qu'ils y trouvent. Le jeune scout, qui avait payé 4 $ l'entrée dans le parc régional du Cratère des Diamants, y a rapidement déniché un diamant de 5,16 carats.

arbres espions Pendant la Première Guerre mondiale, des ingénieurs coupaient des arbres pendant la nuit près de la ligne de front afin de les remplacer par des répliques qui avaient été aménagées en postes d'observation.

OFFICIER DE NARINE

→ À Chengdu, en Chine, il a suffi de 21 minutes à Nie Yongbing pour gonfler, à la seule force de ses narines, quatre pneus sur chacun desquels se tenaient deux adultes.

Pour réaliser son exploit, Nie soufflait dans un tuyau de 40m par sa narine droite tout en se bouchant la narine et l'oreille gauche pour éviter les fuites. Son médecin lui avait conseillé un jour de gonfler des ballons avec son nez, mais les ballons se révélant trop faciles, il décida de passer aux pneus.

UN IMMENSE AMOUR

→ Sultan Kosen, fermier turc de 30 ans, a épousé une femme qui mesure 79 cm de moins que lui et lui arrive à peine à la taille. Il faut dire que si, à 1,73 mètre, la taille de Merve Dibo est plus que respectable, elle est toute petite comparée aux 2,52 mètres qui font de son mari l'homme le plus grand du monde.

Sultan a commandé un costume sur mesure, réalisé à partir de 6 mètres de tissu, et des chaussures de taille 56 pour le mariage qui s'est tenu en octobre 2013 dans sa ville de Mardin, en présence notamment du Président turc et du Premier ministre.

Atteint de gigantisme hypophysaire, une maladie rare qui provoque la sécrétion continue d'hormones de croissance, Sultan, dont la taille était normale jusqu'à l'âge de 10 ans, est un des dix hommes recensés ayant mesuré plus de 2,44 mètres.

À cause de sa taille il commençait à désespérer de trouver une épouse. Après le mariage, il a déclaré : «Malheureuse-ment, je ne pouvais pas rencontrer de femme correspon-dant à ma taille, mais celle que j'ai trouvée est parfaite pour moi.

Sultan n'a pas intérêt à marcher sur les pieds de son épouse quand il danse. Ses pieds mesurent 36 cm, un record.

L'homme le plus grand du monde domine sa fiancée lors de la « Nuit du henné », célébration qui se tient la veille du mariage.

Merve tient la main de Sultan (28 cm), la plus grande du monde.

fausse alerte À Brême, en Allemagne, deux garçons de 4 ans ont provoqué une vaste opération de recherches qui a duré cinq heures, après avoir parcouru plus de 6 km sur leurs tracteurs à pédales.

mariage au supermarché Susan et Wayne Brandenbourg se sont mariés dans l'aile du supermarché de Shallotte, en Caroline du Nord, où ils s'étaient rencontrés 7 ans plus tôt.

pages jaunes Sous des lattes de parquet d'une maison où il travaillait, le plâtrier Jimmy Newton, de Devon en Angleterre, a trouvé les feuilles jaunies d'un journal vieux de 28 ans contenant une photo de lui avec son équipe de football.

demande sur l'autoroute Plus de 300 motards ont bloqué la très chargée autoroute I-10 de Los Angeles, le temps que Hector « Tank » Martinez puisse mettre un genou à terre pour demander la main de sa bien-aimée, Paige Hernandez.

pile ou face Aux élections municipales de 2013 à San Teodoro, aux Philippines, Marvic Feraren et Boyet Py avaient chacun reçu 3 236 voies. Conformément au code électoral, les deux candidats se sont départagés en jouant à pile ou face à cinq reprises. C'est Feraren qui a gagné.

brillant Albert Lexie a fait don à l'hôpital pour enfants de Pittsburgh, en Pennsylvanie, de plus de 200 000 $ de pourboires collectés en 30 ans de carrière de cireur de chaussures.

inoubliable Cheryl Bennett et Steven DeLong d'Amesbury, Massachusetts, ont décidé de se marier le 9 janvier 2013 parce que la date correspond au code postal de la ville : 01913.

passion aveugle Claire Johnson et Mark Gaffey, de Stoke-on-Trent en Angleterre, tous deux non-voyants, sont tombés amoureux et se sont fiancés après que leurs chiens, Venice et Rodd, ont sympathisé lors d'une séance de formation.

un marron contre les prunes Une société qui gère des parkings à Manchester et à Leeds, en Angleterre, avait mis en place, à l'automne 2013, un dispositif provisoire permettant aux automobilistes de payer à l'aide de marrons d'Inde. Chaque marron valait environ 25 centimes.

bébés-sextiles Louise Estes de Provo, dans l'Utah, a accouché lors de trois 29 février consécutifs, en 2004, 2008 et 2012. Avant elle, seule la famille Henriksen de Norvège avait réalisé cette improbable combinaison, en 1960, 1964 et 1968.

courrier en retard Scott McMurry de Vienna, en Virginie, a reçu une carte postale de sa mère en avril 2012. Celle-ci l'avait postée 55 ans plus tôt.

[VOS/TÉLÉCHARGEMENTS]

LES AUTOGRAPHES DANS LA PEAU

Dennis Elliott, de Jackson dans le Michigan, collectionne les autographes de ses athlètes et vedettes préférés pour se les faire tatouer ensuite. Plus de 40 stars dont Mike Tyson, Coolio, Magic Johnson, Dennis Rodman et Hulk Hogan ont ainsi indirectement apposé leur signature sur son corps.

L'artiste Tracie Koziura a changé son nom en Loup Rebelle—parce qu'elle aime les loups et qu'elle est un peu rebelle.

Jennifer Thornburg, une ado américaine, a changé son nom en **CutoutDissection.com** pour protester contre la dissection des animaux à l'école. Elle aime aussi se faire appeler Cutout pour aller plus vite.

Daniel Westfallen d'Essex, en Angleterre a changé son nom en **Clé à Molette** à la suite d'un pari lors d'une soirée.

Dingue de super-héros et de science-fiction, Daniel Knox-Hewson (à gauche) se fait désormais appeler **Emperor Spiderman Gandalf Wolverine Skywalker Optimus Prime Goku Sonic Xavier Ryu Cloud Superman HeMan Batman Thrash.** Son pote Kelvin Borbidge (à droite) a, lui, opté pour **Baron Venom Balrog Sabretooth Vader Megatron Vegeta Robotnik Magneto Bison Sephiroth Lex Luthor Skeletor Joker Grind.**

Beezow Doo-Doo Zopittybop-Bop-Bop, né Jeffery Drew Wilschke, a fait la une des journaux grâce à son nom étrange puis, à nouveau, lorsqu'il fut arrêté dans une affaire de drogue.

Un Anglais a changé son nom en **Marteau du Tonnerre Griffe de la Mort Énergumène** parce qu'il trouvait son nom précédent, Richard Smith, trop ennuyeux.

En 2005, Terri Iligan mit son nom en vente sur ebay pour 15 199 $. Elle s'appelle désormais GoldenPalace.com.

Ceejay Epton a changé son nom en **Ceejay A Apple B Boat C Cat D Dog E Elephant F Flower G Goat H House I Igloo J Jellyfish K Kite L Lion M Monkey N Nurse O Octopus P Penguin Q Queen R Robot S Sun T Tree U Umbrella V Violin W Whale X X-Ray Y Yo-Yo Z Zebra Terryn Feuji-Sharemi** parce qu'elle pensait que ça l'aiderait à apprendre l'alphabet.

L'acteur et réalisateur australien Greg Pead a changé son nom en Yahoo Serious en 1980. 20 ans plus tard, il a poursuivi sans succès en justice le moteur de recherche Yahoo! pour contrefaçon de marque.

vachement rusé Un homme de 18 ans a été accusé de voler 98 litres de lait pour une valeur de 85 € alors qu'il était déguisé en vache dans un supermarché de North Stafford, en Virginie. Sorti du magasin à quatre pattes, il a entrepris de distribuer son butin aux passants.

trou dans le budget Quand le dictateur Joseph Mobutu fut renversé au Zaïre en 1997, son portrait fut découpé sur des milliers de billets de banque pour éviter d'avoir à en imprimer des neufs.

voleur gaffeur La police de Southington, dans le Connecticut, a arrêté en mars 2012 un voleur qui avait appelé les services d'urgence par erreur pendant un cambriolage.

brebis galeuses En novembre 2013, des voleurs ont dérobé 160 moutons dans un champ près du village de Wool (laine, en Anglais), dans le Dorset en Angleterre.

dodo dada Le mécanicien allemand Guenter Schroeder avait bu tellement de bière un soir qu'il finit par s'endormir sur un cheval. Ayant raté le dernier bus, il tituba jusqu'à une écurie où il s'installa sur une couverture, alors même qu'elle était sur le dos d'un cheval debout !

triple chance Trois membres de la famille Oksnes, des îles Austevoll, au large de la Norvège, ont gagné à la loterie en 6 ans un gain total de plus de 3,7 millions d'euros.

manif nue Des centaines de cyclistes ont manifesté sans vêtements dans les rues de Lima, au Pérou, en mars 2013, lors de la huitième édition de la randonnée nue, afin de protester contre les accidents de circulation.

DANS LES PRISONS SUISSES, TRENTE CELLULES ONT ÉTÉ PEINTES EN ROSE DANS L'ESPOIR DE CALMER DES DÉTENUS AGRESSIFS.

puce à l'oreille À Lyon, un homme a été arrêté après avoir commis 80 cambriolages. Il avait pris l'habitude de poser son oreille sur la porte de ses victimes pour vérifier que la voie était libre, laissant ainsi les empreintes qui ont permis de le confondre.

voyage de rêve Victime d'une forme de somnambulisme, une femme partie de Hamilton, en Nouvelle-Zélande a effectué un voyage de 300 km jusqu'à Tauranga en dormant au volant. Elle a conduit pendant cinq heures, et même envoyé des SMS avant d'être retrouvée, affalée sur son volant, devant son ancien domicile.

combinaison palmée Inspiré des tenues portées par les pratiquants du « Base jump », le Français Guillaume Binard a inventé une combinaison de plongée palmée entre les jambes et sous les bras pour permettre aux plongeurs de glisser dans l'eau comme une raie manta.

occasion unique En 2013, Peter Dodds de Derbyshire, en Angleterre, acheta une biographie de Winston Churchill d'occasion et s'aperçut que le livre cachait une carte postale envoyée par son frère en 1988 des USA à leur mère.

chère ristourne Un homme de 48 ans a été arrêté dans le comté de Pasco en Floride pour s'être fait passer pour un policier. Il allait régulièrement dans un magasin de beignets et exhibait un faux badge afin de bénéficier de la réduction réservée aux forces de l'ordre. Les employés ont fini par avoir des soupçons.

chute libre Lâché depuis un avion volant à 4 200 mètres, attaché et enfermé dans un cercueil dégringolant à plus de 200 km/h, Anthony Martin de Sheboygan, Wisconsin, a montré pourquoi il est un roi de l'évasion. Attaché par des menottes au niveau de la ceinture, il avait été enchaîné à l'intérieur d'une caisse en bois, fermée par une serrure de porte de prison réputée inviolable. Malgré les turbulences qui le secouaient, il est parvenu à sortir de la caisse à 1 980 mètres d'altitude pour ouvrir son parachute.

NŒUD D'ÉCUREUILS →

→ En juin 2013, à Regina dans le Saskatchewan, six jeunes écureuils furent découverts attachés ensemble par un nœud que formaient leurs queues et qui ne leur permettait de se déplacer que dans une seule direction. Minutieusement détachés dans une clinique vétérinaire, ils furent ensuite relâchés, leurs queues intactes.

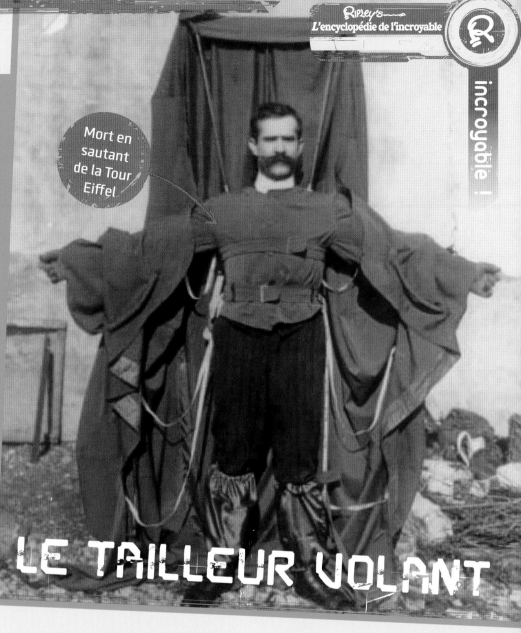

➜ Né en Autriche, Franz Reichelt était un tailleur français qui inventa un costume-parachute révolutionnaire à l'aube du XXᵉ siècle.

L'invention et la popularisation des avions rendaient pressante la question de la sécurité de ceux qui tombaient d'une grande hauteur et diverses recherches étaient menées sur l'invention d'un parachute efficace. Franz Reichelt avait conçu un costume-parachute qui se portait comme un manteau, permettant à qui l'endossait de passer inaperçu.

Perfectionniste, Franz attribua plusieurs échecs lors de tests avec des mannequins au fait qu'ils n'étaient pas lâchés d'assez haut et demanda l'autorisation de sauter de la Tour Eiffel qui était alors le plus haut édifice érigé par l'homme. Il lui fallut plus d'un an pour l'obtenir. Enfin, le 4 février 1912, Franz revêtit son costume au premier étage de la Tour, à près de 60 mètres du sol, entouré d'amis qui tentaient de le convaincre de renoncer. Sous l'œil des caméras, il s'élança et s'écrasa comme une pierre sur le sol parisien gelé.

Mort en sautant de la Tour Eiffel

LE TAILLEUR VOLANT

l'eau de là Des ingénieurs suédois ont inventé la machine à sueur, un dispositif qui permet de récupérer la sueur, composée à 99 % d'eau, sur les vêtements pour la transformer en eau potable.

problème de fuite Après avoir détroussé une femme dans le parking d'un centre commercial proche de Melbourne, en Australie, un homme de 64 ans a été arrêté faute d'être parvenu à ranger assez vite son déambulateur dans sa voiture.

renversant Un timbre indien vieux de 160 ans, d'une valeur nominale insignifiante, sur lequel l'effigie de la Reine Victoria avait été imprimée à l'envers par erreur, est estimé à plus de 100 000 $.

vieux mots tard que jamais Après avoir échangé environ 3 000 lettres sur une période de 74 ans, Norma Frati, de Portland au Texas, et Audrey Sims, de Perth en Australie se sont rencontrées pour la première fois en 2013 quand Audrey, à 83 ans, est allée aux États-Unis. Les deux femmes étaient devenues correspondantes alors que Norma avait 13 ans et Audrey seulement 9.

sur un nuage Cinq couples néo-zélandais se sont mariés à 12 500 m d'altitude. La cérémonie s'est déroulée dans la classe affaires d'un avion des Fiji Airways parti d'Auckland pour Nadi, aux îles Fidji.

superstitieux Le président Franklin D. Roosevelt ne voyageait jamais le treizième jour du mois et n'organisait jamais de réception pour treize convives à la Maison Blanche.

Ça décoiffe À Macon, en Géorgie, des voleurs ont dérobé des cheveux, destinés à fabriquer des extensions et des tresses, pour une valeur de 35 000 $.

poste d'observation En coulant en 1912, le Titanic a entraîné avec lui plus de sept millions de lettres et colis que les États-Unis seraient tenus d'acheminer s'ils venaient à être retrouvés.

trésor viking Quand David Taylor, du comté de Down en Irlande du Nord, trouva un bout de métal sale dans un champ, sa femme Lynda lui dit de le jeter. Il refusa et apprit par la suite qu'il s'agissait d'un bracelet viking en argent vieux de 1 000 ans.

À TOMBEAU OUVERT ➜
À sa mort, à l'âge de 84 ans, en 1998, Rose Martin a été inhumée à Tiverton, Rhode Island, à l'intérieur de sa Chevrolet Corvair 1962 bien-aimée. Le volant, les fenêtres, les sièges et le moteur avaient été enlevés pour accueillir le cercueil. Et 15 cm durent être enlevés à l'arrière de la voiture pour tenir dans le caveau, tapissé de béton, qui occupait la place de quatre sépultures.

ASSIS ENSEMBLE

Uche Emelife nous a envoyé du Nigeria cette photo du record de gens assis (24) sans utiliser le moindre siège.

douce vengeance Exaspéré par les appels de démarcheurs, Lee Beaumont de Leeds, en Angleterre, a mis en place son propre numéro surtaxé qui fait que les gens doivent le payer pour l'appeler. Il lui a jusqu'ici rapporté plus de 400 €. Au lieu d'écourter les appels indésirables, il s'applique désormais à les prolonger.

uni et unique Herbert Jenkins, de Détroit dans le Michigan, est le seul membre de son syndicat, l'Association des assistants superviseurs de la construction et l'entretien des rues.

pêche miraculeuse Un pêcheur du Saskatchewan a retrouvé l'appareil photo qu'il avait laissé tomber dans un lac plusieurs mois plus tôt après avoir été repêché par un cormoran. Karen Gwillim de Saskatoon remarqua l'oiseau qui portait l'appareil autour du cou. Le cormoran se laissa approcher et elle put récupérer l'appareil et sa carte mémoire contenant 239 photos exploitables, qu'elle posta sur Facebook pour retrouver le propriétaire.

jumeaux à gogo En 2013, le collège Highcrest de Wilmette, dans l'Illinois, accueillait 24 paires de jumeaux dans la même tranche d'âge.

corbillard à pédales Le Sunset Hills Cemetery and Funeral home d'Eugene, en Oregon, dispose d'un corbillard à pédales à trois roues. L'entreprise propose également des cercueils en bambou qui ressemblent à des paniers de vélo.

bonne maison Des habitants de Bryan, au Texas, ont construit en pain d'épices une maison grandeur nature pour une famille de cinq personnes. Pour fabriquer la maison qui mesurait 18 x 13 m, il a fallu 800 kg de beurre, 7 200 œufs, 3 200 kg de farine, 1 300 kg de sucre brun, sans oublier 22 304 morceaux de confiserie pour la décoration. Le tout représente un total de 36 millions de calories.

poupées de papier Amnah Al Fard des Émirats Arabes Unis a consacré 2 ans à construire 1 145 poupées miniatures en papier, à raison d'environ trois heures par poupée. Elle a utilisé plus de 760 mètres de papier et 4,5 kg de colle.

les toilettes de hitler Les toilettes de l'ancien dictateur siègent depuis 1952 dans le garage automobile de Greg Kohfeldt, à Florence dans le New Jersey. Provenant du bateau préféré de Hitler, l'aviso Grille, elles ont été installées là par l'ancien propriétaire des lieux.

eaux troubles Fouillant la rivière Avon près de Bath, en Angleterre, où des passants avaient vu un corps flotter, les plongeurs de la police ont découvert qu'il s'agissait d'un mannequin à l'effigie de Russell Crowe, utilisé pour le tournage du film *Les Misérables* qui venait de se dérouler dans la ville voisine.

très attendu En septembre 2013, Francesco Isella est devenu le premier bébé né en 67 ans à Lissa, en Italie, portant la population du village à six habitants.

Samita n'a pas le droit d'aller à l'école, jouer dehors ou même toucher ses amis.

DÉESSE VIVANTE

➔ La Népalaise Samita Bajracharya, 10 ans, est une Kumari, une déesse vivante considérée comme la réincarnation de Kali, déesse de la force. Vénérées à la fois par les Hindous et les Bouddhistes, les Kumaris sont sélectionnées très jeunes par des grands prêtres bouddhistes suivant plus de 30 critères incluant une bonne santé, une peau lisse et de belles dents. Kumari signifie vierge en népalais et Samita perdra le titre lors de sa puberté, mais jusque-là elle mènera une existence privilégiée mais très protégée. À l'occasion d'un défilé de chars à Jawalakhel, Samita portait le costume traditionnel qui se transmet d'une Kumari à la suivante. Avant son arrivée, la route fut arrosée et des chiens renifleurs furent déployés pour sa sécurité. Puis elle fut portée depuis son domicile par sa famille afin que ses pieds peints ne touchent pas le sol pendant que les fidèles se bousculaient pour l'apercevoir et lui offrir des fleurs et de l'argent.

LE VILLAGE DES POUPÉES

➜ **Il y a 150 poupées de paille de taille humaine et seulement 51 habitants dans le village retiré de Nagoro, au Japon.**

Chaque poupée représente un habitant qui est mort ou qui a déménagé. Créées par Mizuki Ayona, qui habite sur place, les poupées, vêtues de chiffons et de vieux vêtements, se trouvent un peu partout dans le village, le long des clôtures, à l'arrêt de bus, et dans l'école désaffectée après la mort de son dernier élève.

pêcheurs de trésors En 2013, Rick et Lisa Schmitt, de Sanford en Floride, accompagnés de leurs grands enfants Hillary et Eric, ont récupéré l'équivalent de 300 000 $ en chaînes et en pièces d'or dans les épaves d'un convoi de 11 bateaux, partis de La Havane pour l'Espagne en 1715, qui avaient coulé pendant un ouragan.

jumelles à retardement Maria Jones-Elliott, de Glenmore en Irlande, a eu deux jumelles, à 87 jours d'intervalle. Amy est née prématurément, trois mois avant terme. Puis les contractions ont cessé. La mère est ensuite restée à l'hôpital près de trois mois jusqu'à la naissance de la deuxième jumelle, Katie.

boire ou conduire Un habitant de Munich a retrouvé sa voiture deux ans après l'avoir égarée. À la suite d'une soirée bien arrosée en décembre 2010 et malgré ses recherches, il avait dû déclarer la disparition du véhicule. Un contractuel l'a découvert en octobre 2012, à 4 km de l'endroit où son propriétaire croyait l'avoir garé.

grave erreur Ed Koch, ancien maire de New York, avait méticuleusement planifié ses funérailles, allant jusqu'à visiter l'emplacement de sa tombe et rédiger sa propre épitaphe. Mais après sa mort en 2013, on constata que sa pierre tombale indiquait par erreur qu'il était né en 1942 au lieu de 1924.

pièce rare Trouvée dans une carcasse de voiture et d'abord estimée fausse, une pièce de 5 cents de 1913, frappée à l'effigie de la Liberté, a passé des années dans un placard avant d'être vendue aux enchères pour plus de 3,1 millions de dollars en 2013 à Chicago.

mise en boîte En 2013, face au problème de la pollution dans son pays, l'homme d'affaires chinois Chen Guangbiao a commencé à vendre de l'air pur en canettes pour 1 $ pièce.

famille médiatique Jayne Loughland du Pays de Galles a acheté un objet aux enchères en 2013. Il était emballé dans un journal local du 9 septembre 1982. Examinant le journal, elle repéra son nom. Sur la page suivante figurait une photo de son mari, et sur une autre celle du mari de sa belle-sœur. Ainsi trois personnes de la même famille apparaissaient dans un même journal, des années avant d'établir un lien de parenté.

tradition familiale Frank Pavlik et sa fille Hannah sont nés dans des parkings de l'Illinois. Frank a vu le jour dans le parking d'un supermarché de Joliet en 1980. La veille de son 33e anniversaire, sa fille est née de façon imprévue dans le parking d'une station-service d'Oswego.

UN PARACHUTISTE K.-O EN PLEIN CIEL

▥ Parachutiste expérimenté, James Lee, 25 ans, de la région de Gloucester en Angleterre, a miraculeusement survécu à un accident rarissime survenu à 3 800 m d'altitude. Lors d'un saut au-dessus de Wiltshire, un choc avec un autre parachutiste sur l'arrière du crâne l'assomma. Ayant compris ce qui se passait, deux parachutistes retardèrent courageusement l'ouverture de leur dispositif et plongèrent vers lui afin de lui sauver la vie en déployant son parachute. Reprenant conscience, Lee flotta jusqu'au sol en toute sécurité, mais sans le moindre souvenir du drame qui s'était joué.

objet trouvé Burton Maugans d'Acworth, en Géorgie, avait perdu son portefeuille en faisant du ski nautique en Caroline du Nord en 1989. Il l'a récupéré 24 ans plus tard grâce à Jim Parker qui a retrouvé l'objet et cherché son propriétaire sur Internet. Le portefeuille contenait toujours la carte de lycée de Maugans, une carte de bibliothèque et une vieille carte bancaire.

Âmes sœurs Les et Helen Brown de Long Beach, en Californie, sont nés le même jour en 1918, sont tombés amoureux au lycée, ont été mariés pendant 75 ans avant de mourir, à un jour d'intervalle, en juillet 2013.

monte-en-l'air En essayant de s'introduire dans un appartement au troisième étage à Valjevo, en Serbie, un cambrioleur s'est retrouvé suspendu au-dessus du vide, accroché à une antenne de télé. Le propriétaire de l'appartement qu'il voulait dévaliser l'a secouru, avant de le remettre à la police.

grand voyage Jasmine Hudson, 4 ans, jeta une bouteille avec un message depuis la jetée de Bournemouth, en Angleterre, dans l'espoir qu'elle voguerait jusqu'à chez sa tante, à Guernesey. Au lieu de cela, elle reçut une lettre cinq mois plus tard disant que le message avait été trouvé à 17 000 km de là, à Largs Bay, en Australie.

message secret La montre d'Abraham Lincoln portait un message secret gravé à l'intérieur dont même le Président ignorait l'existence. Décrivant les débuts de la Guerre de Sécession, le message fut gravé par le bijoutier Jonathan Dillon en 1861, mais son existence ne fut révélée qu'en 2009 quand l'arrière-arrière-petit-fils de Dillon contacta les experts du musée Smithsonian, où la montre est conservée, pour leur faire part de la rumeur qui circulait dans sa famille.

diminutif Le nom de Janice Keihanaikukauakahihuliheekahaunaele est si long qu'il ne tient pas sur son permis de conduire. Il contient 35 lettres et un caractère spécial hawaïen nommé un okina. Mais les documents officiels ne comportent que 35 espaces. Les autorités du Comté de Hawaï lui ont donc délivré un permis sans son prénom et où la dernière lettre de son nom a été omise.

référendum Avant la naissance de leur bébé, Katie Reise et Chris Vollmershausen de Toronto ont établi une liste de noms de garçons et de filles et l'ont envoyée à cent de leurs proches afin qu'ils votent pour les aider à choisir.

un fil à la patte Au Minnesota, une mère et son fils ont été inculpés en 2013 pour avoir volé des pattes de marmottes congelées pour une valeur de 5 000 $ et essayé de les revendre aux municipalités offrant des récompenses pour limiter la prolifération de ces animaux.

cartes de crédit En 1685 au Québec, les soldats furent payés avec des cartes à jouer au dos desquelles étaient rédigés des billets à ordre lorsque le gouvernement colonial français se trouva à court d'argent.

autruche volante Bart Jansen, un inventeur hollandais farfelu a créé la première autruche volante au monde... en équipant un oiseau empaillé d'un moteur et d'hélices. Avec l'aide de l'ingénieur Arjen Beltman, il s'est procuré une autruche morte dans une ferme et l'a confiée à un taxidermiste afin qu'elle soit tannée. Puis il l'a équipée d'un moteur et d'hélices avant de procéder au premier vol télécommandé.

la tournée des cimetières Depuis qu'il a visité en 1985 la sépulture du président Kennedy au Cimetière National d'Arlington, en Virginie, Mark Dabbs des West Midlands en Angleterre a dépensé 75 000 $ pour voir les tombes de plus de 200 célébrités aux quatre coins du monde comme celle de Bruce Lee à Seattle, celle de Trotsky à Mexico et celle de Mao Zedong à Pékin.

CHEESECAKE EN TECHNICOLOR

➔ Angelina Carroll fut stupéfaite en découvrant le cheesecake multicolore qui lui a été servi dans le restaurant de la chaîne américaine Mellow Mushroom situé à Summerville, en Caroline du Sud. Le parfum du gâteau était vanille/chocolat, nappé de sirop de fraise.

INQUIÉTANT CHAMPIGNON →

Sur le haut plateau tibétain, on trouve un étrange parasite nommé « champignon chenille » qui infecte la larve d'une mite locale, la dévorant de l'intérieur avant de pousser hors de sa tête. Le champignon, *Ophiocordyceps sinensis* est considéré comme un ingrédient miracle de la médecine chinoise traditionnelle depuis des siècles, tant pour combattre diverses maladies comme le cancer que pour ses vertus stimulantes et aphrodisiaques. Il est vendu encore attaché à la chenille pour un prix pouvant dépasser 7 000 $ par kg.

Un champignon émergeant de la tête d'une chenille

la cuillère de la liberté
À l'aide d'une simple cuillère, Oleg Topalov est devenu la quatrième personne en 20 ans parvenue à s'évader de la prison de haute sécurité de Matrosskaya Tishina, à Moscou. Il a creusé le plafond de sa cellule avec la cuillère, a pénétré dans un conduit d'aération et gagné le toit de la prison avant d'escalader le grillage d'enceinte.

frère farceur

Pendant que Jamiro Smajic, un ado hollandais, était en vacances, son frère aîné, Tobias Mathijsen, lui a joué un bon tour en faisant basculer sa chambre de 90 degrés. En l'espace de deux jours, Tobias a accroché les meubles au mur, attaché les posters au plafond et installé une lampe à 90 degrés. Une série de farces entre les frères avait commencé le jour où Jamiro modifia le profil Facebook de Tobias qui répondit en peignant la chambre de son frère en rose.

double bonheur
Les jumelles Aimee and Ashlee Nelson ont donné naissance à deux petits garçons à deux heures d'intervalle dans le même hôpital à Akron, en Ohio. Aimee, dont les contractions avaient commencé avec cinq jours d'avance, a accouché de Donavyn à 12 h 11 le 31 décembre 2012. Aiden, le fils d'Ashlee, est né à 14 h 03.

un pv pour barbie
Deux jeunes sœurs d'American Fork, en Utah, avaient laissé leur voiture Barbie, haute de 60 cm, dans la rue devant chez elles un soir. Quand elles l'ont retrouvée le lendemain, la police y avait posé une contravention amicale pour « véhicule abandonné ».

hôtesse virtuelle
Les autorités de Brent, près de Londres, ont dépensé plus de 16 000 € pour remplacer l'hôtesse d'accueil de l'hôtel de ville par un hologramme nommé Shanice.

brillante idée
En 2012, la Monnaie royale canadienne a émis une pièce de 25 cents portant l'image d'un dinosaure dont le squelette brille dans le noir.

MOUTON DE CHEVET

→ Si compter les moutons est censé aider à s'endormir, cette table de chevet réalisée à partir d'un mouton empaillé pourrait être un cadeau idéal pour de riches insomniaques.

Elle est l'œuvre de l'artiste espagnol Oscar Tusquets qui a transformé les cadavres de 21 moutons en meubles, complets, avec des tiroirs. Chaque meuble est vendu pour 82 000 $. Le troupeau est composé de vingt moutons blancs et d'un noir avec des pattes blanches, en référence à une expression catalane utilisée pour décrire une chose impossible.

MONDE

➜ Vingt fois plus haut
que l'Empire State Building,
le Mont Everest, plus haut
sommet sur terre, connaît les
phénomènes environnementaux
les plus imprévisibles de la
planète, avec des températures
plongeant jusqu'à - 57 °C et des
vents dignes d'un ouragan.

Plus de 5 000 personnes auraient escaladé
le sommet de 8 848 mètres, mais malgré
les hauts niveaux d'équipement et de
technicité, la montagne reste fatale avec
des risques d'avalanches, chutes de glace
et gelures. Depuis la première tentative
d'escalade en 1922, des centaines
de trekkers ont perdu la vie en se
risquant à l'escalade de l'Everest.
Un rapport datant de 2006 établit que
pour dix grimpeurs qui atteignent le
sommet, un meurt.

Malgré les risques, l'ascension de
l'Everest demeure populaire. Quand
les prévisions météorologiques le
permettent, des centaines d'entre eux
tentent l'ascension en même temps.
Leur grand nombre irait même jusqu'à
créer des goulots d'étranglement, des
files d'attente, des enchevêtrements
de cordes, voire des disputes entre
grimpeurs. Chaque moment passé en
montagne puise dans les réserves
d'énergie et d'oxygène et augmente
le risque d'être surpris par le mauvais
temps. Aussi il est vivement
recommandé aux marcheurs de faire
demi-tour s'ils n'ont pas atteint le
sommet avant 14h30 le dernier jour,
les orages survenant brusquement
dans l'après-midi.

PREMIERS PIONNIERS

À la question pourquoi escalader le Mont Everest, le montagnard
britannique George Mallory répliqua : « Parce qu'il existe. »
Mallory voulait être le premier à conquérir l'Everest et fit trois
tentatives. La première, en 1922, se fit sans réserve d'oxygène. Puis
en 1924, il fit l'escalade décisive avec Andrew Irvine. Ils étaient alors
vêtus d'habits offrant peu de protection contre le froid, mais cette
fois, ils avaient de l'oxygène. Un membre de leur équipe les localisa
pour la dernière fois à moins de 610 mètres du sommet, mais Mallory
et Irvine ne revinrent jamais au camp. En 1999, les restes gelés de
Mallory furent découverts à 8 157 mètres, sans que nous n'ayons
jamais su si lui et Irvine réussirent à atteindre le sommet.

zone mortelle

➜ Quand il s'agit de l'ascension de l'Everest, chaque moment
passé dans la « zone mortelle » – au-dessus de 8 000 mètres
– peut être fatal. À cette altitude l'air contient seulement 30 %
d'oxygène, ce qui rend la respiration difficile et conduit à la
léthargie, au manque d'appétit et à la confusion mentale. Ceux
qui ont souffert de ce syndrome ont été décrits comme n'ayant
plus aucune notion d'où ils étaient ni comment ils y étaient
parvenus. Dans des cas extrêmes, le cerveau peut enfler et
déclencher un coma. Si l'un des grimpeurs est confronté à ces
difficultés dans la zone mortelle et ne peut continuer, il devient
très périlleux pour les autres de le secourir. Un goulot d'étranglement a été responsable de six décès en un week-end en 2012.

lincoln hall

➜ En mai 2006, le montagnard australien Lincoln Hall, très expérimenté, entamait sa descente du sommet quand il fut frappé du mal des montagnes. Son cerveau commença à enfler et ses compagnons de marche furent contraints de le laisser pour mort à 8 600 mètres. Il passa la nuit seul, hallucinant, mais survécut jusqu'au lendemain matin. Il fut découvert assis dans la neige, souffrant de gelures, par un groupe en pleine ascension. Le groupe abandonna son ascension pour lui porter secours. S'il n'avait été trouvé, il aurait été le douzième alpiniste à mourir sur l'Everest cette année-là.

Un embouteillage à 8 839 mètres. À 9 mètres du sommet, les trekkers attendent de monter le Hillary Step en 2012. Quatre d'entre eux moururent ce jour-là. Les montagnards ont suggéré la fixation d'une échelle au rocher pour s'adapter au nombre croissant des trekkers.

Une file de trekkers en chemin vers le Lhotse Face, à 7 620 mètres d'altitude.

SINISTRES RESTES

Les trekkers d'aujourd'hui doivent marcher à travers les horribles conséquences des dangers qu'ils affrontent. Les corps des marcheurs décédés ne sont en effet pas retirés des montagnes, à cause des conditions extrêmes et du manque d'air au-dessus de 7 000 mètres empêchant aussi le survol en hélicoptère. Ainsi, les corps peuvent rester des dizaines d'années là où ils sont tombés, conservés par le froid. Parmi les découvertes macabres, figure le corps d'un grimpeur indien, Tsewang Palijor, qui gît à 8 534 mètres depuis 1996. Surnommé « Bottes vertes », il est visible depuis une route qui mène au Col Nord.

▲ En 2001, le Français Marco Siffredi devint le premier homme à descendre l'Everest en snowboard, dévalant 5 300 mètres du sommet jusqu'au camp de base. Il disparut l'année suivante en tentant sa deuxième descente de l'Everest.

▲ Les températures extrêmes sur l'Everest peuvent causer la « toux du Khumbu », quand l'air gelé entre dans les poumons. Elle peut provoquer une toux si violente qu'elle peut fêler les côtes.

▲ Les trekkers du Mont Everest perdent en moyenne 10 kg, car l'ascension et la descente demandent énormément d'énergie et le manque d'air complique l'alimentation.

▲ Les Tibétains appellent l'Everest le Pic Chomolungma et les Népalais le Sagarmatha. Le nom Everest provient du Britannique Sir George Everest, géomètre et géographe.

▲ L'escalade de l'Everest a un prix : la licence délivrée par les autorités népalaises coûte 25 000 $ et une expédition guidée complète peut aller jusqu'à 100 000 $.

PREMIER AU SOMMET

À 11 h 30 le 29 mai 1953, Edmund Hillary et le sherpa Tenzing Norgay furent les premiers hommes à poser leur empreinte au sommet du Mont Everest. Leur ascension dura sept semaines mais après 15 minutes au sommet, ils rejoignirent le camp de base en trois jours. Un peu plus de cinquante ans plus tard, en 2004, le sherpa Pemba Dorje escalada la montagne en 8 heures et 10 minutes. Le fils d'Hillary, Peter, a grimpé l'Everest cinq fois.

UNE TRADITION COLORÉE

➜ L'Ohaguro est une vieille tradition vietnamienne et japonaise qui consiste, pour les femmes mariées et certains hommes, à se teindre les dents en noir pour se protéger des mauvais esprits.

Cette tradition a longtemps été respectée depuis les temps préhistoriques jusqu'au milieu du xixe siècle. Certaines femmes y ont encore recours aujourd'hui.

La laque utilisée pour rendre les dents noires était censée protéger contre la carie dentaire, un peu comme le scellant dentaire actuel. Les femmes pouvaient ainsi conserver leurs dents tout au long de leur vie. Des ossements humains ont été retrouvés avec toutes leurs dents encore noires, prouvant ainsi l'efficacité de la méthode au-delà de ce qu'on aurait pu imaginer.

Non seulement se teindre les dents en noir éloignait les mauvais esprits, mais cela permettait de ne pas être confondu avec ces mêmes mauvais esprits réputés pour avoir les dents blanches et pointues. Cette allure noirâtre, qui était considérée comme un trait de beauté, a fait partie de l'identité des femmes vietnamiennes et fut un moyen pour elles de se distinguer des Chinoises qui privilégiaient les dents blanches.

par ici la monnaie Les dents de dauphins servent de monnaie dans les îles Salomon depuis des siècles. Elles sont préférées aux billets de banque et il n'est pas rare qu'un habitant de cet état débourse plusieurs dents de dauphins pour acheter sa future mariée.

algue à tous les étages Un immeuble de Hambourg, en Allemagne, a fonctionné aux algues pendant 6 mois. Cultivées via un réseau d'eau, les algues étaient plantées sur des panneaux disposés sur les façades ensoleillées de la structure. Après la récolte, elles étaient transformées en une sorte de pulpe dans une usine de biogaz afin de produire de l'énergie renouvelable.

cool colle À Séville, en Espagne, le Metropol Parasol est le plus grand immeuble en bois au monde. Il mesure 150 x 70 m pour 26 mètres de haut. La structure tient uniquement grâce à de la glu.

doigt d'horreur En Nouvelle-Guinée, le peuple Kanum-Irebe a pour coutume de dire au revoir à quelqu'un en glissant son index sous l'aisselle du partant, puis sent son doigt avant d'étaler son odeur sur le corps.

cours toujours Là où se tient aujourd'hui une école publique à Chengdu en Chine était déjà bâti le lycée Shishi, il y a plus de 2 100 ans.

lunettes pas nettes En Arctique, les Inuits se fabriquent des lunettes de ski à partir d'os et de tendons de caribous sculptés.

morts et vivants Le cimetière nord de Manille, la capitale des Philippines, héberge quelque 6 000 personnes, vivant ici faute de trouver de la place ailleurs. Des cabanes en bois et en tôle ondulée sont construites au-dessus de centaines de tombes. Le site, qui s'étend sur 54 hectares, accueille aussi des fast-foods, des karaokés et des cybercafés, tout en assurant près de 80 enterrements par jour.

AVENUE DU TRAMPOLINE

➜ En 2012, les visiteurs du Archstoyanie Art Festival à Nikola-Lenivets, en Russie, pouvaient emprunter un trampoline de 52 mètres de long construit en pleine forêt. Baptisé la Voie Rapide, cette curiosité composée de caoutchouc renforcé a été imaginée par une équipe d'architectes estoniens qui voulaient prouver qu'on pouvait se déplacer d'un point à un autre tout en s'amusant.

LE + DE RIPLEY'S

Pour bien réussir l'opération des dents noires selon la tradition Ohaguro, il faut d'abord bien aseptiser la bouche. Cela passe par un bon brossage des dents, puis un nettoyage à l'aide d'une noix de bétel sèche avant de les frotter avec de la poudre de charbon mélangée à du sel. La veille de la teinture, la personne mâche un citron qu'elle garde en bouche avant de se rincer avec du vin de riz afin d'éroder l'émail des dents. La touche finale de la teinture passe par une solution marron appelée kanemizu, obtenue après dissolution de limaille dans du vinaigre. Enfin, la personne se rince la bouche avec de la sauce de poisson.

PASSAGES DANGEREUX

TRAVERSÉE MORTELLE

➜ Ces écoliers indonésiens ont longtemps risqué leur vie en traversant sur la pointe des pieds un pont suspendu complètement branlant au-dessus d'une rivière en crue pour atteindre leur école à Sanghiang Tanjung avant qu'un nouveau pont ne puisse être construit. La passerelle de 162 mètres de long s'est écroulée en janvier 2012 à la suite d'inondations, mais les enfants ont décidé de continuer à l'emprunter tous les jours pour éviter les 5 km de marche nécessaires pour rejoindre leur école.

UNE VIE EN SOLO

➜ Maxime Qavtaradze, un moine de 60 ans, vit tout seul depuis plus de vingt ans au sommet du Katskhi Pillar, en Géorgie, haut de 40 mètres. Ses disciples se chargent de lui monter de la nourriture par un treuil. Il ne quitte son rocher calcaire que deux fois par semaine pour prier, utilisant une échelle dangereuse pour une descente d'une vingtaine de minutes. Ancien grutier, il n'est heureusement pas soumis au vertige. Quand il s'est installé, il a dû dormir quelque temps dans un vieux frigo tant le lieu était rudimentaire.

CHEMIN TRANSPARENT

➜ Vertige interdit pour franchir cette nouvelle attraction touristique chinoise qui consiste en une plateforme vitrée large de 90 cm et longue de 60 mètres, posée sur le flanc de la montagne Tianmen. Seuls 6,4 cm de vitre séparent l'intrépide touriste d'une chute vertigineuse de 1 433 mètres. Les agents d'entretien étant peu motivés pour nettoyer le passage, les visiteurs sont obligés de porter des couvre-chaussures pour ne pas salir.

NE PAS REGARDER EN BAS !

➡ Dans la province de Shanxi en Chine, les touristes casse-cou se pressent pour avoir la chance de traverser ce passage étroit de 30 cm construit à même la montagne avec plusieurs centaines de mètres de vide sous eux. Ils doivent obligatoirement porter un harnais de sécurité pour franchir cette section de la route de la falaise de Chang Kong, construite il y a 700 ans, avec des planches en bois.

ESCALIER POUR LE PARADIS

➡ Cet escalier en spirale de 90 mètres de hauteur a été construit sur le flanc de la montagne Taihang dans la ville de Linzhou pour donner aux touristes chinois tous les frissons de l'alpinisme sans ses dangers. Les courageux grimpeurs, qui doivent avoir moins de 60 ans et ne pas souffrir de problèmes cardiaques, sont soumis à des conditions climatiques telles que le vent, la pluie ou encore des nuées d'oiseaux au fur et à mesure de leur progression vers le sommet.

Parc sous-marin

➜ L'été, les plongeurs du Grüner See, dans le Land de Styrie en Autriche, tombent sur des choses qu'ils ne sont pas habitués à trouver au fond d'un lac, telles que des prairies, des parterres de fleurs, des chemins pavés, des bancs et un pont.

L'hiver, le lac n'est profond que de 2 mètres, entouré d'un parc. Mais au printemps, à la fonte des neiges, l'eau envahit le lieu. L'été, la profondeur du lac atteint 12 mètres et le parc est submergé. L'herbe sous-marine et le feuillage procurent à l'eau une magnifique couleur émeraude, qui donne son nom au lac.

Ripley's
L'encyclopédie de l'incroyable
www.ripleybooks.com

monde

haute pression La fosse des Mariannes dans l'océan Pacifique est l'endroit le plus profond de la Terre. La pression de l'eau est équivalente à un éléphant portant des talons aiguilles et se tenant sur votre tête.

os'secours ! En janvier 2013, des pluies torrentielles ont fait dégringoler des restes humains du cimetière de St Mary's Church dans le Whitby, en Angleterre, jusqu'en bas de la falaise, au cœur de la ville. Les ossements ont été ramassés et enterrés à nouveau dans ce cimetière vieux de 900 ans, qui est aussi celui décrit dans le *Dracula* de Bram Stocker.

un pater, deux rollers Les rues de Caracas, au Venezuela, sont interdites à la circulation tous les jours entre le 16 et le 24 décembre afin que les fidèles puissent se rendre en rollers à la messe matinale appelée Misa de Aguinaldo. Pendant cette période, les enfants accrochent une ficelle à leur orteil avant d'aller au lit et la laisse pendre par une fenêtre de leur maison. Le matin, les fidèles en rollers tirent sur chaque ficelle pendante pour rappeler aux enfants qu'ils doivent se lever pour aller à l'église.

chambre macabre L'Igreja Nosso Senhor do Bonfilm, une église de Salvador, au Brésil, abrite la chambre des miracles où sont pendus au plafond des bras, pieds, têtes, cœurs, colonnes vertébrales et poitrines en cire ou en plastique, qui représentent des gens ayant miraculeusement guéri au fil des siècles.

île fantôme L'île de Sable, à mi-chemin entre l'Australie et la Nouvelle-Calédonie, est mentionnée sur les cartes marines et celles du monde depuis un siècle. En novembre 2012, des scientifiques de l'Université de Sidney se sont rendus sur place et n'ont rien trouvé d'autre que la mer. L'île a aussitôt été retirée des cartes du National Geographic et de Google.

fausse éruption

➜ Le 1er avril 1974, par temps clair, les habitants de Sitka, en Alaska, se sont réveillés en constatant que le volcan du Mont Edgecumbe, couvert de neige, dégageait une épaisse fumée noire. La panique s'empara du village, car le volcan était inactif depuis plusieurs siècles. Le pilote de l'hélicoptère des garde-côtes qui fut aussitôt mobilisé éclata de rire en arrivant sur zone. Un tas de 70 pneus en caoutchouc était en train de brûler et, sur la neige, était peintes en énorme les lettres suivantes : Poisson d'avril. Un farceur du coin et un de ses potes avaient planifié la blague depuis des années, attendant patiemment que toutes les conditions climatiques soient réunies pour réussir leur tour.

musée bruyant Un musée consacré aux ronflements est une curiosité de la ville allemande d'Alfeld. Josef Alexander Wirth, un médecin, a récupéré tout au long de sa carrière plus de 400 objets et médicaments censés soigner le ronflement comme des bijoux de nez, des machines de traitement par électrochoc, des mentonnières en cuir avec attaches pour couvrir la bouche, ainsi que des boulets de canon très lourds, cousus dans l'uniforme des soldats ronfleurs pendant la Guerre d'indépendance des États-Unis afin de les empêcher de dormir sur le dos, ce qui aurait réveillé toute la chambrée.

pluie verte En août 2012, le village de Berkeley dans le Gloucestershire, en Angleterre, a reçu une pluie d'algues. Une tornade exceptionnelle avait soulevé les algues sur une plage à 32 km et les avait transportées jusqu'au village, forçant les habitants à remplir des seaux entiers pour s'en débarrasser.

couleur café Des scientifiques ont relevé des taux anormalement élevés de caféine au large des côtes de l'Oregon. Des pluies torrentielles avaient provoqué des débordements dans les canalisations d'eaux usées, les déversant directement dans l'océan, la population de l'Oregon étant réputée pour boire beaucoup de café.

espaces trop verts Afin de rendre le sourire à la population et les convaincre que le printemps pointait le bout de son nez, l'administration de la ville de Chengdu, en Chine, a peint les espaces verts de la mégapole en février 2013. Les habitants s'en sont rendu compte en marchant dans l'herbe et en constatant des traces de peinture sous leurs chaussures.

cellule de luxe Des clients n'hésitent pas à payer pour passer une nuit dans l'une des pires prisons des Pays-Bas, transformée en hôtel de luxe. Les 150 cellules de Het Arresthuis ont été converties en 36 chambres spacieuses et 7 suites. L'établissement a été élu meilleur hôtel de la ville de Roermond.

vaches enragées Au cours du festival religieux et séculaire d'Ekadashi dans l'État du Madhya Pradesh, en Inde, des dizaines d'hommes bénévoles s'allongent sur le sol et attendent de se faire piétiner par un troupeau de vaches en furie.

VIN SUR VIN

➜ Tous les ans, le 29 juin, des milliers de personnes gravissent une montagne près de Haro, en Espagne, pour se livrer à une bataille de vin qui dure trois heures. Des camions remplis de milliers de litres de vin rouge sont mobilisés pour cette tradition vieille de 300 ans et intitulée La Batalla de Vino de Haro. Chaque participant reçoit 4 litres de vin et utilise tous les moyens pour asperger les autres : pistolets à eau, seau, calebasses évidées et même de vieilles bottes. Les tee-shirts blancs portés par les protagonistes changent vite de couleur, tout comme la ville qui prend des tons pourpres en fin de soirée.

UN HOMME OUBLIE DE FERMER L'EAU PENDANT 3 MOIS

■ Vous êtes-vous déjà demandé ce que cela ferait si vous oubliez de fermer le robinet d'eau chez vous ? Voici un bel exemple, grâce à un Chinois qui a créé accidentellement cette cascade spectaculaire en laissant l'eau couler tout l'hiver ! Dernier habitant d'un immeuble promis à la démolition à Jilin City, en Chine, Wen Hsu avait peur que les canalisations non isolées des six étages vides du dessous gèlent à cause du froid, le privant ainsi d'eau courante. Pour s'assurer que l'eau continuerait à circuler, il a laissé son robinet ouvert, déviant l'eau chaude vers la façade de l'immeuble où elle a bien évidemment gelé, créant cette stalactite géante.

haute température Le noyau solaire est si chaud qu'un objet de la taille d'une tête d'épingle dégagerait suffisamment de chaleur pour tuer une personne à une distance de 160 km.

médusant Un robot méduse de 1,5 mètre de long est utilisé pour cartographier les fonds sous-marins des côtes américaines, étudier la vie marine et les courants océaniques. Développé par une équipe d'ingénieurs du College of Engineering de Virginia Tech, Cyro fonctionne à piles avec des moteurs électriques qui lui permettent d'aller sous l'eau, comme une véritable méduse.

tas de boue La banlieue de Westland à Détroit, dans le Michigan, accueille tous les ans le Jour de la Boue au cours duquel des centaines d'enfants jouent dans une fosse géante remplie de 200 tonnes de terre mélangée à 76 000 litres d'eau. Parmi les concours figurent la plongée dans la boue, des courses de brouette et le tournoi pour élire le Roi et la Reine de la Boue.

pièce de musée Depuis 1964, un nickel (une pièce de monnaie canadienne de 5 cents) mesurant 9 mètres de haut trône au musée Dynamic Earth de Greater Sudbury, dans l'Ontario, une ville réputée pour ses mines de nickel.

cerf volant Elvis Afanasenko a remporté les championnats du monde de brame 2012 qui se sont tenus à Exmoor, en Angleterre. Les concurrents devaient imiter le cri du cerf en rut. Quadruple champion, Elvis imite si bien l'animal que les cerfs jaloux répondent à ses brames.

arme fatale En Suisse, les hommes en âge de partir sous les drapeaux reçoivent une arme personnelle au cas où le pays serait envahi.

attention à la marche « L'escalier vers nulle part » est une nouvelle attraction touristique autrichienne où les casse-cou qui n'ont pas le vertige doivent descendre 14 marches pour arriver sur une plateforme en verre suspendue à 400 mètres directement au-dessus du glacier de Dachstein.

vol de chaises Le manège de chaises volantes Texas SkyScreamer, du parc d'attractions Six Flags Over Texas à San Antonio entraîne les curieux à 120 mètres de haut dans des boucles de 38 mètres à une vitesse de 56 km/h.

tous aux abris Une cabane en bois de 9 mètres de long et de 4,5 mètres de haut, modélisée à partir du bateau royal Victory qui fut le vaisseau étendard de l'Amiral Nelson pendant la bataille de Trafalgar en 1805, a été construite dans le jardin de Clare Kapma-Saunders à Southampton, en Angleterre.

l'appel du rat La municipalité du township d'Alexandra à Johannesburg, offre un téléphone portable à tout habitant du lieu qui attrape 60 rats.

gourmand de diamants Arrêté au moment d'embarquer dans un avion reliant Johannesburg, en Afrique du Sud, à Dubaï, un homme de 25 ans avait avalé 220 diamants pour une valeur totale de 2,3 millions de dollars qu'il tentait de passer en contrebande.

hors d'âge En 2012, Mzee Julius Wanyondu Gatonga a appris qu'il ne pourrait pas bénéficier de la couverture médicale kényane car sa carte d'identité indiquait qu'il avait 128 ans et que le système informatique ne reconnaissait que les dates de naissance à partir de 1890, soit 6 ans après sa naissance supposée. Si cette dernière est vraie, cela ferait de lui le plus vieil homme du monde.

joyeux noëls Pour la 2e fois en trois ans, Hamima Juma de Coventry, en Angleterre, a accouché le jour de Noël, soit une probabilité de 130 000 contre 1 que cela arrive ce jour. Les deux enfants devaient arriver à terme le 19 décembre.

invasion permanente Il n'y a que 22 pays dans le monde qui n'ont pas été envahis par l'Angleterre à un moment ou un autre de leur histoire : le Guatemala, la Bolivie, le Paraguay, la Suède, le Liechtenstein, le Luxembourg, la Biélorussie, la Principauté d'Andorre, Monaco, le Vatican, Sao Tomé-et-Principe, l'Ouzbékistan, la Mongolie, le Kirghizistan, le Tadjikistan, le Mali, la Côte d'Ivoire, le Tchad, la République centrafricaine, le Burundi, la République du Congo et les Îles Marshall.

GROS COCHON → Voici le malheureux gagnant du concours du plus gros cochon, sacrifié puis exhibé avec un ananas dans la gueule près du temple Tsuhsih de Sanxia, à Taiwan. Tous les ans, le lieu héberge le concours du « Cochon de Dieu » dont le « gagnant » en 2013 pesait 960 kg.

➔ Un adepte du soufisme sort son œil de l'orbite avec un objet pointu au festival religieux annuel Urs à Ajmer, en Inde. Tous les ans, des milliers d'adeptes de cette religion venus de tous les coins du pays se retrouvent au cours d'une procession qui marque l'anniversaire de la mort du saint Moinuddin Chishti. Les plus pieux témoignent de leur dévotion la plus totale en réalisant des exploits à vous glacer le sang, tels que celui-ci, utilisant des couteaux pointus, des bouts de bois ou des lances.

sur orbite

Indiana Bones

et les squelettes aux bijoux ↘

Paul découvrit ce squelette de Saint Freidrich à l'abandon dans la fameuse Abbaye bénédictine de Melk, en Autriche.

➜ **Des milliers de squelettes vieux de 400 ans, tous ornés d'or, d'argent et de joyaux ont été récemment découverts par Paul Koudounaris, un historien de Los Angeles, surnommé Indiana Bones (« Os »). Ils étaient cachés à l'intérieur de coffres d'églises et containers, et ce dans divers endroits en Europe.**

Les squelettes ont été exhumés des catacombes romanes au xvie siècle et, sur ordre du Vatican, ont reçu des noms fictifs et des certificats les authentifiant comme premiers martyrs chrétiens. Ils furent ensuite envoyés en Allemagne, Autriche et Suisse pour remplacer dans les églises les reliques religieuses détruites dans le sillage de la Réforme protestante.

Là, les squelettes furent habillés de vêtements richement décorés. Leur statut supposé était tel que seules des personnes ayant fait vœux à l'église, principalement des nonnes, étaient habilitées à les habiller. Il fallut cinq ans pour décorer certains corps à l'aide de centaines de joyaux étincelants et de plusieurs kilos d'or et argent. Les bijoux seuls valent des milliers de dollars.

La plupart sont de véritables chefs-d'œuvre. Pour la restauration de la relique de Saint Deodatus à Rheinau, en Suisse, un visage de cire fut fondu sur le haut du crâne et un linge fut utilisé pour la bouche pour donner à l'ensemble du cadavre un air plus réaliste.

Identifiés comme les Saints des Catacombes, ils accédèrent au sacré même si aucun d'entre eux ne fut canonisé. En fait, quelques-uns des squelettes sont supposés avoir appartenu à une personnalité religieuse.

Au xixe siècle, les faux saints exposés devinrent embarrassants pour l'église catholique. La plupart furent alors cachés, dénués de leurs honneurs et enfermés dans des malles pour leur conservation. Ils y restèrent jusqu'à ce que Paul Koudounaris trouve leur cachette secrète lors de ses trois années de quête dans les églises et ossuaires européens. Sans relâche, il photographia des douzaines de squelettes pour conter cette fabuleuse histoire des squelettes incrustés de joyaux de l'église catholique.

Le squelette de Saint Deodatus était couvert de cire et orné de faux yeux et d'un voile pour le faire paraître plus réel.

La main du squelette de Saint Valentin ou Sainte Valentine, tout incrustée d'or, a été découverte à Bad Schussenried, en Allemagne. Il y a onze Saint Valentin reconnus par l'église catholique mais celui qu'elle désigne comme le réel Saint Valentin est à Terni, en Italie.

La relique du squelette de Saint Benedictus a été découverte dans l'église de Saint Michel à Munich, en Allemagne.

L'ÎLE EXTRATERRESTRE

➜ Décrite comme « l'endroit le plus extraterrestre sur Terre » à cause de ses paysages de science-fiction, l'île de Socotra, dans l'Océan Pacifique, possède des variétés de plantes qui datent de 20 millions d'années. L'île, détachée du continent africain depuis environ / millions d'années, héberge 800 espèces rares de la faune et la flore, dont un tiers n'existe nulle part ailleurs sur la planète. Les arbres et plantes, y compris l'arbre au sang-de-dragon, dont la résine rouge était utilisée dans la magie médiévale, ont évolué pour s'adapter au climat chaud et sec. Malgré les 40 000 habitants de Socotra, l'île a connu la construction de ses premières routes il y a à peine quelques années.

planète diamant Les astronomes ont découvert une planète deux fois plus grande que la Terre et constituée largement de diamant. La surface de 55 Cancri e, à 40 années-lumière de la Terre, est semble-t-il couverte de graphite et diamant, avec des températures atteignant les 2 149 °C. La planète rocheuse orbite si vite qu'une année y dure seulement 18 heures.

belle vue Des toilettes situées au 18e étage de l'hôtel Standard à New York possèdent des baies vitrées de 3 mètres du sol au plafond, offrant aux clients une vue spectaculaire sur les gratte-ciel de Manhattan, mais également les offrant à la vue de ceux situés dans les immeubles en face ou dans la rue en bas !

tour tordue La tour Cayan de 75 étages à Dubaï offre une torsion de 90° entre le haut et le bas. Les résidents situés en bas de la tour ont vue sur la Marina alors que ceux situés tout en haut font face au Golfe persique. La structure des colonnes en béton offre une rotation d'à peine plus de 1° par étage.

mousse surgelée Catherine La Farge, une biologiste de l'Université d'Alberta, recueillit des mousses gelées restées sous la glace dans le nord du Canada pendant 400 ans et les ramena à la vie dans son laboratoire.

ça gèle ! Les températures chutèrent jusqu'à – 50 °C en Sibérie en décembre 2012. Il fit si froid que lorsqu'un homme jeta un bol d'eau bouillante, depuis son appartement situé en haut d'un immeuble à Novosibirsk, l'eau se transforma immédiatement en douche de gouttes gelées.

mississippi tout-puissant Pas moins de 7 000 rivières alimentent le Mississippi, lui conférant une surface d'environ 2,98 millions de kilomètres carrés, soit environ 37 % de la superficie des États-Unis.

sol acide La pollution générée au XIXe siècle par les usines de Bleaklow Moor à l'Est de Manchester, en Angleterre, a laissé le sol plus acide que s'il contenait du jus de citron.

tempête sur saturne Le 5 décembre 2010, une tempête a été détectée sur Saturne. Elle grossit tant et si vite qu'elle atteignit huit fois la taille de la Terre.

l'île flottante de pierre ponce Une île faite de pierre ponce mesurant 482 km de long et 48 km de large – plus que la surface d'Israël – a été repérée au large des côtes de Nouvelle-Zélande en 2012. Il est probable que l'île fut créée à la surface par un volcan souterrain car la pierre ponce se forme lorsque la lave se rafraîchit brusquement.

MIROIRS EN MONTAGNE

➜ Située à l'ombre de la montagne Gaustatoppen, en Norvège, la ville de Rjukan n'avait jamais vu les rayons du soleil pendant l'hiver, jusqu'à ce que, en 2013, trois miroirs de 17 m² contrôlés par ordinateur furent installés en haut d'un pic pour refléter la lumière du soleil et en baigner la ville.

Quelques-uns des 3 500 habitants de Rjukan profitent du reflet du soleil grâce à des miroirs, un procédé qui assure à la ville de ne plus rester six mois par an sans la lumière du soleil.

Les trois miroirs géants perchés à 400 mètres en haut de la montagne ont finalement apporté le soleil en hiver à Rjukan.

Un camion incrusté dans la glace. Le feu sur le site était si intense que sa chaleur et la fumée étaient même visibles sur les systèmes radar météorologiques.

Un pompier de Chicago piégé par la glace. Un tiers des pompiers de la ville se retrouvèrent sur les lieux de l'incendie.

FEU DE GLACE

→ Lorsqu'un immense hangar abandonné dans le sud de Chicago prit feu la nuit du 22 janvier 2013, les températures glaciales saisirent l'eau pulvérisée par les pompes à incendie mais aussi l'immeuble lui-même, les camions et les équipes.

Pris en charge par plus de 200 pompiers, le feu fut le plus grand incendie des sept dernières années et était toujours en activité 19 heures après ses débuts, période pendant laquelle les pompiers ont créé par inadvertance un monde féerique d'hiver.

Des millions de litres d'eau furent déversés sur l'immeuble en flammes, mais ont gelé instantanément, transformant le vieux hangar en château de glace.

Badaboum ➔ À Taïwan, les participants au Yanshui Beehive Rockets Festival portent des casques afin de se protéger des dizaines de milliers de pétards qui sont allumés en même temps. Le macadam des rues aux alentours est totalement recouvert de débris de pétards à l'issue du rendez-vous. Ce festival a été créé en 1885 à l'époque où les gens utilisaient les feux d'artifice pour tenter de repousser une épidémie mortelle de choléra.

pire évité Le 29 février 2012, une tornade s'est approchée à 12 mètres du Bizarrorium Ripley's à Branson, dans le Missouri. Les architectes ont conçu ce musée biscornu comme s'il avait été touché par un tremblement de terre. Haute de 366 mètres, la tornade a détruit la toiture du motel adjacent au musée, épargnant miraculeusement ce dernier que les touristes adorent photographier. L'immeuble a été construit en 1999 en référence au tremblement de terre de 1812 dans le Missouri qui avait inversé le sens d'écoulement de l'eau du fleuve Mississippi pendant trois jours et fait sonner les cloches des églises de Philadelphie à 1 600 km de là.

de fil en fil Les câbles du célèbre pont Golden Gate de San Francisco, en Californie, sont composés de plus de 129 000 km de fils en acier.

gras à tous les étages En 2013 à Londres, en Angleterre, un conglomérat de graisse et de déchets pesant 16 tonnes a été découvert dans un égout souterrain. Baptisé le « fatberg », cet amas, pesant autant qu'un bus à deux étages, a réduit la capacité d'évacuation de l'égout à 5 %. Il a fallu trois semaines pour le déloger à coup de tuyau à haute pression. Les habitants se sont rendu compte de la présence de l'amas en ne pouvant plus tirer leur chasse d'eau.

bataille de rats Le Festival des Rats Morts se tient tous les ans à El Puig, en Espagne. Les fêtards partent à l'assaut d'une cucaña, une sorte de conteneur décoré, rempli de rats congelés. Quand il se brise, les festivaliers se lancent dessus les rats crevés. Cette bataille a été instaurée depuis l'époque où les cucañas étaient remplies de fruits que les rats parvenaient à infiltrer. Les fêtards les massacraient et se les lançaient.

belle mort Les tribus en Papouasie-Nouvelle-Guinée (Indonésie) conservent les morts en les embaumant de fumée. Les corps sont suspendus sur une structure en bambou, transportés au sommet d'une montagne sacrée puis placés sur des poteaux en bois, leurs regards tournés vers le village, plusieurs centaines de mètres plus bas.

église humide La chapelle de Cross Island à Oneida, dans l'État de New York, est construite au milieu d'un étang. D'une superficie de 2,6 m², elle ne peut accueillir que deux fidèles. Pour les mariages, il y a seulement la place pour la mariée, l'époux et le prêtre. Les invités sont assis à l'extérieur, sur des petits bateaux.

arbre imposant Le bâtiment des bureaux d'Auto Towing and Recovery à Astoria, dans l'État de New York, a été construit autour d'un arbre qui mesure aujourd'hui 15 mètres et ressort par le toit de la structure.

ROSA BONHEUR

➔ Ces tuyaux roses aux allures très artistiques serpentent sur plus de 60 km dans Berlin, en Allemagne, contournant les immeubles, survolant les intersections, plongeant dans les buissons et émergeant parfois au sommet des arbres. Les Berlinois eux-mêmes sont plutôt désorientés. La ville étant construite sur un marais, ces tuyaux d'eau pompent l'eau présente dans le sol des terrains constructibles et la déversent dans les rivières et canaux. La forme noueuse du circuit permet de lutter contre la dilatation thermique et évite une rupture en cas de gel. Le rose a été choisi sur les conseils d'un psychologue qui estime que cette couleur est la préférée des enfants et des jeunes en général.

CONCOURS DE GRAS

chat alors !
La crèche de l'immeuble Wolfartsweier à Karlsruhe, en Allemagne, a la forme d'un chat. Les enfants entrent par la gueule et sortent par la queue de l'animal, qui est un toboggan. Les classes et le réfectoire sont dans le ventre du chat.

au vol !
Bruce Campbell habite dans la forêt près d'Hillsboro (Oregon) dans un Boeing 727, acheté 100 000 $, qu'il a mis plus de dix ans à transformer en maison. Le cockpit sert de salle de lecture et un ordinateur tout neuf est fixé au milieu du tableau de bord.

job de rêve
L'hôtel Finn d'Helsinki, en Finlande, a passé une annonce en 2013 pour recruter un « dormeur professionnel » dont le travail consistait à passer gratuitement 35 nuits dans le lieu puis à relater son expérience sur un blog.

jet de rejets
Le Bokdrol Spoeg est un jeu traditionnel sud-africain où les participants crachent des crottes d'antilope le plus loin possible. D'abord, la boulette d'excréments est placée dans un verre à shot rempli d'alcool pour éliminer les bactéries. Ensuite, le concurrent avale le liquide tout en gardant la crotte entre ses dents. Puis il la recrache parfois jusqu'à 15 mètres.

vélo à eau
Ethan Schlussler de Sandpoint, dans l'Idaho, grimpe en haut d'un arbre à vélo. Lassé d'utiliser une échelle pour rejoindre sa cabane perchée à 9 mètres dans un arbre, il a construit une sorte d'ascenseur qui fonctionne à la force des pédales et le conduit chez lui en moins de 30 secondes. En guise de contrepoids il utilise une citerne qu'il équilibre en la remplissant ou la vidant de son eau.

petit mais costaud
Le Liechtenstein est le sixième plus petit pays au monde mais le premier exportateur mondial de boyaux synthétiques à saucisses et de fausses dents.

la fève du samedi soir
Au Nigeria, le peuple Efik utilise la fève de Calabar toxique pour juger ses criminels. Si l'accusé meurt après avoir avalé la graine, c'est qu'il était forcément coupable.

coup de langue
Les peuples autochtones du Paraguay ne représentent que 5 % de la population mais leur langue, le Guarani, est parlée par 90 % des habitants du pays. C'est le seul pays des Amériques où une langue autochtone est parlée par la majorité de la population.

➜ Pendant six mois, les jeunes hommes de la tribu Bodi de la Vallée de l'Omo, au sud de l'Éthiopie, se nourrissent uniquement d'un mélange de lait et de sang de vache afin de devenir le plus gros possible.

Il fait tellement chaud dans la région qu'ils doivent avaler 2 litres de cette mixture avant qu'elle ne coagule. Au bout de six mois, ils exposent leur ventre à l'occasion de la cérémonie du Nouvel An. Le vainqueur est celui qui a le plus grossi. Il est fêté comme il se doit et devient héros à vie pour tous les habitants. Les vaches, qui sont des animaux sacrés pour le Bodi, ne sont pas tuées. Leur sang est prélevé dans une veine via un trou percé avec une flèche. La blessure est ensuite recouverte d'argile.

ARBRE ARC-EN-CIEL → Quand leur écorce tombe, ces eucalyptus arc-en-ciel sur l'île de Kauai, à Hawaï, se transforment en magnifiques œuvres d'art. Tout au long de l'année, ces arbres perdent leur écorce révélant une somptueuse couche de vert brillant. Cette dernière s'assombrit et se développe en un dégradé flamboyant d'orange, bleu et pourpre.

arbre de la discorde La militante écolo australienne Miranda Gibson a passé 449 jours perchée au sommet d'un eucalyptus de 60 mètres en Tasmanie pour s'opposer à sa coupe. Elle est grimpée en décembre 2011 et y est restée jusqu'en mars 2013 quand un incendie de brousse s'est déclenché aux alentours.

eau mon dieu ! De l'eau courante retrouvée au cours d'un forage d'une profondeur de 2,4 km dans le sous-sol d'une mine de cuivre et de zinc à Timmins, dans l'Ontario, était emprisonnée là depuis 2,64 milliards d'années. C'est un record.

plante magique Une plante baptisée « éphémère » a poussé dans une bouteille sans air ni eau pendant quarante ans. David Latimer du Surrey, en Angleterre, l'avait plantée dans une grande bouteille sphérique en 1960 afin de vérifier qu'elle pouvait grandir dans un environnement clos. Il l'a arrosée une deuxième et dernière fois en 1972 puis a scellé la bouteille qui n'a pas été ouverte depuis.

pluie de verre Sur la planète HD 189733b, située à 63 années-lumière de la Terre, il pleut des particules de verre en oblique avec des vents pouvant aller à 7 240 km/h. La température de l'atmosphère de cette planète peut atteindre 1 093 °C. La pluie de verre lui donne une couleur bleutée.

grands travaux
En 2012, les habitants de League City, au Texas, ont décidé de déplacer un chêne centenaire de 235 000 kg plutôt que de l'abattre. Il a fallu dix heures de travail et de lourds engins pour planter l'arbre à 400 mètres de là, afin de laisser la place à un projet d'élargissement de voie routière.

jeux de langue En 2013, des scientifiques ont découvert une nouvelle langue parlée dans le nord de l'Australie. Intitulée le Warlpiri Light, cette langue mélange de nombreux autres idiomes. Elle est parlée par près de 300 personnes vivant dans le désert, à 557 km de la ville de Katherine dans les territoires du nord.

hôtel souterrain Seize des 19 étages d'un hôtel en construction à Shanghai, en Chine, seront sous la surface du sol, jusqu'à une profondeur de 90 mètres. L'InterContinental Shimao Shanghai Wonderland, d'une capacité de 380 chambres, est construit sur les flancs d'une carrière abandonnée. Il propose un restaurant sous-marin et un aquarium de 10 mètres de profondeur.

une île, deux heures La petite île de Märket en Mer Baltique mesure 300 x 80 mètres et possède pourtant deux fuseaux horaires. La Suède et la Finlande possèdent chacune une moitié de l'île et les heures locales – séparées d'une heure – sont appliquées.

l'écume du jour Les habitants de Moo-loolaba dans le Queensland, en Australie, se sont réveillés le 28 janvier 2013 en découvrant leur plage locale recouverte de 3 mètres d'écume. Une mauvaise météo a soulevé l'écume au large et l'a déposée sur le rivage.

île déserte Sur l'île de Malte, qui mesure 316 m², il n'y a ni rivière, ni ruisseau ni lac.

MER D'ALGUES
→ En 2013, les touristes de la plage de Qingdao, en Chine, se sont amusés dans des milliers de tonnes d'algues vertes épaisses. Ces algues, les entéromorphes, connues sous le nom de laitue de mer, sont inoffensives, comestibles et riches en substances nutritives qui profitent à la peau et baissent la tension artérielle. Néanmoins, 20 000 tonnes d'algues ont été retirées en quelques jours car la décomposition produit de larges quantités de sulfure d'hydrogène, un gaz très toxique. La région a déjà connu pareille mésaventure. En 2008, 52 km² ont été souillés d'algues, nécessitant 10 000 bénévoles pour nettoyer afin que Qingdao puisse accueillir les épreuves de voile des jeux Olympiques de Pékin.

chanceux En 2013, à Ballarat, dans l'État du Victoria, un chercheur d'or australien amateur a découvert une pépite de 5,5 kg d'une valeur estimée à 315 000 $. Depuis que la ruée vers l'or dans cette région a démarré il y a 162 ans, c'est l'une des plus grosses découvertes.

l'écosse sur mars Le village retiré de Glenelg dans les Highlands, en Écosse, s'est jumelé avec son homonyme sur Mars, une vallée rocheuse située à 225 millions de kilomètres de là.

vent violent Après des vents de 96 km/h dans la région, Josh Pitman de Midland, au Texas, a retrouvé sa maison ensevelie sous des centaines de boules d'herbes sauvages, de celles qui roulent comme dans les westerns.

coup de foudre Alexander Mandon de Sampués, en Colombie, a été touché quatre fois en six mois par la foudre, et a survécu à chaque fois. Persuadés qu'il attire la foudre, les guérisseurs locaux l'ont enterré jusqu'au cou afin que son énergie se disperse dans le sol.

LE + DE RIPLEY'S

Les bulles sous-marines apparaissent l'hiver quand le lac est recouvert d'une épaisseur de glace de 25 cm. Au fond du lac, les plantes libèrent du méthane qui gèle quand il remonte à la surface. Quand il arrive à s'échapper par un trou, le méthane devient fortement inflammable.

bulles de méthane

➔ Chaque hiver, le lac artificiel Abraham sur la rivière Saskatchewan Nord, au Canada, est le théâtre d'un phénomène naturel étrange : de gigantesques bulles de glace sous-marines composées de méthane apparaissent.

Libérées par les plantes, les bulles de gaz gèlent aussitôt et restent empilées aussi longtemps que le lac est solide, c'est-à-dire jusqu'au printemps.

PREMIÈRE GUERRE MONDIALE

➜ La Première Guerre mondiale a été déclenchée le 28 juillet 1914. Plus de vingt pays ont été impliqués, et la guerre s'est étendue de la France à la Russie, jusqu'au Moyen-Orient, en passant par des batailles navales dans l'Océan Atlantique et dans la Mer du Nord. Quand l'armistice fut signé le 11 novembre 1918, 70 millions de soldats avaient été mobilisés depuis le début des hostilités. 1 sur 7 avait été tué lors des combats. En tout, 16,6 millions de gens, y compris des civils, ont péri. La guerre a tué 1 % de la population mondiale de l'époque.

casque oublié Quand la guerre a débuté en 1914, aucun pays impliqué ne fournissait de casques de protection à ses soldats.

rancœur tenace L'Andorre a déclaré la guerre à l'Allemagne lors de la Première Guerre mondiale mais n'a pas été incluse dans le Traité de Versailles en 1919 à l'issue du conflit. La principauté n'a pas signé de traité de paix avec l'Allemagne avant le 25 septembre 1939.

chevaux de guerre Près de la moitié des 16 millions de chevaux mobilisés pendant la guerre ont péri. L'Angleterre a tellement utilisé de chevaux sur le front de l'ouest qu'il y avait une pénurie dans le pays, au point que les éléphants des cirques servaient à labourer les champs et tirer de lourdes machines.

soldats footeux Lors de la bataille de Loos en France en 1915, les soldats du 1er bataillon des London Irish Rifles ont tapé dans un ballon de football pendant une charge contre les positions allemandes. Du barbelé allemand a fait exploser le ballon.

médecine de campagne Les médecins de l'armée appliquaient de l'ail sur les blessures pour stopper la gangrène et l'empoisonnement du sang.

films de guerre Dans le film français *J'accuse* de 1919, des scènes ont été tournées au cœur de la bataille de Saint-Mihiel. En 1917, le réalisateur D. W. Griffith s'est même rendu sur le front pour filmer *Cœurs du monde*.

corset utile Les Américaines ont fait don de leurs corsets pour l'effort de guerre, fournissant 28 000 tonnes d'acier, soit assez pour construire deux cuirassés.

lettres et le néant Les écrivains Ernest Hemingway et Somerset Maugham, ainsi que les compositeurs Maurice Ravel et Ralph Vaughan Williams étaient conducteurs d'ambulance pour les Alliés.

écrivains de guerre Les auteurs C. S. Lewis et J.R.R. Tolkien ont tous les deux survécu à la bataille de la Somme pendant la Première Guerre mondiale.

l'indestructible Le mythique officier britannique Sir Adrian Carton de Wiart a été blessé 8 fois au cours de guerres, y compris à la tête lors de la bataille de la Somme et à la hanche à Passchendaele. À Ypres, il s'est coupé les doigts car un docteur refusait de l'amputer. Pendant la Seconde Guerre des Boers (1899-1902), en Afrique du Sud, il a perdu un œil en se battant en Somalie. Il a continué sa carrière, notamment pendant la Seconde Guerre mondiale à laquelle il a survécu après avoir été capturé. Il est mort en 1963. S'exprimant sur ses expériences lors de la Première Guerre mondiale, il a écrit : « Franchement, j'ai adoré. »

le plastique c'est fantastique En 1917, le docteur Sir Harold Gillies a été le premier à pratiquer la chirurgie plastique sur le marin anglais Walter Yeo, brûlé au visage lors de la bataille du Jutland.

coule pas cool La marine allemande, capturée et reléguée à Scapa Flow en Écosse à la fin de la guerre en novembre 1918, a coulé d'elle-même 52 navires en juin 1919 pour empêcher les Alliés de les utiliser. Plusieurs bateaux ont été renfloués puis vendus en pièces détachées. D'autres reposent encore au fond de la mer.

sentinelles multicolores Pendant la Première Guerre mondiale, les perroquets étaient assignés sur la Tour Eiffel à Paris en France afin de prévenir en cas d'attaque aérienne allemande. Grâce à leur ouïe très développée, les oiseaux pouvaient détecter les avions bien avant les hommes.

dégel mortel Les troupes autrichiennes et italiennes se sont battues dans les montagnes et glaciers des Alpes. Récemment, la fonte de glaciers a rendu les restes de soldats pris dans la glace pendant près d'un siècle.

canon puissant Le « Paris Gun », pièce d'artillerie allemande de la Première Guerre mondiale, pouvait atteindre la capitale française à 112 km de distance. Les obus étaient lancés si haut que la rotation de la Terre affectait leur trajectoire.

joyeux noël À Noël 1914, les soldats du front de l'ouest pendant la Première Guerre mondiale ont franchi les lignes ennemies pour s'échanger des cadeaux et jouer au foot.

ailes de secours Plus de 200 000 pigeons voyageurs ont été utilisés pour délivrer des messages à travers les lignes ennemies pendant la Première Guerre mondiale. En 1918, le pigeon baptisé Cher Ami a sauvé un bataillon américain entouré par les Allemands grâce à un message. L'oiseau a été touché par un tir ennemi mais a poursuivi son chemin jusqu'au quartier général, où des médecins lui ont sauvé la vie et installé une attelle en bois sur une patte. Par la suite, il a été empaillé et exposé à la Smithsonian Institution de Washington D.C.

gaz complexe Le gaz moutarde, une arme chimique redoutable qui provoque des brûlures, a été utilisé pour la première fois en 1917. Après la guerre, une étude conduite sur des soldats morts à cause de ce gaz, a révélé qu'il pouvait aider à lutter contre le cancer. Trente ans plus tard, un dérivé du gaz moutarde a été utilisé comme la première substance de chimiothérapie.

héros de guerre Le sergent Alvin C. York est l'un des soldats américains les plus décorés de la Première Guerre mondiale. En 1918, il a fait partie du détachement qui s'empara d'un nid de mitrailleuses malgré un feu nourri. Alvin a esquivé les balles, tué 21 Allemands tout seul et provoqué la reddition des troupes restantes. Il a réduit au silence 30 mitrailleuses allemandes et capturé 132 soldats, aidé par seulement 7 hommes. Ses actions lui ont valu le grade de sergent et la Médaille d'Honneur ainsi que la Légion d'honneur française et la Croix de guerre. Il est rentré aux États-Unis en 1919 en héros, avec une parade à la clé dans les rues de New York sous un déluge de confettis.

guerre aérienne Les Zeppelins, ces immenses dirigeables gonflables, ont été inventés par le général allemand Ferdinand von Zeppelin en 1900. Ils pouvaient mesurer jusqu'à 213 mètres, avec une vitesse de pointe de 130 km/h. Rempli d'hydrogène inflammable, le dirigeable était fabriqué avec des milliers d'intestins de vaches cousus entre eux. Il en fallait tellement, environ 250 000 par Zeppelin, que les saucisses, faites aussi avec de l'intestin de vache, ont été interdites dans certains endroits d'Allemagne. Pendant la guerre, les Zeppelins ont attaqué la Grande-Bretagne 50 fois, bombardant au hasard et tuant des centaines de civils. Vulnérables aux batteries antiaériennes et aux avions ennemis, plus de la moitié des Zeppelins ont été abattus.

parole d'homme En 1916, le Capitaine anglais Robert Campbell, retenu prisonnier par les Allemands, a reçu une permission pour rendre visite à sa mère malade en Angleterre en promettant de revenir juste après. Il est rentré au camp deux semaines plus tard, et resta captif jusqu'à la fin de la guerre.

jeunes et fiers De nombreux garçons, excités à l'idée d'aller se battre, ont menti sur leur âge pour pouvoir s'enrôler dans l'armée. Le plus jeune d'entre eux, un Serbe, Momcilo Gavric, avait 9 ans. Le soldat anglais de 2e classe Sidney Lewis fugua de chez lui et partit combattre à la bataille de la Somme. Il fut renvoyé en Angleterre quand sa mère révéla au ministère de la Guerre qu'il n'avait que 12 ans.

à table ! Le dernier drapeau annonçant la trêve à la fin de la Première Guerre mondiale était une nappe !

VOL EXPÉRIMENTAL

L'armée allemande a testé des pigeons équipés de caméras pour la surveillance aérienne derrière les lignes ennemies.

lourd canon La « Grosse Bertha », pièce d'artillerie allemande de 75 tonnes de calibre 42 cm, tirait des obus de 950 kg à une distance de 14 km. Les artificiers devaient se tenir au-delà d'un périmètre de 274 mètres pour ne pas être soufflés par la détonation. L'arme était si grosse qu'elle ne pouvait être transportée que par rails.

arriérés de guerre Les combats de la Première Guerre mondiale ont beau avoir cessé en 1918, la guerre n'a été officiellement terminée que le 3 octobre 2010, soit 92 ans plus tard. À cette date, l'Allemagne a fini de rembourser sa dette de guerre de 90 millions de dollars, imposée par les Alliés à l'époque. Le Traité de Versailles de 1919 a exigé de l'Allemagne qu'elle paye pour tous les dégâts causés pendant la guerre.

CHIEN HÉROS

« Courtaud », ce bâtard pitbull appartenant au 102e Régiment d'infanterie américain, a été promu sergent après avoir attaqué un espion allemand. Après la guerre, le président Collidge l'a reçu à la Maison Blanche où il a reçu ses médailles..

Art sur la neige

neige

→ **Simon Deck**, un artiste anglais designer de cartes, a posé sa patte sur les Alpes françaises en créant une œuvre d'art dans la neige avec ses pieds comme outils.

À l'aide d'une boussole d'orientation avec laquelle il crée des figures géométriques (droite), Simon peut passer entre dix heures et deux jours entiers sur chaque partie, bravant le froid polaire. Ses raquettes aux pieds sont ses seuls outils. Certains dessins sont aussi grands que six terrains de foot, mais ils restent très éphémères en raison du vent ou d'une grosse chute de neige. Son œuvre ne dure qu'un ou deux jours tout au plus.

structure glissante À Anda, en Chine, une structure a été déplacée de 240 mètres sur la glace par des ingénieurs, en raison de la construction d'une ligne ferroviaire, pendant l'hiver 2013. Ils ont injecté de l'eau sous la structure et sur la route, afin que de la glace se forme et soutienne son poids. Ils ont ensuite inséré d'immenses cylindres et l'ont glissée sur la route. L'opération a duré plus de deux semaines.

autoroute interdite La M-185 sur l'île de Mackinac, dans le Michigan, est la seule autoroute américaine où circuler est interdit. Une interdiction qui date de 1890. Seuls les véhicules de secours peuvent l'emprunter.

feu de joie À l'occasion du festival annuel et estival de Slinningsbalet à Alesund, en Norvège, une quarantaine de personnes ont érigé un gigantesque feu de camp avec des palettes en bois empilées sur une hauteur de 40 mètres.

que d'eau ! L'endroit le plus humide au monde se trouve à Mawsynram, un petit village du nord-est de l'Inde, où il tombe en moyenne 12 mètres d'eau par an.

volcan sous-marin Le plus grand volcan du monde, dont la dimension est plus ou moins celle de l'État du Nouveau-Mexique, a été découvert au fond de l'océan Pacifique, à 1 600 km à l'est du Japon. Le Massif Tamu, censé être éteint, a connu sa dernière éruption il y a 145 millions d'années. Il couvre 310 000 m². Son sommet culmine à environ 1 600 mètres sous l'eau. Sa base se situe à 30 km dans la croûte terrestre. Il est 60 fois plus grand que la Mauna Loa d'Hawaï, qui est le plus gros volcan au monde encore en activité.

PLANTE MACABRE

→ L'*Antirrhinum* est le nom courant du muflier ou Gueule-de-loup en raison de sa ressemblance avec une tête d'animal. Quand la fleur meurt, sa cosse est encore plus impressionnante. On dirait même un crâne d'homme. Au Moyen Âge, les gens attribuaient à la plante des pouvoirs surnaturels ainsi qu'un moyen de se protéger des sorcières.

immeuble pluvieux En volume, le plus gros immeuble au monde est l'usine Boeing à Everett, dans l'État de Washington. Il couvre 13 millions de m³. Le parc Disneyland pourrait tenir à l'intérieur. Quand elle a été construite en 1967, l'humidité de l'air s'élevait vers le plafond et formait des nuages de pluie !

plante dangereuse Puya Chilensis est une plante des Andes, en Amérique du Sud, aussi appelée la « plante mangeuse de moutons ». Ses feuilles acérées prennent au piège les moutons qui meurent de faim et se décomposent. La plante utilise alors l'animal mort comme fertilisant.

isolation totale La région du Zanskar située dans la haute vallée de l'Himalaya, dans les États indiens du Jammu et Cachemire, est coupée du reste du monde à cause de la neige pendant plus de la moitié de l'année.

alerte au vampire En novembre 2012, le maire de Zarožje en Serbie a demandé à ses administrés de mettre de l'ail sur leurs portes parce qu'un vampire était en fuite dans la région. Le légendaire vampire Sava Savanović, censé habiter dans un moulin en bois où il suçait le sang des meuniers, avait refait surface parce que le moulin s'était écroulé. Les villageois croyaient ainsi que le vampire arpentait les montagnes afin de se trouver une nouvelle demeure.

derniers mots À 76 ans, la Népalaise Gyani Maiya Sen est la dernière femme à parler la langue Kusunda, qui ne ressemble à aucun autre groupe de langues dans le monde. Des universitaires tentent de récupérer le maximum d'informations sur le Kusunda afin que la langue ne meure pas le jour où Gyani décédera.

Simon est arrivé à la conclusion que les meilleurs dessins sont ceux réalisés dans une poudreuse profonde d'environ 23 cm. Il aime travailler sur une surface plane avec la même quantité de neige.

Ses dessins sont inspirés de motifs mathématiques ainsi que d'agroglyphes. Simon démarre son œuvre en la préparant sur du papier millimétré, puis il passe plusieurs heures à étudier le terrain et à le mesurer avec sa boussole, avant de commencer à l'arpenter. Il peut marcher jusqu'à 40 km pour créer une partie de son œuvre, tout en écoutant du Beethoven pour s'inspirer.

danse macabre Au cours du rituel du famadihana qui se déroule environ tous les sept ans, un peuple du centre de Madagascar exhume ses morts de leurs tombes, les parfume, les habille de vêtements neufs puis danse avec eux avant de les enterrer à nouveau.

blocs de neige Des centaines de blocs de neige pesant jusqu'à 34 kg chacun reposaient le long des côtes du Parc National de Sleeping Bear Dunes, dans le nord du Michigan, en février 2013, sur une bande de 30 mètres. Ils se sont formés à partir de morceaux de glace flottant sur le lac Michigan que les vagues ont transformés en blocs lisses et arrondis, avant que le vent ne les pousse vers la rive.

chapelle lugubre La Chapelle des Os à Faro, au Portugal, a été construite au XIXᵉ siècle, à partir des restes humains de 1 200 moines. Elle est décorée avec des milliers d'os et de crânes humains, dont un squelette entier recouvert d'or. Ses murs ont été façonnés en mélangeant des fémurs avec du mortier.

objectif lune Au cours d'une excavation dans un champ du Aberdeenshire, en Écosse, des archéologues ont découvert un calendrier lunaire datant de 10 000 ans. Les douze fosses mises au jour au château de Crathes représentaient les phases de la lune et les mois lunaires.

arrosage forcé Une canalisation principale ébréchée créa une fontaine d'eau d'une hauteur de 76 mètres, l'équivalent d'un immeuble de 20 étages, dans une banlieue de Melbourne, en Australie, en octobre 2012. Le geyser dura une heure, au cours de laquelle plus de 2 millions de litres d'eau s'élevèrent dans le ciel de Glen Waverley, inondant les rues et les maisons.

vieux, très vieux caillou Donna et George Lewis se sont rendu compte que le caillou leur servant de cale-porte à leur domicile de Pineville, dans le Kentucky, était en fait un morceau de météorite datant de 4 milliards et demi d'années. La famille avait ramassé la roche de 15 kg dans un pâturage dans les années 1930.

LA MONTAGNE ARC-EN-CIEL
→ Ce paysage somptueux aurait très bien pu être réalisé par un studio d'animation, mais ces magnifiques montagnes zébrées des couleurs de l'arc-en-ciel sont bel et bien un phénomène naturel qu'on trouve dans le parc géologique de Zhangye Danxia Landform, en Chine. Le spectacle impressionnant est le résultat de 24 millions d'années au cours desquelles différentes couches de grès et de minéraux se sont empilées, grâce à l'érosion provoquée par l'eau et aux mouvements tectoniques. Les couleurs changent selon l'heure de la journée et la saison rendant cette « montagne aux sept couleurs », comme l'appellent les gens du coin, encore plus magique.

VOYAGES TERRESTRES

➔ Graham Hughes de Liverpool, en Angleterre, a visité 201 pays en 1 426 jours, soit un peu moins de quatre ans, sans prendre une seule fois l'avion. Il a voyagé en train, bus, taxi et en cargo avec un budget de 100 $ par semaine.

Au cours de son périple où il a parcouru en tout 250 000 km, il a connu quelques frayeurs comme cette fois où il a relié le Sénégal au Cap-Vert en quatre jours sur un canoë en bois qui prenait l'eau. Il a également été mis en prison pendant une semaine au Congo et a été obligé de manger un poulpe vivant en Corée du Sud. Il a aussi traversé un champ de mines pour rejoindre la frontière du Sahara occidental avant de se voir reflué faute de visa, une autorisation qui lui serait délivrée dans une ville à 2 000 km de là en arrière. Enfin, il a été arrêté quand il a tenté de pénétrer en Russie.

ISRAËL

BAHAMAS

AFGHANISTAN

AUSTRALIE

CAMEROUN

SOUDAN

SOUDAN DU SUD

BÉNIN

ESTONIE

CANADA

ÎLES SALOMON

Le voyage de Graham en chiffres

201 pays visités
193 pays sont membres des Nations Unies
67 ont été visités plus d'une fois
59 étaient des îles
Plus de 250 000 km parcourus
Budget : environ 100 $ par semaine
Heures de film tournées : 352
Articles écrits sur son blog : 736
Mots écrits sur le blog : 584 886
Jours passés en prison : 12
Jours passés en mer : 196
Nombre de bateaux empruntés : 157

RÉPUBLIQUE CENTRAFRICAINE

FIDJI

RUSSIE

SRI LANKA

LA RÉUNION

GABON

INDONÉSIE

ÉTATS-UNIS

MICRONÉSIE

CHINE

ÉGYPTE

THAÏLANDE

QUELQUES RÈGLES

PAS D'AVION

JE NE CONDUIS PAS

JE PRÉVOIS MES DÉPLACEMENTS EN TRANSPORTS TERRESTRES

JE RESTE TOUJOURS SUR LA TERRE FERME

ISLANDE

TIBET

GUINÉE ÉQUATORIALE

ITALIE

TOGO

KENYA

SWAZILAND

PALAU

TONGA

NOUVELLE-CALÉDONIE

TCHAD

OMAN

MEXIQUE

PAPOUASIE-NOUVELLE-GUINÉE

PAPOUASIE OCCIDENTALE

VANUATU

TANZANIE

NIGER

IRAN

SERBIE

NÉPAL

SAHARA OCCIDENTAL

ANGLETERRE

OCÉAN PACIFIQUE

CORÉE DU NORD

KIRIBATI

VENEZUELA

ÎLES MARSHALL

RETOUR À LA MAISON

arbres engloutis Formé après l'effondrement d'une grotte souterraine, l'entonnoir d'Assumption Parish près de Bayou Corne, en Louisiane, profond de 230 mètres, a littéralement englouti plusieurs arbres de 6 mètres de haut ainsi que des morceaux de terre en moins d'une minute.

croûte de sel Si tout le sel des mers et océans de la Terre était étalé au sol, il formerait une croûte épaisse de 150 mètres.

coup de foudre Lakeisha Brooks a été touchée par la foudre alors qu'elle se trouvait dans un magasin à Houma, en Louisiane. L'éclair a touché le toit, puis l'électricité s'est répandue sur le système d'arrosage jusqu'à une plaque en métal au sol. Et dire qu'elle s'était réfugiée dans le magasin pour échapper à l'orage !

deux villes, deux mondes Windsor, dans l'Ontario, était la ville la plus sûre du Canada en 2011, tandis que Détroit, dans le Michigan, était la plus dangereuse des États-Unis. Les deux villes sont distantes d'à peine 800 mètres. Windsor n'a recensé qu'un meurtre cette année-là, Détroit en a compté plus de 340.

simulateur de vol Dingue d'aéronautique, Laurent Aigon de Lacanau en France a passé cinq ans à construire la réplique d'un cockpit de Boeing 737 dans sa chambre d'enfant. Le simulateur, comprenant cinq écrans d'ordinateur et construit avec des pièces détachées venues d'un peu partout dans le monde, arrive à recréer des plans de vol pour des destinations comme Sydney en Australie ou Rio de Janeiro au Brésil.

cloche sacrée La cloche d'un temple de Liuzhou en Chine pèse 120 tonnes, mesure 9 mètres de haut et 6 mètres de diamètre à son point le plus large. Elle est gravée de 92 306 caractères chinois.

petite maison Une maison de Varsovie, en Pologne, a une largeur maximale de 1,5 mètre et minimale de 0,9 mètre. Coincée par l'architecte Jakub Szczesny dans une allée entre une autre maison et un immeuble, la maison Keret est fonctionnelle, malgré sa surface habitable de 4,3 m². Elle est si écrasée sur elle-même que la chambre du haut s'atteint via une échelle en métal fixée au mur. La salle de bains est équipée de WC et d'une douche. Le réfrigérateur ne peut contenir que deux boissons.

pont musical À Shijiazhuang en Chine, les autorités ont égayé un pont grisâtre en faisant peindre dessus des touches de piano et des notes de musique.

chambre gonflée L'architecte Alex Schweder a créé une chambre d'hôtel gonflable à Denver, dans le Colorado, qui s'élève à 6,7 mètres grâce à un monte-charge à ciseaux placé sur le toit d'une camionnette. La chambre de 1,5 x 2,1 mètres en aluminium et en vinyle est équipée d'un WC chimique, d'une douche, d'un lavabo et d'un lit gonflable, ainsi que d'un canapé, gonflable aussi.

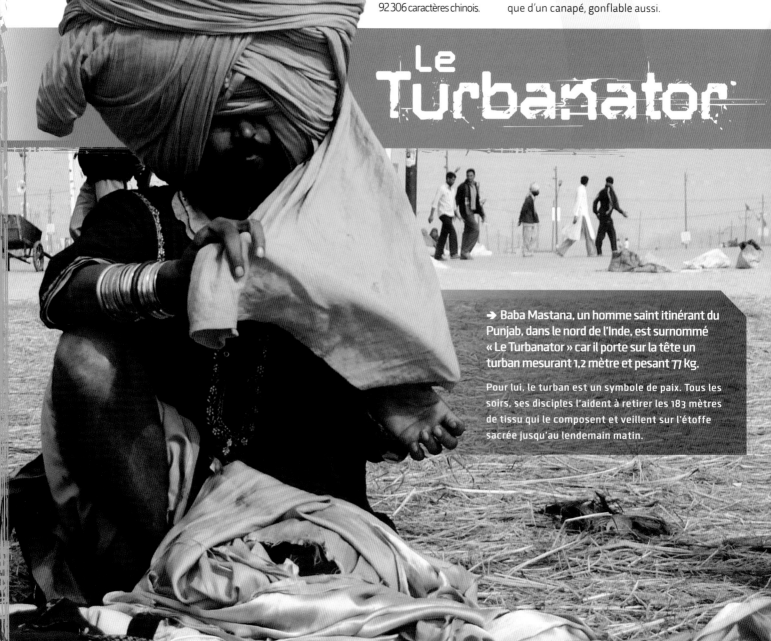

Le Turbanator

→ Baba Mastana, un homme saint itinérant du Punjab, dans le nord de l'Inde, est surnommé « Le Turbanator » car il porte sur la tête un turban mesurant 1,2 mètre et pesant 77 kg.

Pour lui, le turban est un symbole de paix. Tous les soirs, ses disciples l'aident à retirer les 183 mètres de tissu qui le composent et veillent sur l'étoffe sacrée jusqu'au lendemain matin.

LE + DE RIPLEY'S

Un arc-en-ciel est un phénomène optique dû aux rayons du soleil qui se reflètent dans les gouttes d'eau composant l'atmosphère de la Terre. Le plus souvent, l'eau prend la forme de pluie mais en fonction de la position du soleil, les gouttelettes d'eau d'une cascade peuvent aussi créer cette illusion. Le soleil doit briller par l'arrière et se trouver bas, au lever au coucher par exemple. L'angle de ses rayons détermine la façon dont la lumière atteint les gouttelettes et donc s'il y aura arc-en-ciel ou pas.

CHUTE ARC-EN-CIEL ↗

➜ Le photographe Justin Lee de Colombie britannique a réussi à capter ce moment très spécial en fin de journée où la lumière du soleil a créé cet arc-en-ciel spectaculaire sur la chute du Voile de la Mariée dans le parc de Yosemite, en Californie. La chute de 189 mètres porte ce nom car le vent déplace parfois légèrement la brume d'eau, ressemblant au voile gracieux d'une mariée.

maison verte Maître de conférences en agriculture, Sheng Xiugi a transformé l'extérieur de sa maison à Yiwu, en Chine, en un verger de cinq étages. Les murs de cette immense maison sont recouverts de raisins, aubergines et prunes. Pour les cueillir, il n'a plus qu'à ouvrir une fenêtre et se servir !

petit taj En hommage à sa femme décédée, Faizul Hasan Kadari, un postier à la retraite de 77 ans, a construit une réplique miniature de 465 m² du fameux Taj Mahal, dans son jardin à Bulandshahr, dans l'État d'Uttar Praseh, en Inde.

grande école L'école Montessori de Lucknow, en Inde, accueille 47 000 élèves, 2 500 enseignants, 3 700 ordinateurs pour un total de 1 000 classes.

larmes à louer Dans l'État du Rajasthan en Inde, des « pleureuses » professionnelles, appelées les rudaali, sont embauchées pour pleurer en public pour le compte d'une famille qui vient de perdre un proche.

mur de terre Un mur de poussière, haut de près de 1,6 km, s'est abattu sur la ville de Phoenix, en Arizona, le 26 août 2013, la recouvrant totalement. Dans cet État, la saison des perturbations produit d'immenses orages de poussière, appelés « haboobs », qui peuvent s'étendre sur 160 km.

langue ressuscitée Le premier dictionnaire d'akkadien a été compilé en 2011 à l'Université de Chicago, dans l'Illinois. Ce dialecte assyrien et babylonien n'avait plus été parlé depuis environ 2 000 ans.

le chauffeur devenu roi Barry Watson, un ancien chauffeur de bus de Chepstow, au Pays de Galles, est devenu roi pour la tribu Yanadi dans l'Andhra Pradesh, en Inde, où il a plus de 130 sujets qui marchent fidèlement 10 pas derrière lui. Ce père de quatre enfants a reçu ce titre après avoir aidé les pauvres de la tribu à construire des maisons. Une vieille prophétie disait qu'un homme blanc viendrait un jour pour les aider à construire leur village.

voleurs surveillés D'après les lois en vigueur contre le crime à Manchester, les voleurs reconnus coupables ne peuvent pas porter de capuches à moins de 50 mètres des magasins, banques et distributeurs de billets. Ils ne peuvent pas non plus porter de fausses moustaches et barbes en public.

soleil maximum Au cours de l'été 2013, la réflexion du soleil sur un immeuble flambant neuf de 37 étages à Londres était si puissante que le toit des véhicules garés dans la rue a commencé à fondre.

BARRIÈRE AQUATIQUE ➜

Mehmet Ali Gökçeoğlu, un homme d'affaires turc, a remplacé la grille de sa luxueuse villa de bord de plage à Cesme par un aquarium de 50 mètres de long, rempli de poissons et de poulpes. Les animaux viennent de la Mer Égée toute proche, à laquelle l'aquarium est relié grâce à un tuyau enterré de 400 mètres de long, ce qui assure le renouvellement de l'eau et la bonne santé des poissons.

→ À l'époque des héroïques expéditions polaires, Sir Ernest Shackleton (1874-1922) a mis 18 mois pour ramener à bon port tout l'équipage de son bateau *Endurance* après un voyage catastrophique en Antarctique. Leur survie, dans les conditions les plus extrêmes, a témoigné d'un incroyable courage et intronisé Shackleton comme un meneur d'hommes hors pair, d'autant plus qu'aucun marin n'a perdu la vie.

À l'époque des héroïques expéditions polaires, Sir Ernest Shackleton (1874-1922) a mis 18 mois pour ramener à bon port tout l'équipage de son bateau *Endurance* après un voyage catastrophique en Antarctique. Leur survie, dans les conditions les plus extrêmes, a témoigné d'un incroyable courage et intronisé Shackleton comme un meneur d'hommes hors pair, d'autant plus qu'aucun marin n'a perdu la vie.

CHERCHE ÉQUIPAGE

Pour un périlleux voyage. Petits salaires. Froid assuré. Longs mois dans le noir absolu. Danger permanent. Retour pas assuré. Honneur et reconnaissance en cas de succès.

↗ Les expéditions polaires avaient beau être difficiles, il y avait toujours des volontaires en quête de gloire pour participer. Plus de 5 000 hommes ont répondu à une petite annonce telle que celle-ci, afin de rejoindre Shackleton pour son expédition impériale transantarctique en 1914.

→ **8 août 1914**
L'*Endurance* quitte les eaux britanniques.

→ **5 décembre 1914**
L'*Endurance* quitte la Géorgie du Sud en route vers l'Antarctique.

→ **19 janvier 1915**
L'*Endurance* est coincée dans la glace.

Perce Blackborow

→ Perce Blackborow, 18 ans, s'est rendu en Argentine depuis le Pays de Galles afin de s'embarquer sur un navire, mais l'équipage de l'*Endurance* l'a trouvé trop jeune et ne l'a pas accepté à bord. En mal d'aventure, il a tout de même embarqué clandestinement. Découvert après trois jours de mer, il fut conduit devant Shackleton, furieux qui lui dit : « Sais-tu que lors d'expéditions comme celle-ci nous mourrons souvent de faim et qu'on n'hésitera pas à te manger ? » Blackborow répondit : « Il y a beaucoup plus à manger sur vous que sur moi, Monsieur. » Sur ce, Shackleton se radoucit et en fit le steward du bateau.

1 Shackleton avait prévu de conduire l'Endurance jusqu'en Antarctique où il débarquerait à Vahsel Bay et traverserait le pôle Sud à pied. Les choses ne se sont pas vraiment passées ainsi.

5 L'équipage quitta l'*Endurance* avec trois bateaux de sauvetage et survécut cinq mois sur la glace instable. Le 9 avril, la banquise sur laquelle ils étaient installés se brisa en deux, et Shackleton ordonna à tous de se hisser à bord des bateaux de sauvetage. Cinq jours plus tard, et cinq mois après avoir abandonné leur navire, les bateaux accostèrent sur l'île de l'Éléphant, à 557 km de leur navire coulé. C'était la première fois qu'ils posaient le pied sur la terre ferme en 16 mois.

2 En décembre 1914, l'*Endurance* quitta l'île de Géorgie du Sud dans l'Atlantique Sud et se retrouva vite dans les glaces de la mer de Weddell. Six semaines plus tard, le navire n'avançait plus. Shackleton décida qu'ils passeraient tous l'hiver à bord, en espérant que la glace fondrait au printemps. Afin de libérer de la place à bord, l'équipage construisit des igloos pour les chiens sur la banquise.

4 Malheureusement, au moment où la glace commençait à se briser et que le printemps de septembre s'annonçait, la pression se fit intense sur la coque de l'*Endurance*. Le 24 octobre, le navire se brisa et de l'eau s'infiltra partout. Shackleton ordonna que tout soit évacué de l'épave et que les animaux les plus faibles soient tués. Trois semaines plus tard, l'*Endurance* coula.

---

21 novembre 1915
L'*Endurance* coule.

14 avril 1916
L'équipage arrive sur l'île de l'Éléphant.

20 mai 1916
Shackleton débarque au port baleinier de Géorgie du Sud.

30 août 1916
Le reste de l'équipage est secouru sur l'île de l'Éléphant.

---

3 Pendant neuf longs mois d'hiver, l'équipage continua de vivre à bord dans le décor très inhospitalier de l'*Endurance*, dérivant doucement vers le nord, au gré de la banquise. Les marins gardèrent toutefois le moral, en dépit de conditions de vie très rudes : ils mangeaient, dormaient et vivaient dans des espaces clos, sans intimité.

6 Shackleton réalisa bien vite que les secours ne viendraient jamais sur cette petite île, aussi il prépara un voyage de 1 500 km pour rejoindre un port baleinier de Géorgie du Sud. Deux semaines après avoir accosté sur l'île de l'Éléphant, il prit la mer avec cinq hommes sur l'océan austral, l'un des plus dangereux au monde, sur le *James Caird*, un bateau de sauvetage de 6,7 mètres de long.

7 Après 17 jours de vents forts, froid glacial et vagues géantes, le *James Caird* atteint la Géorgie du Sud. Mais le supplice n'était pas terminé. Shackleton avait été obligé d'accoster sur une partie inhabitée de l'île, à 51 km du port accessible uniquement à travers des pentes gelées, champs de neige et glaciers imprévisibles. Au moment d'arriver au port baleinier, Shackleton fut accueilli par le capitaine qui n'en croyait pas ses yeux qu'ils aient réussi à traverser la terre, sans compter leur incroyable survie l'année précédente.

8 Il fallut quatre tentatives et trois mois supplémentaires avant qu'un navire de sauvetage n'atteigne le reste de l'équipage sur l'île de l'Éléphant, le 30 août 1916. Chose étonnante, les 22 hommes avaient tous survécu, certains ayant quand même perdu des orteils à cause de gelures. Ils firent escale au Chili avant leur retour en Angleterre. Le courage, l'ingéniosité et la détermination de Shackleton avaient triomphé. De fait, il devint un héros et l'un des plus grands chefs du XXᵉ siècle.

tsunamis de glace En mai 2013, au cours d'un week-end dans deux endroits d'Amérique du Nord distants de 960 km, des vents violents ont provoqué la formation d'impressionnants tsunamis de glace, issus de lacs intérieurs, qui ont tout dévasté sur leur passage. Le 10 mai, un mur de glace de 9 mètres de haut s'est élevé sur le Lac Dauphin dans le Manitoba et a détruit en quelques minutes, 27 maisons de la ville d'Ochre River, obligeant les habitants à s'enfuir. Le jour suivant, c'est une banquise gigantesque qui, poussée par des vents de 64 km/h, a englouti 16 km de littoral près du Lac des Mille Lacs, dans le Minnesota, brisant les portes des maisons et causant des dommages importants.

la loi c'est la loi Au Danemark, la loi stipule qu'avant de mettre leur voiture en route, les conducteurs doivent s'assurer qu'aucun enfant ne dort sous le véhicule.

vertige Au parc d'attractions de Steve Beckley's Glenwood Caverns, dans le Colorado, le manège Giant Canyon Swing est une immense balançoire qui entraîne les gens dans un mouvement à 80 km/h, avec la rivière Colorado visible 400 mètres plus bas, dans le vide.

le clou du spectacle Horace Burgess de Crossville, dans le Tennessee, a passé onze ans à construire une maison dans les arbres, haute de 30 mètres. Offrant 930 m², la maison couvre sept arbres. Elle a été érigée à partir de chutes de bois et de matériaux donnés. On estime à 258 000 le nombre de clous qui ont été utilisés.

LA NEIGE AU CHAUD → Pour la première fois en 112 ans, il a neigé sur Le Caire en Égypte en décembre 2013. Les habitants, peu habitués à voir de la neige dans leur ville qui reçoit à peine 2 cm de précipitation par an, n'ont pas arrêté de prendre des photos. La neige a également recouvert une bonne partie du Moyen-Orient, comme à Jérusalem (voir ci-dessus), où sont tombés quelques centimètres, la plus grosse chute de neige en 60 ans.

tout sur le panda Jian Qin a ouvert un hôtel sur le thème du panda au mont Emei dans la province chinoise du Sichuan. Toutes les installations de l'hôtel Panda sont à l'effigie de l'animal, comme les serviettes, les chaussons et les pyjamas. Les employés portent des costumes de pandas géants.

chambre invisible Le Treehotel de Harads, en Suède, propose une chambre un peu à l'écart des autres, légèrement surélevée baptisée le Mirrorcube. Cette chambre est revêtue de miroirs à l'extérieur qui reflètent la forêt environnante. Vu de loin, l'hôtel semble donc totalement invisible.

deuxième bureau Ron Wade, collectionneur de souvenirs présidentiels, a installé une réplique exacte du Bureau Ovale dans sa maison de Longview, au Texas, pour la somme de 250 000 $. Quelque 250 ouvriers ont travaillé sur le projet qui a nécessité deux ans et demi de conception et huit mois de construction. Dans la collection de Ron se trouvent 10 000 badges aux effigies de politiques et un rocking-chair qui a appartenu à JFK.

places précieuses Lisa Blumenthal a déboursé 560 000 $ pour deux places de parking près de chez elle à Black Bay, dans la banlieue de Boston, Massachusetts. Achetés lors d'une vente aux enchères, chaque parking vaut autant que le prix moyen d'une maison de famille dans cet État.

traces de lune La lune n'ayant pas d'atmosphère pour les effacer, les traces des astronautes et des engins lunaires qui s'y sont posés sont toujours visibles et intacts même après plusieurs décennies.

FLEURS DE GIVRE

→ Quand les températures descendent aux environs de −22 °C, de fêlures ou imperfections de la mer de glace à peine formée, éclosent naissance à de magnifiques qui donnent naissance à de magnifiques cristaux de glace, appelés aussi les fleurs de givre. Ces fleurs arctiques grossissent de plusieurs centimètres et ont une forte concentration de sel et de bactéries marines. En fait, il y a plus de bactéries dans ces fleurs que dans l'eau gelée en dessous.

Merveilles sous-marines

➜ Afin d'immortaliser cette magnifique scène sous-marine, Yuri Ovchinnikov, un photographe amateur russe, a inséré sa tête dans un trou du fleuve Tianiksa gelé et a pressé sur le bouton.

Il a eu cette idée quand le pied de son fils a accidentellement transpercé la glace, découvrant ainsi cette merveille hivernale sous la surface. La lumière naturelle crée une gamme de couleurs et les poches d'air d'environ 60 cm se retrouvent aussi dans des colonnes de glace transparentes et des formes cristallines. Sous les poches d'air, l'eau continue de circuler.

hôtel discount Un hôtel de luxe souterrain d'une valeur de 3,8 millions de dollars s'est vendu pour 1 020 $ lors d'enchères en 2012. Ouvert en 2004 à Airolo, en Suisse, La Claustra propose 17 chambres, un restaurant, une bibliothèque, un spa et une piscine. Peu de monde participait aux enchères pour le plus grand bonheur de Lucia Filippi qui a remporté la propriété.

animaux en promotion Des constructions en forme de chien et de mouton sont alignées dans une rue de Tirau, en Nouvelle-Zélande. L'imposante maison chien en tôle ondulée abrite l'office du tourisme, tandis que celle en forme de mouton héberge une galerie de laine. Elles ont été construites ainsi afin de promouvoir le tourisme local.

de l'électricité dans l'air Melvin Roberts de Seneca en Caroline du Sud a survécu à la foudre sept fois depuis 1998, et a échappé à une huitième quand l'éclair s'est abattu à quelques centimètres de lui dans sa maison. À chaque fois, il a eu des hallucinations. Son corps est recouvert de cicatrices.

ANIMAUX

vivre parmi les
Lions

→ Au début des années 1970, l'actrice Tippi Hedren et sa famille, notamment sa fille Melanie Griffith alors âgée de 14 ans, accueillirent un lion adulte nommé Neil dans leur domicile californien pour une séance photo. Tippi et son époux Noel Marshall étaient alors à la recherche d'un nombre important de grands félins pour leur film Roar, un projet qui allait changer pour toujours leur opinion sur l'adoption d'animaux exotiques.

Ron Oxley, de Soledad Canyon, fournit Neil. Tippi voulait faire un film montrant sa famille avec 25 lions, tigres et autres grands félins. Afin de se familiariser avec les lions, elle prit en pension plusieurs lionceaux chez elle. Mais même les petits lions peuvent être dangereux et l'un d'eux griffa le visage de Melanie Griffith. Ils mirent aussi la maison sens dessus dessous. Melanie expliqua plus tard : « Elle ne voulait pas me faire de mal, mais après sept ans à grandir au milieu des lions, j'avais oublié qu'il faut toujours rester prudent. Un simple coup de patte peut vous arracher la tête comme une balle de ping-pong. »

Pour le tournage de Roar, la famille alla s'installer, avec les lions, dans un ranch dans les montagnes. L'expérience se révéla difficile. Tippi fut sérieusement griffée au bras par un léopard. Et le directeur de la photographie Jan de Bont survécut à un incident particulièrement dangereux. L'équipe de caméra, casquée, s'était placée dans une fosse camouflée au-dessus de laquelle les lions devaient passer en courant. Mais, ayant repéré du mouvement, l'un d'eux s'arrêta et lança un coup de patte, arrachant le scalp de Jan de Bont qui avait ôté le casque qui le gênait pour filmer. Initialement prévu pour neuf mois, le tournage de Roar dura cinq ans et le film ne sortit pas avant 1981.

L'expérience persuada Tippi que les grands félins et les humains ne sont pas faits pour vivre ensemble. Elle fit du ranch où le tournage s'était déroulé le refuge Shambala, destiné à porter secours aux animaux exotiques issus de collections privées. Depuis son ouverture, Shambala en a ainsi recueilli 230. Même si les lions sur les photos semblent paisibles, Tippi reconnaît désormais qu'ils ne perdent jamais leur instinct de prédateur et peuvent attaquer à tout moment.

Tippi joue avec Neil dans sa maison de Sherman Oaks, en Californie.

Melanie Griffith saute dans la piscine tandis que Neil joue à lui attraper la jambe.

Les pattes d'un lion peuvent briser le dos d'un zèbre. Il ne faut pas l'oublier quand on veut jouer avec eux.

Tippi et Melanie ont accueilli des lions à une époque où les dangers de la cohabitation avec de tels fauves n'étaient pas complètement connus. L'expérience leur a appris que ces animaux restent extrêmement dangereux et ne peuvent être domestiqués. Depuis 1990, 254 grands félins se sont échappés de captivité, dont 143 ont dû être abattus, et au moins 21 personnes ont été tuées par des félins en captivité. Tippi milite désormais contre le commerce des animaux exotiques et fait pression auprès du Congrès américain pour faire passer de nouvelles lois en ce sens.

saboté Dans le comté d'Augusta, en Virginie, le veau Hero qui avait perdu ses sabots arrière à cause d'engelures sévères, a pu remarcher grâce à une paire de prothèses posées par une société du New Jersey.

faux caniche Pensant faire une affaire, des amateurs de chiens de Buenos Aires ont payé 150 $ pour ce qu'ils croyaient être un joli caniche nain, avant de s'apercevoir qu'ils avaient en fait acheté un furet. L'animal avait reçu des stéroïdes à la naissance pour augmenter sa taille et son pelage avait été traité pour le faire ressembler à un caniche.

écureuils en bonus Lorsque 30 écureuils s'échappèrent d'un enclos du zoo d'Inokashira, au Japon, les gardiens ratissèrent les environs et en récupérèrent 38 !

bibine à toutou La brasserie Boneyard de Bend, en Oregon, a créé une bière sans alcool pour les chiens. Conçue par le maître brasseur Daniel Keeton et baptisée Dawg Grog, elle est faite à partir de légumes, d'épices et de miel afin de constituer une boisson délicieuse et nourrissante pour les toutous.

chapeautés À Seattle, la styliste Yumiko Landers a créé une ligne de chapeaux pour chats qui les fait ressembler à des lions. Disponibles en différentes couleurs, les fausses crinières s'attachent avec un velcro. « Chaque chat se croit le maître de son territoire, explique la créatrice. J'ai pensé que le meilleur moyen de représenter cela était de les transformer en lions. »

désodorisant à la bouse Dwi Nailul Izzah et Rintya Aprianti Miki, deux lycéens indonésiens, ont gagné le concours des olympiades scientifiques de leur pays grâce à un désodorisant fabriqué à partir de bouse de vache. Après avoir laissé le fumier fermenter pendant trois jours, ils en extraient un liquide qu'ils mélangent avec de l'eau de coco pour obtenir un produit aux arômes d'herbe.

VACHE BOULEDOGUE → Il a beau avoir une tête de bouledogue, ceci est un veau qui a appartenu à Tom McVey de Madisonville, au Texas.

chèvres vandales Trois chèvres de Chennai, en Inde, ont été arrêtées et enfermées pour avoir saccagé une voiture de police toute neuve. Les animaux, issus d'un groupe de 12, étaient accusés d'avoir grimpé sur le véhicule, de l'avoir cabossé, éraflé, et d'avoir endommagé le pare-brise et les essuie-glaces.

repas d'aimant Certains fermiers donnent à manger à leurs vaches des aimants qui restent dans leur estomac toute leur vie. Ils sont chargés d'attirer tous les morceaux de métal qu'elles pourraient manger accidentellement pour éviter qu'ils les blessent.

travail de chien Misty, le border collie d'Elaine Prickett, travaille dans les bureaux d'une carrière de Cumbria, en Angleterre. Elle prend les billets et les cartes bancaires et les rend aux clients. Elle les accueille au guichet et prend leur ticket avant de le donner à un employé qui va traiter leur dossier.

signé du nez Les vaches peuvent être identifiées par les empreintes de leur nez qui, comme les empreintes digitales humaines, sont uniques.

chahuté Bisou, un chat persan, a fait un voyage imprévu de 5 470 km en avion et en voiture après s'être glissé dans la valise de sa maîtresse, Mervat Ciuti, tandis qu'elle se préparait à quitter Le Caire pour rendre visite à sa sœur en Angleterre. Bisou a passé le contrôle de sécurité de l'aéroport sans être repéré avant de voyager dans la soute de l'avion avec des centaines de bagages et il en est sorti indemne.

cochon surfeur Chaque matin, Matthew Bell emmène son porcelet Zorro faire du surf près de Mount Maunganui, en Nouvelle-Zélande. Matthew, qui décrit Zorro comme « un nageur phénoménal », l'emmène sur les vagues depuis qu'il a 3 semaines et projette de continuer jusqu'à ce que le cochon soit trop lourd.

chat pitre Rudi Saldia fait de la bicyclette dans les rues de Philadelphie avec sa chatte Mary Jane perchée sur son épaule. À l'aide d'une caméra fixée sur le vélo, il enregistre « Les Aventures de Mary Jane, copilote » qu'il publie sur YouTube où elles ont été visionnées plus de 1,2 million de fois en six mois.

top taupes Des archéologues ont découvert toute une série d'objets romains vieux de 2 000 ans dans un ancien fort du comté de Cumbria, en Angleterre après qu'elles ont été mises au jour par des taupes.

tortues mélomanes Le célèbre pianiste Richard Clayderman a joué une série de morceaux romantiques pour les tortues des Galapagos du zoo de Londres pour les encourager à s'accoupler.

vachement belles Un concours annuel de beauté pour vaches Holstein se tient à Oldenburg, en Allemagne. Une douzaine de coiffeurs pour vaches toilettent à l'aide de rasoirs plus de 250 animaux venus de toute l'Europe pour remporter le trophée.

CHAÎNE DE VIE → Pour éviter de se perdre, les jeunes musaraignes musquées d'Asie forment une chaîne derrière leur mère, s'accrochant chacune avec les dents au pelage de celle qui la précède. Si la chaîne se rompt, elles se raccrochent à n'importe quel objet mobile, comme ici à un jouet d'enfant.

À POIL LAINEUX

➜ On connaît depuis longtemps les chiens toilettés et bichonnés des concours canins partout dans le monde, mais le phénomène commence à s'étendre aux vaches.

Phil Lautner, fermier de l'Iowa, fait concourir ses vaches très spéciales au National Western Stock Show où un spécimen s'est vendu au prix sidérant de 100 000 $. Les animaux suivent un processus d'embellissement méticuleux pour arriver à ce résultat étonnant.

Il faut des mois de travail et deux heures de préparation le jour du concours pour que les vaches soient prêtes pour l'heure de vérité.

Elles sont shampouinées, passées au séchoir, brossées avec de l'huile pour ajouter du brillant et laquées pour obtenir un aspect laineux et soyeux unique.

NID DE GUÊPES GÉANT

➜ Un nid de guêpes, découvert en 2013 dans une maison abandonnée à San Sebastian, sur l'île espagnole de La Gomera, mesurait 7 mètres, soit la moitié de la taille d'un bus, ce qui en fait le plus grand nid jamais observé.

police python Dans une chambre de motel de Brantford, en Ontario, la police a trouvé une collection de 40 pythons dont le plus grand mesurait 1,4 mètre de long. Stockés dans cinq bacs en plastique, les serpents appartenaient à un couple qui avait pris la chambre pour la nuit.

l'annuaire des scarabées Face à la difficulté de trouver des noms pour 101 nouvelles espèces de scarabées récemment découvertes en Papouasie-Nouvelle-Guinée, les scientifiques ont choisi de prendre l'annuaire local et de choisir des noms au hasard.

star des mouches En 2011, une espèce de mouche australienne présentant un séduisant abdomen doré a été baptisée Scaptia beyonceae, en référence à la chanteuse Beyoncé.

pluie d'araignées Les habitants de Santa Antônio da Platina, au Brésil, ont cru qu'il pleuvait des araignées, en février 2013, quand des centaines de ces créatures ont été trouvées accrochées aux lignes électriques. Les araignées avaient réuni des milliers de toiles individuelles pour former un réseau géant de 3 mètres de diamètre et s'étendant jusqu'à 8 mètres au-dessus du sol. On sait que des bourrasques peuvent transporter de telles toiles géantes sur des kilomètres. Là où le vent les dépose, on dirait qu'il pleut des araignées.

mini-mouche *Euryplatea nanaknihali*, une espèce récemment découverte en Thaïlande, est la mouche la plus petite du monde. Longue de 0,5 mm, elle pond ses œufs dans des fourmis parmi les plus petites du monde.

collé serré À Austin, au Texas, une grotte héberge 10 millions de chauves-souris molosses entassées sur les parois à raison de 4 000 par mètre carré.

castor affamé En rongeant un câble en fibre, un castor a provoqué en juin 2013 une coupure d'Internet et de téléphone qui a touché plus de 1 800 usagers dans le nord du Nouveau-Mexique.

cafardeux Les blattes peuvent souffrir de solitude et avoir le cafard quand on les isole. Les jeunes qui ne sont pas constamment au contact des autres souffrent du syndrome d'isolation et montrent des retards de développement.

reines de l'esquive Les fourmis peuvent survivre à un passage dans un four à micro-ondes parce qu'elles sont suffisamment petites pour esquiver les rayons.

Une colonie de **20 000 chauves-souris** s'est installée dans une maison victorienne abandonnée à Tifton, en Géorgie, en 2011.

En essayant d'enfumer un **nid de guêpes** chez lui à l'aide d'un chiffon imbibé de solvant, un habitant de Nottingham, en Angleterre, a mis le feu à la maison de ses voisins en 2013.

En 2012, l'Allemagne a été envahie par plus **d'un million de ratons laveurs,** dont la plupart nichent en ville, dans les greniers.

Pendant 4 ans, le domicile de la famille Trost, dans le Comté de St. Charles au Missouri, a été infesté par **des centaines d'araignées venimeuses.** La morsure de la recluse brune peut provoquer des défaillances rénales.

En 2013, quelque **100 000 abeilles africanisées** ont envahi une maison vide à Houston, au Texas. Agressifs, les insectes ont tué des oiseaux et le berger allemand d'un voisin.

LES ENVAHISSEURS

animaux

MYGALE FOUISSEUSE

➔ **La mygale fouisseuse vit dans un terrier dont l'entrée est une trappe, habilement camouflée avec de la terre et de la végétation, retenue par une charnière de soie.**

L'araignée attend ses proies sous la porte. Dès qu'un de ses fils de soie est mis en mouvement, la porte s'ouvre et l'araignée jaillit pour se saisir de son repas.

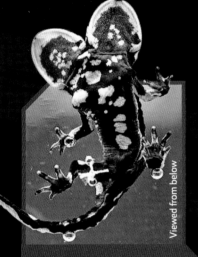

Viewed from below

SALAMANDRE À DEUX TÊTES ➔ Cette salamandre
de feu bicéphale n'a survécu que six mois auprès d'un éleveur privé qui essayait de la nourrir par ses deux bouches. À sa mort, il en fit don aux chercheurs d'une université allemande. Chaque tête avait son propre cerveau, les deux partageant le contrôle des membres et des organes de l'animal. Chez les serpents atteints de bicéphalie, il arrive qu'une des têtes attaque l'autre et même qu'elle essaye de la dévorer.

Viewed from above

passager clandestin Observant des dauphins près de Kalamos, en Grèce, en juin 2012, des chercheurs ont photographié une pieuvre accrochée au ventre d'un dauphin qui sautait hors de l'eau.

démineuses Au cours des conflits qui ont frappé la Croatie pendant les années 1990, près de 90 000 mines furent installées à travers tout le pays. Aujourd'hui, des abeilles sont dressées pour détecter les engins qui n'ont pas explosé en leur apprenant à associer l'odeur des explosifs à la nourriture.

radical Un groupe de chasseurs urbains, la Ryders Alley Trencher-Fed Society, se réunit régulièrement à New York pour chasser le rat dans les rues de la ville avec ses chiens.

fourmis tapageuses Appelés à 3 heures du matin par une femme de 75 ans qui se plaignait de ne pas pouvoir dormir parce que sa porte sonnait sans arrêt, les policiers d'Offenburg, en Allemagne, découvrirent que des fourmis avaient installé un nid si gros à l'intérieur du boîtier de la sonnette qu'il déclenchait la sonnerie en déplaçant le mécanisme.

vengeance Quand la guêpe du figuier dépose ses œufs à l'intérieur d'une figue sans la polliniser, l'arbre se venge en faisant tomber le fruit au sol, tuant ainsi les larves de guêpes.

chaud devant Quand des frelons géants s'attaquent à des colonies d'abeilles japonaises, celles-ci répliquent en s'agglutinant pour former une boule autour du frelon qu'elles cuisent et tuent avec la chaleur de leur corps.

L'homme loup

INCROYABLE

➔ Peut-être ne donnez-vous pas cher des chances de cette petite tortue entre les mâchoires d'un alligator des marais d'Okefenokee, en Géorgie, mais c'est elle qui a eu le dernier mot. Après avoir essayé en vain de briser sa carapace, le prédateur a dû abandonner. Quand le photographe Patrick Castleberry est allé voir comment allait la tortue, il a été ravi de constater qu'elle était vivante. Quand il l'a remise à l'endroit, elle est partie en nageant, pas plus impressionnée que ça d'avoir frôlé la mort.

longue marche Ayant disparu à Daytona, en Floride, pendant les vacances de ses maîtres, Holly, le chat de Jacob et Bonnie Richter a été retrouvé, épuisé, à 1 km de leur domicile de West Palm Beach après avoir parcouru plus de 300 km en deux mois.

trois paupières Les Pics verts ont une 3e paupière qui maintient leurs globes oculaires pendant qu'ils percutent les troncs d'arbre de toutes leurs forces jusqu'à 20 fois par seconde.

grande évasion Après des pluies torrentielles qui avaient permis à 15 000 crocodiles de s'échapper de la ferme Rakwena, en Afrique du Sud, un des animaux a été retrouvé sur le terrain de rugby d'une école, à 120 km de là.

drôle d'oiseau Le drongo africain a appris à imiter le cri d'alarme des suricates. Tandis que ceux-ci se dispersent pour gagner leurs terriers, l'oiseau peut récupérer toute la nourriture qu'ils ont abandonnée dans leur fuite.

➜ Ancien parachutiste, Werner Freund vit parmi les loups qu'il élève depuis 40 ans dans sa réserve de Merzig, en Allemagne. Il leur est si familier qu'ils acceptent de prendre leur nourriture de sa bouche.

Pour montrer aux 29 loups qu'il est le dominant, il est toujours le premier à mordre dans la viande crue, en l'occurrence un chevreuil, à l'heure de les nourrir. Les loups attendent sagement qu'il ait fini. Parce qu'il a gagné leur respect, ils jouent avec lui et lui lèchent régulièrement le visage en signe de soumission.

collision nocturne Un Grand-duc d'Amérique a survécu à une collision à 100 km/h avec un camion, en pleine nuit, sur une autoroute de Floride. La conductrice, Sonji Coney Williams pensait que l'oiseau avait été tué par le choc, jusqu'à ce qu'elle le retrouve indemne, le lendemain matin, derrière la calandre de son véhicule.

à sens unique Après la mort de sa compagne, le cygne Whooper s'est pris de passion pour un hélicoptère de l'île de Jersey. Les experts étaient si inquiets des risques que cette passion lui faisait courir face au rotor de l'appareil qu'ils lui ont fait couper les ailes.

blancs comme neige Deux moutons, piégés en avril 2013 par le blizzard à Antrim, en Irlande du Nord, ont été retrouvés vivants après avoir passé 23 jours sous 1,8 mètre de neige, à l'intérieur d'une poche d'air dans un fossé.

souffle de vie Alors qu'un daim était coincé sur une fine couche de glace dans le port d'Antigonish, en Nouvelle-Écosse, David Farrell a utilisé le souffle des pales de son hélicoptère pour faire glisser l'animal terrorisé jusqu'à la terre ferme.

réanimation Alors que son chiot boxer Lola souffrait d'une réaction allergique sévère après une piqûre d'abeille, Emma Harris de Plymouth, en Angleterre, lui a sauvé la vie. Quand la petite chienne s'est effondrée, la jeune assistante maternelle a pratiqué un massage cardiaque pendant plus de deux minutes avant qu'elle recommence à respirer.

DIGESTION DIFFICILE ➜ Après avoir passé une demi-heure à dévorer un petit oiseau à Long Beach, en Californie, cette buse à queue rousse avait tellement mangé qu'elle était incapable de voler. Elle réussit juste à se dandiner sur quelques mètres avant de tomber sur le dos. Heureusement, le photographe Steve Shinn appela une organisation locale de protection de la nature qui la prit en charge. Le lendemain, l'oiseau avait digéré et était rétabli.

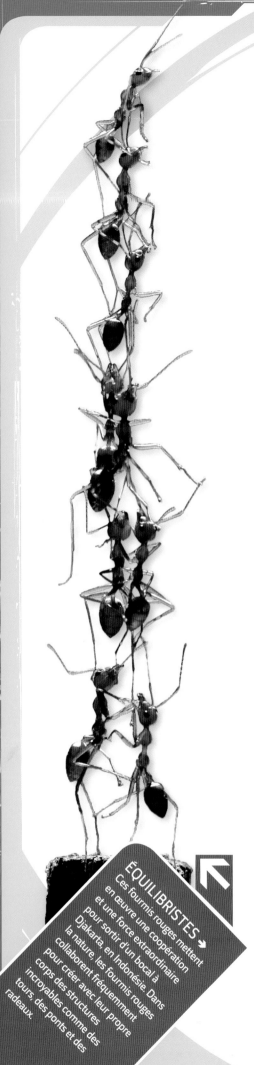

sous bonne escorte En Angleterre, la très fréquentée autoroute A3 a été fermée dans le Surrey, en pleine heure de pointe, le 15 août. Un gros embouteillage s'est formé, le temps que 50 canards colverts soient escortés par la police le long de la chaussée avant d'être menés, à grand renfort de bon grain, jusqu'à la sécurité d'un abri proche.

lait miraculeux Bien que n'ayant jamais eu de petits, Ba Boo, la Shar-Peï de 3 ans appartenant à Sherry Brandt de Kodak, au Tennessee, a non seulement adopté un chaton, mais l'a nourri de son propre lait.

chasseur de tête Nicholas, le chat de Charlie Perito, a pris l'habitude de se percher sur la tête de son maître quand ils partent se promener ensemble dans les rues de New York. Nicholas a appris à grimper sur l'épaule de Charlie quand il avait 3 mois. Il est devenu si familier du bruit de la rue qu'il saute désormais directement sur sa tête d'où il peut guetter des pigeons qui se risqueraient à voler un peu bas.

lard de s'adapter Comme son cochon, Chris P. Bacon, était né avec une malformation le privant de l'usage de ses pattes arrière, le Dr Len Lucero de Sumterville, en Floride, lui a construit un dispositif roulant à partir de pièces de jeu de construction. Désormais, le cochon peut se déplacer. Il a une page Facebook avec des milliers d'amis et il est même devenu une source d'inspiration pour de nombreux handicapés.

embouteillage Un ours de 45 kg a passé au moins 11 jours avec la tête coincée dans un récipient en plastique, avant d'être libéré par des sauveteurs à Jamison City, en Pennsylvanie. L'ours avait apparemment été attiré par l'odeur de l'huile de cuisine qu'avait contenue le récipient.

le goût de l'argent Sundance, 12 ans, le golden retriever de Wayne Klinkel d'Helena, dans le Montana, a avalé cinq billets de 100 $ tandis qu'il attendait son maître dans la voiture pendant un voyage de Noël à Denver, Colorado.

big bisou Chaque année, pour la Saint-Valentin, le magasin Planet Dog Company de Portland, dans le Maine, organise un concours du plus long baiser entre les chiens et leurs maîtres. En 2013, il a été remporté par Linda Walton et Beau, un croisement de yorkshire et de teckel, avec un baiser de 45,8 secondes.

mouffettes en fête Deborah Cipriani partage son domicile de North Ridgeville, en Ohio, avec 50 mouffettes. Les animaux sont en liberté dans sa maison de cinq chambres, baptisée le Paradis des mouffettes, et peuvent même dormir sur son lit.

instinct de survie Quand le moteur de leur bateau a explosé, au large de l'Oregon, Mark et Cynthia Schneider ont été obligés de sauter à l'eau, laissant leurs deux chats, Jasper et Topaz, sur l'embarcation condamnée. Mais les chats ont plongé à leur tour et nagé près de 100 mètres au milieu des débris pour rejoindre leurs maîtres sur le bateau de secours.

un ver de trop Les employés d'un magasin d'aquariophilie dans le Surrey, en Angleterre, ne parvenaient pas à expliquer la disparition de douzaines de poissons jusqu'à ce qu'ils découvrent la présence d'un ver Bobbit d'un mètre de long dans le bassin où il se cachait depuis des années. Ce sinistre prédateur, qui vit habituellement dans les profondeurs de l'océan, avait été introduit dans l'aquarium à l'intérieur d'une grosse pierre.

lady tarzan Nirmala Toppo, une indienne de 14 ans du Jharkhand, en Inde, a persuadé les éléphants qui s'étaient installés en 2013 dans un quartier de la ville de retourner dans la forêt. Surnommée « Lady Tarzan », elle a commencé à parler aux éléphants après que sa mère a été tuée par un troupeau. Elle a appris les techniques qui permettent de les repousser et dit qu'ils comprennent son dialecte.

laine de luxe La laine de la vigogne d'Amérique du Sud, qui ne peut être élevée et n'est tondue qu'une année sur deux, coûte plus de 300 $ le kilo, soit 200 fois le prix de celle des moutons.

les serpents chassent une famille de chez elle

→ Une maison de rêve dans les jolies prairies de l'Idaho s'est changée en cauchemar pour une jeune famille lorsque des centaines de serpents y ont emménagé avec elle. Avec ses cinq chambres, elle correspondait exactement à ce que cherchaient Ben et Amber Sessions avec leurs deux jeunes fils et un troisième enfant en route. Mais la maison avait des locataires indésirables qu'on pouvait entendre ramper derrière les plinthes, sous le plancher, dans les murs et la charpente. Parfois, il y avait tellement de serpents sur la pelouse que le sol semblait bouger. La maison avait été construite sur un hibernaculum, un lieu où des serpents, pouvant atteindre 60 cm de long, venaient de loin pour hiberner ensemble en se tenant chaud avant de se reproduire au printemps. La famille abandonna la maison après seulement trois mois.

Copie d'insecte

↗ Cette sauterelle d'Indonésie a mis 40 minutes pour se libérer de la carapace de son exosquelette, dans le cadre de la transformation qui en deux mois change une nymphe sans aile en sauterelle adulte. Au cours de ce processus, l'insecte doit se débarrasser de jusqu'à six enveloppes successives, devenues trop petites, avant de pouvoir développer ses ailes.

prêt à décoller Un alligator de 60 cm a été découvert par un employé de maintenance stupéfait sous un escalator de l'aéroport international O'Hare, à Chicago. Le reptile a été capturé par un policier qui a réussi à le faire entrer dans une poubelle.

vache célèbre La Grosse Bertha, une vache appartenant au fermier irlandais Jerome O'Leary, est morte en 1993 à 49 ans, trois fois l'espérance de vie moyenne de ses congénères. Elle a eu 39 veaux et était une célébrité locale qui menait la parade de la Saint-Patrick après avoir bu un peu de whisky pour se calmer. À sa mort, elle fut empaillée et on peut la voir à Beaufort, dans le Kerry.

insecte balistique Le froghopper peut sauter 100 fois sa propre longueur, avec une accélération supérieure à celle d'un missile balistique. Son accélération est 400 fois supérieure à la gravité, alors que celle des humains n'est que 3 fois la gravité lorsqu'ils sautent.

par les deux bouts S'ils ne paient pas de mine, les cloportes peuvent boire par les deux extrémités de leur tube digestif. Ils ont sur le postérieur des structures tubulaires nommées uropodes, qui peuvent aspirer de l'eau dans l'anus par capillarité.

affamé Un gorille mâle adulte d'Afrique de l'Est peut manger jusqu'à 34 kg de feuilles par jour, soit le poids d'un garçon de 11 ans.

grenouille ressuscitée À l'aide de techniques de clonage, les scientifiques australiens ont ressuscité la *southern gastric-brooding frog*, une espèce de grenouille éteinte depuis 1983. Quelques échantillons ont été retrouvés dans un congélateur, et cela a suffi pour permettre aux chercheurs de créer des embryons de têtards.

sacrifice maternel Chez les araignées des feuillages japonaises, la femelle laisse ses petits la dévorer afin de leur apporter la nourriture nécessaire à leur survie.

pas chouette Dans un élan romantique, Sonia Cadman avait loué une chouette effraie, dressée pour apporter les alliances lors de son mariage avec Andrew Mattle à Wiltshire, en Angleterre. Malheureusement, en dépit de plusieurs tentatives pour le convaincre de descendre, l'oiseau s'endormit dans la charpente de l'église, obligeant le prêtre à avoir recours à des alliances de secours.

chiens bottés La police allemande a équipé ses chiens de chaussures, fixées par du velcro, afin de protéger leurs pattes des éclats de verre lors des manifestations.

BONNE PÊCHE !

→ La dolomède des marais a une envergure de 8 cm. Elle peut plonger sous la surface pour attraper des épinoches et marcher sur l'eau. Cette araignée d'Europe guette sa proie, posée tel un radeau à la surface de l'eau où elle se maintient grâce aux poils minuscules qui couvrent ses pattes et répartissent ainsi son poids.

radeau de survie Lorsqu'un dauphin est en difficulté, les autres membres de son groupe unissent souvent leurs forces afin de former un radeau de leurs corps et lui permettre de se maintenir en surface pour pouvoir respirer.

bonnes ondes Alphie, le chat tigré de Vanessa Waite, de Sheffield en Angleterre, s'est complètement rétabli après l'intervention d'urgence qui a permis de déloger de sa gorge et de son estomac l'antenne de télé métallique de 15 cm de long qu'il avait avalée.

niche de luxe La niche d'un saint-bernard nommé Wellington est la réplique exacte de la maison de son maître. Ancien maçon, Julian Kite a dépensé près de 2 800 € afin de construire la niche qui reproduit à l'échelle 1/3 son pavillon du Derbyshire, en Angleterre. Haute de 2 mètres, la construction a des fenêtres élégantes, un toit d'ardoise avec des gouttières et même des pots de fleurs à l'extérieur. L'intérieur est isolé du froid, éclairé à l'électricité et équipé de moquette pour les pattes de Wellington.

malin Le cerf Sika, de l'île Yakushima au Japon, trouve sa nourriture en guettant les cris des macaques au moment où ils mangent.

PRISE MORTELLE →
Comme ils passent la majeure partie de leur vie dans les arbres, dormant, s'accouplant et accouchant accrochés la tête en bas, les paresseux ont des griffes et des muscles particulièrement développés. Leur prise est si forte qu'il arrive qu'on en trouve encore accrochés à leur branche plusieurs heures après leur mort.

démonstration de force Ramona Flowers, une belle truie de 2 ans appartenant à Luis Bojorquez de Tijuana, au Mexique, a sur le front des rides si développées qu'elle ressemble à Yoda dans *Star Wars*.

pratique À San Francisco, Jack, le bouvier australien de Nicole Lee peut faire tenir en équilibre sur sa tête toutes sortes d'objets : des boîtes de conserve, des ballons, des livres, des fruits, un œuf, et même une bouilloire. Ses maîtres ont commencé par lui apprendre à garder un morceau de pop-corn sur le nez pendant qu'ils regardaient un film. Ils lui ont aussi appris à fermer les placards de la cuisine et à ouvrir le réfrigérateur.

perruche héroïque Ben Rees, 17 ans, était sous la douche à Llanelli, au Pays de Galles, quand sa perruche Cookie a fait irruption dans la salle de bains en criant, avant de l'attaquer en piqué à plusieurs reprises pour lui faire comprendre que la maison était en feu. Ben a réussi à s'échapper, mais la perruche héroïque a péri dans l'incendie. Elle a été enterrée dans le jardin.

saoul comme un cochon Un cochon a bu 18 cannettes de bière laissées près d'un camping de Port Hedland, en Australie. Complètement ivre, il s'est alors lancé dans une virée où il a notamment essayé de se battre avec une vache et de traverser une rivière avant de s'évanouir.

SAUVÉS DES GLACES
→ En décembre 2013, cinq ânes ont échappé de justesse à la mort dans la province de Sanliurfa, en Turquie. Ils s'étaient regroupés pour se tenir chaud, mais les températures glaciales les gelèrent littéralement sur place. Les autorités locales ont organisé le sauvetage des animaux, incapables de marcher, en les transportant à l'abri, dans une étable où ils purent se réchauffer, se nourrir et être examinés par des vétérinaires.

tiré par les cheveux Une société britannique nommée Poochie Plumes propose sur Internet des extensions capillaires pour les chiens. Si les poils du chien mesurent au moins 2,5 cm, les maîtres peuvent acheter pour 15 € des extensions faites à partir de plumes colorées, attachées par de minuscules anneaux. Les plumes peuvent être laissées en place pendant six semaines, mais la société prévient que les plumes risquent de déteindre sur les chiens blancs.

bouée pour poisson Lorsqu'Einstein, son poisson rouge, fut atteint d'une affection de la vessie natatoire qui le renversait et le faisait couler au fond de l'aquarium, Leighton Taylor, de Blackpool en Angleterre, lui construisit à partir de tubes recyclés un gilet de sauvetage parfaitement ajusté qui lui permettait de nager à nouveau.

félin félon Un chat noir et blanc a été attrapé alors qu'il essayait d'introduire des téléphones portables dans un centre pénitentiaire de Verkhny Chov, en Russie. Les gardiens l'ont repéré le long des grilles de la prison avec un paquet suspect attaché autour du ventre. Celui-ci contenait deux téléphones et deux chargeurs pour les détenus.

toison d'or Les moutons Wagir peuvent se vendre jusqu'à 1,4 million d'euros chacun. Originaires d'Asie, ils ont une toison d'un blanc pur et de grandes oreilles pendantes. Il n'en existe qu'un millier dans le monde.

signe d'amour Angi et Don Holt-Parks, de Toledo en Ohio, ont appris le langage des signes et l'ont enseigné à leur pit-bull Rudi, qui est sourd, afin de pouvoir communiquer avec lui.

chèvre à roulettes Issue d'une espèce naine venue du Nigeria, Happie, la chèvre de Melody Cooke passe des heures à faire du skateboard sur un parking de Fort Myers, en Floride. Dès sa première tentative, elle est restée sur la planche pendant 25 secondes, couvrant une distance de 36 mètres.

blindé Pour la protection de son cochon d'Inde, Lucky, Sean McCoy de Fairfax, en Virginie, lui a fabriqué une armure sur mesure faite d'un casque en acier et d'une cotte de mailles.

auto-stoppeur Ayant vu un lion qui errait dans les rues au Koweït, un automobiliste réussit à l'attirer à l'arrière de sa voiture. Ayant fermé la porte pour qu'il ne s'échappe pas, l'homme rejoignit le fauve à l'intérieur afin d'appeler la police.

LES VERS PLATS DÉCAPITÉS RETROUVENT LEURS SOUVENIRS QUAND POUSSE LEUR NOUVELLE TÊTE.

un athlète complet Jumpy, un border collie australien appartenant à Omar Von Muller de Los Angeles, connaît plus de vingt tours acrobatiques comme sauter d'un skateboard, d'un mur, faire du surf, des sauts périlleux, jouer au frisbee et conduire une trottinette.

transfusion entre espèces Kate Heller, une vétérinaire de Tauranga, en Nouvelle-Zélande, a sauvé la vie d'un chat grâce à une transfusion de sang de chien. Faute de trouver un donneur compatible pour sauver le chat Rory qui avait absorbé du poison pour les rats, elle prit le risque de lui injecter 120 ml de sang prélevé sur le labrador Macy. Et le chat commença rapidement à se rétablir.

confiance aveugle Quand Abby, la chienne aveugle âgée de 8 ans, disparut de son domicile de Fairbanks, en Alaska, pendant une tempête de neige, la famille Grapengeter pensa qu'elle ne la reverrait jamais. Mais elle fut retrouvée une semaine plus tard, 16 km plus loin, dans la maison d'un vétérinaire après avoir survécu à des températures de – 40 °C, sans même une trace d'engelure.

GUEULE D'AMOUR

➔ Avec son adorable museau plat, ses grands yeux tristes et son air innocent, Snoopybabe, un chat de Chengdu en Chine, compte près d'un million d'amis sur sa page Facebook.

Sa maîtresse, Miss Ning, poste régulièrement des photos où elle l'habille souvent de vêtements de marque, voire de bijoux. Snoopybabe tient son allure particulière de ses parents ; il est un croisement d'American shorthair et de chat persan.

UNE FEMME RÉANIME UN POULET AVEUGLE

■ Roberta Rapo a passé trois heures et demie à ressusciter Chooky Wooky, le poulet aveugle de sa fille Rayna, retrouvé flottant dans la piscine de leur maison de Sydney, en Australie, où il avait été projeté par une bourrasque. Roberta entama aussitôt la réanimation alternant le bouche à bec et le massage du cœur fragile de l'oiseau jusqu'à ce qu'il revienne à la vie. Déclaré en parfaite santé par un vétérinaire, Chooky Wooky exprima sa reconnaissance avec un bel œuf. Rayna, sur la photo avec Chooky Wooky, décrit son animal de compagnie comme « le poulet du miracle ».

super-toile Dans *Spider-Man 2*, le héros sauve un train de la catastrophe en projetant sa toile dessus. Une équipe de scientifiques britanniques vient de montrer que ce n'était pas un exemple d'exagération hollywoodienne. L'araignée Darwin, de Madagascar, crée des toiles qui sont dix fois plus résistantes que le Kevlar et qui, ramenées à l'échelle de Spider-Man, pourraient arrêter un métro de quatre wagons lancé à pleine vitesse.

queue du bonheur Mr Stubbs, un alligator d'un refuge de Scottsdale, en Arizona, a été équipé d'une queue de 90 cm en caoutchouc après avoir perdu la sienne dans une bagarre. Alors qu'il avait tendance à tourner en rond avant la pose de la prothèse, le poids de celle-ci lui permet désormais de remarcher droit.

un requin dans le métro Les passagers d'un métro de New York ont dû descendre de voiture à la station du Queens afin de permettre au chef de train d'évacuer la carcasse d'un requin de 1,2 mètre coincée sous une rangée de sièges. Chris Landros, de Brooklyn, qui avait trouvé l'animal échoué sur la plage à Coney Island, avait décidé d'en faire profiter plus de monde en l'emmenant pour une virée dans les transports en commun.

à l'écoute des cochons Kees Scheepens, vétérinaire du Brabant aux Pays-Bas, hypnotise les cochons afin de mesurer leur stress. Expert dans le langage corporel des porcs et leurs grognements, il estime avoir vu plus de cinq millions d'animaux à travers toute l'Europe. Pour gagner la confiance des cochons, il lui arrive de manger dans leurs auges.

chirurgie esthétique Des vétérinaires de Tualatin, en Oregon, ont prélevé chirurgicalement 1,1 kg de peau sur un teckel qui avait perdu du poids après avoir été obèse. Après huit mois de régime qui l'ont fait passer de 35 à 17 kg, Obie avait des replis de peau qui traînaient par terre. Sa maîtresse, Nora Vanetta, a décidé de les faire enlever.

c'est du propre ! Reinhold Pratl de Hartberg, en Autriche, a fait 24 km pour faire laver sa voiture sans savoir que son chat Murli était coincé derrière le pare-chocs. Et ce n'est qu'à la fin du cycle complet qu'il s'est aperçu que l'animal avait ainsi eu droit à un shampooing et un séchage inattendus. Libéré, Murli semblait avoir bien supporté l'épreuve, en dehors du fait qu'il était trempé et qu'il sentait le shampooing.

jeu de patience Lorsque Sarah, son poulet de compagnie âgé de 6 mois, a avalé une boucle d'oreille en diamant valant 450 $ tandis qu'il était perché sur son épaule, Claire Lennon, du Berkshire en Angleterre, a appris qu'il lui faudrait peut-être attendre huit ans avant de récupérer le bijou. Celui-ci est coincé dans l'estomac de l'oiseau et une opération pour y accéder pourrait être fatale. Claire risque donc de devoir attendre jusqu'à ce que Sarah meure de vieillesse.

COULEURS DE PRINTEMPS

➜ D'un vert olive un peu terne le reste de l'année, le mâle de la grenouille indienne (Hoplobatrachus tigerinus) se fait beau pour impressionner les femelles à la saison des amours. Son corps vire au jaune éclatant tandis que ses sacs vocaux deviennent bleu vif. Ce n'est pas sa seule particularité. Bien que relativement gros, il peut sauter à la surface de l'eau aussi bien que sur la terre ferme.

Caca-mouflage

→ Les oiseaux prédateurs et les guêpes évitent généralement de s'approcher de l'araignée « crotte d'oiseau » de Singapour, parce que son corps ressemble à un tas d'excréments.

L'animal trapu chasse de nuit, mais passe l'essentiel de la journée immobile sur une feuille ou une branche, d'où la nécessité du camouflage pour éviter d'être mangé.

portée record

En 2013, dans une réserve naturelle à Arundel, en Angleterre, une cane colvert a donné naissance à 24 canetons, ce qui représente trois fois la moyenne et la plus grande portée jamais enregistrée.

voyous

Une dizaine d'écureuils gris ont causé pour 21 000 $ de dégâts dans un club de boulingrin à Édimbourg en dévorant une partie des locaux. Les bestioles déchaînées ont rongé des solives de 15 cm d'épaisseur et le câblage électrique, provoquant la chute du plafond.

chahuteur

Les ronronnements de Merlin, le chat de Tracy Westwood du Devon en Angleterre, ont été mesurés à 100 décibels, soit autant que le bruit d'un métro et environ 180 fois plus que le ronronnement d'un chat ordinaire.

chenilles siffleuses

Les chenilles du sphinx du noyer repoussent les oiseaux prédateurs avec des sifflements en expulsant l'air par les trous de leur abdomen qui leur servent à respirer. Chaque sifflement peut durer jusqu'à quatre secondes.

pétard mouillé

Juliana, un danois, a reçu la médaille de la Blue Cross pour avoir éteint une bombe incendiaire lors d'un raid allemand contre l'Angleterre... en pissant dessus. La bombe a traversé le toit de la maison de son maître, en avril 1941, et elle commençait à prendre feu quand Juliana a héroïquement levé la patte et vidé sa vessie.

À LA NAISSANCE, LES OPOSSUMS SONT SI PETITS QU'ON POURRAIT EN FAIRE TENIR 20 DANS UNE CUILLÈRE À CAFÉ.

à la belle étoile

C'est grâce à la Voie Lactée que les bousiers se déplacent en ligne droite la nuit. Pour éviter de tourner en rond au risque de se faire voler leur précieuse boule de bouse, ces insectes s'orientent en observant les étoiles pendant qu'ils poussent leur butin jusqu'à bon port.

zéro pour le zoo

Un zoo de Luohe, en Chine, a essayé de faire passer un gros chien pour le lion qu'il n'avait pas les moyens de s'offrir. La supercherie est tombée à l'eau lorsque le dogue du Tibet, installé dans la cage du roi de la jungle, s'est mis à aboyer sous les yeux des spectateurs médusés. Les visiteurs ont également trouvé un bâtard dans l'enclos des loups, un renard dans la tanière du léopard et deux grands concombres de mer déguisés en serpents dans le pavillon des reptiles.

tout pour mes toutous

Le styliste italien Valentino possède 6 carlins : Mary, Maude, Milton, Monty, Molly et Margot. Et chacun des chiens a son siège attitré dans son avion privé.

indestructibles

Les fourmis peuvent survivre à une chute de n'importe quelle hauteur. Leur masse corporelle est si faible, comparée à la résistance de l'air qu'elles tombent très lentement. Même larguées d'un avion, leur vitesse terminale serait de 6 km/h environ, contre 200 km/h pour un homme.

envolés

Alors que le touriste écossais Peter Leach s'était arrêté pour prendre des photos à Arthur's Pass, en Nouvelle-Zélande, un perroquet kéa est entré par la fenêtre de son camping-car et a dérobé 900 $ en billets qui se trouvaient sur le tableau de bord.

indélébile Comme il reste moins de 300 tortues à soc de Madagascar vivant à l'état sauvage, certains défenseurs de l'environnement ont entrepris de marquer leur carapace afin de réduire leur valeur pour les braconniers.

cygne de reconnaissance Un Égyptien a arrêté un cygne et l'a emmené au poste de police. Il soupçonnait l'oiseau d'être un espion, parce qu'il portait un appareil électronique. Celui-ci se révéla être un instrument d'observation de la faune.

■ La grenouille des bois survit à l'hiver canadien en se laissant mourir pendant des semaines. Couverte de glace, elle semble morte, mais elle s'est juste laissé geler sur le sol de la forêt pour affronter le froid intense. Lorsque la température remonte, elle dégèle et revient à la vie.

GELÉE

DÉGELÉE

LE + DE RIPLEY'S

L'hiver, jusqu'à 65 % de l'eau contenue dans le corps de la grenouille des bois devient de la glace extracellulaire. Des cristaux de glace s'installent entre la peau et les muscles, dans la vessie et dans le cristallin de l'animal. Une quantité importante de glace emplit la cavité abdominale, autour des organes. Le cœur et l'activité cérébrale s'arrêtent. La grenouille survit parce que la formation de cristaux de glace sur sa peau déclenche la production par son foie de grosses quantités de glucose qui protègent les organes vitaux.

ça va de soie La soie avec laquelle le ver à soie fabrique son cocon est en fait de la salive durcie sécrétée dans sa bouche. Il peut en produire des fils allant jusqu'à 1,6 km de long.

tête de mort La chenille du papillon rose *eribidae* d'Australasie et d'Amérique du Nord porte sur la tête des signes inquiétants qui la font ressembler de façon frappante à un crâne humain et qui lui permettent d'effrayer les prédateurs.

à l'eau, quoi ! La plongeuse hawaïenne Ocean Ramsey nage avec des grands requins blancs mesurant jusqu'à 5 mètres de long afin de prouver qu'ils n'ont rien à voir avec le terrifiant mangeur d'hommes des *Dents de la mer*. Sillonnant le monde à la recherche de requins, elle a déjà nagé avec plus de 30 espèces différentes.

homard à six pinces Un homard mutant à six pinces a été pêché au large du Massachusetts en 2013. Donné à l'aquarium du Maine à Boothbay Harbor, Lola pèse 1,8 kg. Elle a une pince normale d'un côté et cinq de l'autre qui proviennent soit d'une mutation génétique, soit d'une repousse anormale après un accident.

du lourd Chez les pieuvres tremoctopus, la femelle peut peser jusqu'à 40 000 fois plus lourd que le mâle, et être 100 fois plus grande. C'est l'équivalent d'un humain comparé à une noix. La femelle peut atteindre 2 mètres de long et peser 10 kg, alors que le mâle ne mesure souvent que 2,4 cm et ne pèse pas plus d'un quart de gramme.

assiégé Le kayakiste néo-zélandais Ryan Blair est resté coincé sur l'île de Governor Island, sur la côte Ouest de l'Australie, pendant deux semaines à cause d'un crocodile géant qui menaçait de le manger. Amené par bateau, Blair avait prévu de franchir en kayak les 4 km qui le séparaient du continent. Mais chaque fois qu'il mettait son embarcation à l'eau, le crocodile, long de 6 mètres, le traquait, le forçant à revenir sur l'île. Il a fini par appeler à l'aide avec des signaux lumineux.

poisson footballeur Ilana Bram de Poughkeepsie, dans l'État de New York, a passé deux mois à dresser Erasmus, son poisson cichlide, à jouer au football dans son aquarium avec une balle miniature. Les talents d'Erasmus lui permettent également de trouver son chemin dans un parcours de slalom et de danser le limbo.

HOMARD BIZARRE

→ Jeff Edwards, d'Owl's Head dans le Maine, a pêché ce homard moitié brun, moitié orange, résultat d'une mutation génétique affectant la pigmentation qui a une chance sur 50 millions de se produire. L'animal est exposé à l'Institut de recherches du Golfe du Maine, à Portland. Étrange coïncidence, le pêcheur Dana Duhaime avait attrapé un spécimen similaire un an plus tôt près de Beverly, au Massachusetts. Les homards bicolores sont généralement des hermaphrodites, mais celui de Duhaime était entièrement femelle, ce qui le rendait d'autant plus rare.

silence, on tourne Chica, le cochon d'Inde de Marilyn Jones de New Plymouth, en Nouvelle-Zélande, est sorti indemne d'un séjour de 30 minutes dans le sèche-linge où il avait atterri en même temps qu'un drap dans lequel il était caché. Il a survécu à un cycle de séchage intense avec des températures atteignant 70 °C.

beaux yeux La couleur des yeux des rennes passe de doré en été à bleu en hiver. Le bleu permet de réduire la quantité de lumière qui se réfléchit sur leurs yeux, ce qui améliore leur vision dans la pénombre de l'hiver.

mouton bicolore Un mouton nommé Battenberg est né avec des marques noires sur un côté du museau et blanches sur l'autre. Ses pattes avant droite et arrière gauche sont noires tandis que les deux autres sont blanches. Ces signes distinctifs lui ont probablement sauvé la vie en permettant de le repérer dans la neige, peu après sa naissance dans le parc national de Brecon Beacons, au Pays de Galles.

cheveux longs Alors que son corps ne mesure généralement que 1,8 mètre de diamètre, les tentacules de la méduse à crinière de lion peuvent atteindre 37 mètres, soit plus que la longueur d'une baleine bleue.

redoutable crevette L'*Acanthephyra purpurea*, ou crevette cracheuse de feu, aveugle ou distrait ses prédateurs en crachant un nuage de bactéries émettant une lueur bleue.

remords de serpent En travaillant au cimetière de Werris Creek, en Australie, Jake Thomas, 66 ans, coupa en deux d'un coup de pelle un serpent noir à collier rouge. Pourtant, un quart d'heure plus tard, le serpent le mordit à la main, envoyant Jake pour deux jours en soins intensifs à l'hôpital.

les selfies de l'aigle Un aigle pêcheur a dérobé une caméra vidéo installée pour observer des crocodiles en Australie-Occidentale. Il a ensuite filmé un vol de deux heures, et enregistré quelques selfies. La caméra, mesurant 15 cm, avait été placée près de la Margaret River. Les gardes forestiers n'avaient aucune idée de l'identité du voleur jusqu'à ce que l'appareil soit retrouvé à 112 km de là. En regardant le film, ils purent découvrir le coupable posant devant l'objectif pour la postérité.

Piège mortel

→ Pouvant mesurer jusqu'à 1,5 mètre de diamètre et installée jusqu'à 1,8 mètre du sol, la toile de l'araignée néphile dorée est si grande et si solide qu'elle peut attraper des chauves-souris, et même des oiseaux.

Cet oiseau, un Noddi Marianne, a été photographié par Isak Pretorius alors qu'il était prisonnier d'une toile sur l'île Cousine, aux Seychelles. Celui-ci eut la chance d'être sauvé. Mais dans des cas similaires, la plupart des oiseaux périssent. En se débattant, ils peuvent parvenir à casser la toile, mais ils tombent alors sur le sol, les ailes couvertes de fil, incapables de voler, et meurent rapidement d'un mélange d'épuisement et de déshydratation.

1. ATTIRER !

2. ATTRAPER !

3. MANGER !

LA REVANCHE DU SCARABÉE : PARTIE 1

→ Les grenouilles et les crapauds considèrent les larves de scarabée comme un plat délicieux, mais la larve de l'Epomis inverse les rôles en étant capable de dévorer des amphibiens qui font plusieurs fois sa taille. Elle fait une danse avec ses antennes pour attirer le crapaud. Mais, au moment où celui-ci s'apprête à attaquer, elle esquive et se fixe sur lui à l'aide de ses dents pointues. Elle aspire ensuite entièrement l'animal, jusqu'à n'en laisser qu'un petit tas d'os.

ange gardien Un chien a été dressé à flairer les cacahuètes pour Meghan Weingarth, de Suwanee en Géorgie, qui souffre d'allergie sévère et risque de tomber en état de choc si elle absorbe quoi que ce soit qui en contienne. LilyBelle, un croisement de golden retriever et de caniche, inspecte donc tout ce que Meghan s'apprête à manger et lève la patte pour la prévenir si elle détecte la présence de cacahuètes.

qui dort dîne Les bébés vipères s'endorment pour hiberner peu après leur naissance et ne mangent souvent leur 1er repas qu'à l'âge de 1 an.

affamés Les colibris dépensent tellement d'énergie que, pour ne pas mourir de faim, ils doivent absorber l'équivalent de leur poids en nourriture chaque jour et ralentir leur métabolisme en cas de besoin.

dédoublement de la personnalité Une tortue à deux têtes, nommée Thelma et Louise, est née en juin 2013 au zoo de San Antonio, au Texas. Capable de manger avec chaque tête, le bébé souffre d'une double personnalité. Son côté droit se montre curieux, alors que le gauche est agressif.

le dîner du dauphin Un dauphin qui avait attrapé une morue de 4,5 kg semblait vouloir l'offrir à Lucy Watkins et ses grands-parents. Ils faisaient du kayak sur la côte du Devon, en Angle-terre, quand le dauphin est apparu avec le pois-son, avant de le lâcher près du bateau de Lucy et de le pousser jusqu'à 1,5 mètre d'elle. Le dauphin est ensuite revenu avec son propre dîner, un bar.

super-serpent Le Titanoboa, un serpent qui vivait en Amérique du Sud il y a 58 millions d'années, pouvait mesurer jusqu'à 15 mètres de long et avait une gueule assez large pour avaler un crocodile.

chute d'arbre Lydia Bigras se promenait avec des amis dans le parc Goldstream, en Colombie-Britannique, quand Roo, son terrier australien âgé de 4 ans a brusquement rebroussé chemin en courant. Les humains l'ont suivi. Quelques secondes plus tard, un cèdre de 18 mètres s'abattait là où ils se tenaient juste avant. Personne n'avait remarqué qu'il tombait.

poisson chasseur Les silures sont des cousins du poisson-chat. Ceux du Tarn peuvent mesurer jusqu'à 1,5 mètre. On en a vu sauter hors de l'eau afin d'attraper des pigeons sur la rive avant de retourner dans la rivière pour dévorer leur proie.

poisson poison On dénombre plus de 1 200 espèces de poissons venimeux. C'est plus qu'on ne compte de serpents et de vertébrés venimeux au total.

← LA REVANCHE DU SCARABÉE : PARTIE 2

→ Devenu adulte, l'Epomis ne change pas ses étonnantes habitudes, mordant, paralysant et dévorant des grenouilles plus grosses que lui-même.

Monstre marin

➜ Des membres du Catalina Island Marine Institute portent un régalec de 5,5 mètres qui s'est échoué sur la côte californienne en 2013, un monstre marin si énorme qu'il a fallu 16 personnes pour le sortir de l'eau.

Le régalec mort avait été repéré flottant entre deux eaux après avoir dérivé depuis les abysses. Les régalecs vivent à des profondeurs pouvant atteindre 900 mètres, ce qui fait qu'on en observe rarement. Ils peuvent mesurer jusqu'à 18 mètres et peser plus de 250kg. Considérés au Japon comme des « Messagers du palais du dieu de la mer », ils font partie des espèces dont certains pensent qu'elles sont capables d'avertir les humains de catastrophes naturelles imminentes en changeant leur comportement.

DES ANIMAUX QUI PEUVENT PRÉDIRE LES CATASTROPHES NATURELLES

Vingt régalecs se sont échoués sur des plages au nord du Japon en 2011 juste avant **le séisme et le tsunami.** Vivant près du fond de l'océan, on pense qu'ils sont plus sensibles à l'activité des failles qui marque le début des tremblements de terre que les espèces plus proches de la surface.

Juste avant le grand **séisme et tsunami** qui ont dévasté la côte indienne en 2004 des éléphants ont brisé leurs chaînes et fui pour gagner les hauteurs.

Des crapauds communs qui se reproduisaient sur le lit peu profond d'un lac italien se sont soudain déplacés vers les hauteurs en 2009, cinq jours avant qu'un **fort séisme** frappe la région. Ils sont ensuite revenus vers le lac, sitôt la dernière réplique passée.

12 heures avant que **l'ouragan Charley** frappe la Floride en 2004, huit requins qui avaient été identifiés dans le détroit de Pine Island ont brusquement fui pour gagner la haute mer. On pense que les requins sont sensibles aux variations de pression de l'eau et de l'air qui précèdent l'arrivée d'une tempête.

Quelques heures avant que **l'ouragan Jane** s'abatte sur Gainesville. en 2004, les papillons tropicaux de l'université de Floride se sont cachés sous les pierres et dans les creux des arbres. Des organes comparables à des tympans, situés sur leur abdomen, pourraient les avoir alertés d'une chute brutale de la pression atmosphérique.

Les vers de terre sortent du sol avant une **inondation** importante pour essayer d'échapper à la montée des eaux souterraines.

Les albatros de Buller sont capables de changer le cap de leur vol 24 heures avant un changement de temps pour tirer au mieux parti de **vents forts.**

requin marcheur Une espèce jusqu'ici inconnue de petits requins, *Hemiscyllium halmahera*, utilise ses nageoires pour marcher sur le fond de l'océan. Le requin, mesurant 75 cm, récemment découvert au large de l'Indonésie, se déplace sur le sol où il chasse des petits poissons et des crustacés.

détermi-nez Quand son maître, John Dolan de Bay Shore, Long Island, a été hospitalisé, il manquait tellement à Zander, un croisement de husky et de samoyède, qu'il s'est échappé de la maison et a suivi sa piste grâce à son flair, traversant une route nationale et un cours d'eau pour rejoindre l'hôpital, distant de 3 km. Les huskies ont jusqu'à 300 millions de glandes olfactives, alors que les humains n'en ont que 5 millions. Par ailleurs, certaines races de chiens développent un lien si fort avec les humains qu'il agit comme un sixième sens.

invasion Un troupeau de 80 moutons a envahi un magasin de ski dans la station autrichienne de St. Anton. On pense qu'un mouton a été attiré dans la boutique en voyant son reflet dans un miroir. Les autres l'ont suivi... comme des moutons.

WHIPPET VOLANT

Davy Whippet, 3 ans, le chien de Lara Sorensen de Thorhild, en Alberta, a rattrapé un frisbee lancé à 122 mètres. Parti des pieds du lanceur, Rob McLeod, Davy a franchi la distance en 10 secondes, soit environ 25 % plus vite qu'Usain Bolt, pour se saisir du frisbee avant qu'il touche le sol. Lara possède un grand champ où Davy peut courir, pourtant elle avoue : « Il traîne sur le canapé presque toute la journée, mais quand on lui demande de travailler, il se donne à fond. »

drôle de couple Chaque jour, un chat de Kunming, en Chine, se promène en ville sur le dos de son meilleur ami, un gros chien. Leur maître, Xu Wan, explique que chaque fois qu'il emmenait le chien en promenade, le chat miaulait pour indiquer qu'il voulait se joindre à eux. Il acheta donc une laisse pour le chat, mais celui-ci se fatiguait facilement et décida qu'il préférait largement voyager en chien.

artiste-singe Brent, un chimpanzé de 37 ans qui peint des images colorées avec sa langue, a gagné 10 000 $ pour le refuge Chimp Haven de Keithville, en Louisiane, en remportant le 1er prix d'un concours artistique national.

transport en commun En avril 2013, la police de Hanoï, au Vietnam, a arrêté un automobiliste qui transportait 53 cobras royaux dans son véhicule.

cure d'amaigrissement Mike, un labrador obèse, pesait 60 kg. Il en a perdu 17 en sept mois dans un centre de secours du Leicestershire, en Angleterre, en marchant régulièrement dans une cuve remplie d'eau dans laquelle il était trop gros pour rentrer au début. Avant son traitement par hydrothérapie, Mike était si lourd et en si mauvaise santé qu'il avait endommagé un ligament dans une de ses pattes et qu'il était à bout de souffle dès qu'il faisait le moindre effort.

ÉTONNÉ

→ Avec les deux marques diagonales sur son front, Sam, un ancien chat errant de New York, semble avoir des sourcils. Et son air perpétuellement étonné a vite fait de lui une vedette sur Internet. Il a son propre site web et plus de 100 000 amis qui partagent ses photos sur Instagram.

capybara domestique Melanie Typaldos et Richard Loveman ont pour animal domestique Gary, un capybara de 50 kg, chez eux à Buda, Texas. Ils ont adopté le rongeur géant après avoir vu des capybaras en vacances au Venezuela. Ils laissent même Gary dormir dans leur lit.

pas farouches Un troupeau de plus de 1 000 cerfs Sika a élu domicile dans les rues du centre-ville de Nara, au Japon, où il se mêle aux voitures et aux piétons.

chiens surfeurs Biuf, un chien qui fait du skateboard, est devenu si célèbre sur Internet, avec des milliers d'amis sur Facebook, que son maître, Ivan Juscamaita, a ouvert une école à Lima, au Pérou, pour y initier d'autres chiens.

nids élastiques La mésange à longue queue garnit son nid de toiles d'araignées élastiques pour lui permettre de grandir en même temps que ses poussins.

miracle Wasabi, un chat de 2 ans appartenant à Stephanie Gustafson, a survécu à une chute d'une fenêtre située au 11e étage d'un immeuble de Juneau, en Alaska, par laquelle il est passé en poursuivant un moustique. On l'a récupéré sur le parking avec quelques os cassés que les vétérinaires ont pu réparer chirurgicalement.

nouvelle espèce On pense qu'il existe des dizaines de milliers d'Olinguitos, cousins des ratons laveurs, vivant dans les arbres en Colombie et en Équateur. Mais jusqu'à récemment personne ne soupçonnait leur existence. En 2003, le Dr Kristofer Helgen, du Smithsonian's National Museum of Natural History, a trouvé des os et des peaux qui avaient été mal étiquetés dans les réserves d'un musée de Chicago, mais il a fallu encore une dizaine d'années pour qu'ils soient identifiés, faisant ainsi de l'Olinguito le premier mammifère découvert en Amérique depuis 35 ans.

BICÉPHALE → Yuri Yuravliov de Kiev, en Ukraine, possède une tortue d'Asie centrale femelle âgée de 6 ans qui a deux têtes, deux cœurs, une carapace en forme de cœur et six pattes. Les deux têtes ont même des goûts différents en matière de nourriture. La gauche est dominante et elle aime les légumes verts, comme la salade, tandis que l'autre préfère les aliments aux couleurs vives, comme les carottes.

Trompe-→ la-mort

→ Pour tromper sa faim, cet ambitieux crocodile du Nil a refermé ses mâchoires sur la trompe d'un jeune éléphant qui s'abreuvait dans un bassin du parc national de South Luangwa, en Zambie.

Étonné, l'éléphant a barri bruyamment et s'est libéré d'une secousse avant de s'enfuir, obligeant le crocodile à chercher une proie plus modeste. Ian Salisbury, l'employé du parc qui a pris cette photo, explique que le même crocodile avait précédemment attaqué un buffle. Cette scène est un exemple de la réalité imitant la fiction. Rudyard Kipling avait raconté l'histoire du premier éléphant qui a eu une trompe grâce à un crocodile qui lui a mordu le nez.

nid douillet Après s'être introduite dans un terrier pour en tuer les occupants, l'hermine d'Europe utilise parfois la carcasse d'un lapin mort pour s'en faire un nid douillet où elle élève ses petits.

batmobile *Mystacinobia zelandica*, petite mouche de Nouvelle-Zélande, ne peut pas voler. D'ailleurs, elle n'a pas d'ailes. Elle se déplace en chauve-souris.

os mous, dents dures Le squelette des requins n'est pas composé d'os durs, mais de cartilages flexibles et légers comme ceux qu'on trouve dans le pavillon des oreilles humaines.

pattes en caoutchouc Yu, une tortue caouanne, qu'une attaque de requin avait privée de ses pattes avant, nage désormais au parc Suma Aqualife de Kobe, au Japon, équipée de palmes en caoutchouc attachées à une veste.

serpent gonflable Le cœur des pythons birmans peut grossir de 40 % après un repas. Beaucoup de leurs organes, à commencer par leur long tube digestif, doublent de taille pour leur permettre d'avaler et de digérer des grosses proies.

dresseur de tigres Randy Miller passe ses journées à se faire attaquer par un tigre adulte de 180 kg, et il s'en sort sans une égratignure. Dans ses installations de Big Bear, en Californie, Randy a dressé le tigre Eden à faire des bonds de près de 5 mètres pour le plaquer au sol. Ces attaques sont si réalistes que les animaux de Randy sont apparus dans de nombreux films comme *Gladiator, Transformers 2* et *Le Dernier samouraï*.

Carnassiers

→ Skulls Unlimited, une société d'Oklahoma City, a utilisé des milliers de dermestes pour faire disparaître la viande de cette baleine à bosse de 12 mètres qui s'était échouée, avant d'en reconstituer le squelette.

Les os ont été séparés et placés dans des boîtes pour permettre aux insectes d'accomplir leur mission. Ils ont ensuite été dégraissés et chimiquement blanchis afin qu'ils soient propres et prêts à être exposés au Museum of Osteology de l'Oklahoma.

Des insectes voraces

EFFICACE ➜ Plutôt que des chiens, Awirut Nathip utilise deux crocodiles adultes pour garder sa maison en Thaïlande. Et, comme on s'en doute, il n'a jamais été cambriolé en 15 ans. Il garde Nguen dans un fossé sous la maison, parce qu'il est très agressif, pendant que Thong patrouille dans le jardin, souvent installé devant la porte pour plus de dissuasion.

chien de course Le labrador Boogie a reçu une médaille pour avoir couru un semi-marathon (21 km) à Evansville, dans l'Indiana. Après s'être échappé de chez lui la veille, on l'a retrouvé en train de participer à la course, qu'il a terminée devant plus de la moitié des athlètes avant de retrouver son maître, Jerry Butts.

cafteuse Guillermo Reyes a été arrêté à Mexico City après que sa perruche a dit à la police qu'il était ivre. Les policiers avaient arrêté sa voiture pour un contrôle de routine, mais tandis qu'il s'apprêtait à sortir du véhicule, l'oiseau à l'intérieur s'est mis à crier : « Il est saoul ! Il est saoul ! » Ce que l'alcootest a confirmé.

signaux lumineux Il existe plus de 2 000 espèces de lucioles dans le monde, dont la plupart produisent de la lumière. Mais chacune des espèces qui en produit possède son propre langage lumineux.

goutte à goutte Un moustique qui reçoit une goutte de pluie est comme un homme qui serait heurté par une voiture, mais les insectes survivent à l'impact en « surfant » sur la goutte pendant une fraction de seconde.

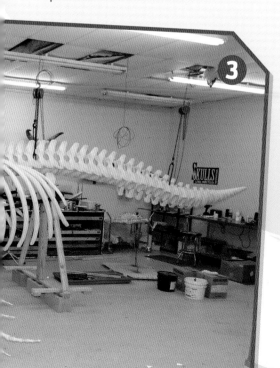

quelle santé ! La souris Onychomys (souris sauterelle) d'Amérique du Nord peut manger des scorpions centruroides d'Arizona sans conséquence néfaste parce qu'elle est immunisée contre leur dangereux venin qui, paradoxalement, a sur elle des vertus analgésiques.

ouïe fine Certains papillons de nuit ont une ouïe si développée que les chauves-souris barbastelles émettent des sons d'écholocation 100 fois moins forts que d'habitude pour pouvoir les attraper et s'en régaler.

invasion de méduses Une invasion massive de méduses a obligé une des plus grandes centrales nucléaires du monde à s'arrêter le 29 septembre 2013. Les responsables de la centrale d'Oskarshamn ont dû ralentir d'urgence leur réacteur parce que des tonnes de méduses bouchaient les tuyaux qui alimentent les turbines en eau froide.

coupable En 1866, une sauterelle fut jugée en Croatie pour les dégâts causés par son essaim. Elle a été condamnée à mort par noyade.

dans les clous Un éléphant de mer pesant plus d'une demi-tonne a bloqué la circulation pendant plus d'une heure dans la ville côtière brésilienne de Balneário Camboriu après être sorti de l'Atlantique pour s'installer au milieu d'une rue fréquentée. Long de 3 mètres, l'animal s'était respectueusement installé sur un passage clouté pendant que policiers et pompiers l'aspergeaient pour le rafraîchir.

requin glouton Un requin du Groenland, trouvé en détresse dans un port de Terre-Neuve, avait eu les yeux plus grands que le ventre en s'attaquant à un élan. Son repas gargantuesque l'avait presque étouffé. Mais heureusement deux personnes le remarquèrent depuis la plage, avec un bout d'élan de 60 cm dépassant de sa gueule. Ils parvinrent à déloger le morceau de viande d'entre ses dents avant de repousser le requin dans l'eau.

DRÔLE D'INSECTE

➜ Avec ses rayures sur le corps et les « poils » qui dépassent de son derrière, ce fulgore ressemble à un troll. L'insecte, non répertorié, mesure 7 mm et pourrait appartenir à une des 60 nouvelles espèces découvertes par des chercheurs de Conservation International au cours d'une randonnée de trois semaines dans la forêt tropicale du Suriname. Ses excrétions qui ressemblent à des poils pourraient servir à distraire les prédateurs. Elles sont en fait constituées de cire et sont sécrétées par ces glandes situées dans l'abdomen de l'insecte.

OISEAU MOTARD

Vous ne rêvez pas ! Myles Bratter de Dover, dans le New Hampshire, conduit régulièrement sa moto à des vitesses allant jusqu'à 130 km/h avec Rainbow, son ara, perché sur son épaule. Miles nous a envoyé cette image en précisant que Rainbow, qui adore la vitesse, n'est pas attaché. Doué, l'oiseau peut dire 160 mots et phrases. Et il a été photographié en compagnie de plusieurs célébrités, notamment George H.W. Bush dans le cadre d'une collecte de fonds pour les sans-abri. Né en 1995, Rainbow a encore de belles virées devant lui car les aras peuvent vivre au-delà de 100 ans.

détour Hendrix, un springer anglais de 2 ans qui devait voyager en soute entre le New Jersey et Phoenix, en Arizona, s'est retrouvé à des milliers de kilomètres de là, en Irlande, après avoir été placé par erreur dans le mauvais avion.

vigilant Barbara Smith-Schafer, du Lincolnshire en Angleterre, a trouvé un ange gardien en Dominic, le perroquet jaco de son époux. Barbara souffre d'apnée du sommeil, une maladie caractérisée par un arrêt de la respiration. Mais Dominic a appris à reconnaître les ronflements sonores qui signalent la survenue d'une éventuelle attaque. Lorsqu'il les entend, il réveille Barbara en battant des ailes et en lui donnant des coups de bec sur l'épaule.

chien fidèle Pendant plus de deux mois après la mort de sa maîtresse, Tommy, un berger allemand de 12 ans, est allé tous les jours à l'église qu'elle fréquentait, à San Donaci, en Italie. Chaque après-midi, dès qu'il entendait les cloches, il prenait le chemin de l'église, comme il l'avait fait pendant des années du vivant de sa maîtresse. Il a même assisté aux funérailles de celle-ci, suivant le cercueil dans l'église. Impressionné par son dévouement, le prêtre a autorisé Tommy à s'asseoir devant l'autel pendant les offices.

artiste abstrait Absent des champs de courses depuis une blessure au genou en 2009, Metro Meteor s'est depuis fait un nom comme peintre abstrait. Adopté par l'artiste Ron Krajewski de Rocky Ridge, dans le Maryland, le cheval a vendu plus de 200 toiles pour un total supérieur à 20 000 $, et il était en tête des ventes de la galerie 30 de Gettysburg, en Pennsylvanie. Pour ses grandes toiles, qui peuvent atteindre 2 000 $, il y a une liste d'attente de 120 acheteurs.

ROI DE LA PETITE REINE

➜ Dans le *Ripley's Believe 2013*, nous vous parlions de Norman, le briard hirsute de la famille Cobb de Canton, en Géorgie, qui sait faire de la trottinette depuis qu'il est chiot et peut parcourir jusqu'à 30 mètres en 30 secondes. Norman, qui possède sa propre page sur Facebook et compte deux millions de fans sur YouTube, a appris à rouler à bicyclette, posant ses pattes avant sur le guidon et actionnant habilement les pédales avec ses pattes arrière.

rusé En Norvège, un renard qui avait volé le téléphone de Lars Andreas Bjercke, 16 ans, s'est enfui avec l'appareil et l'a utilisé le lendemain pour envoyer un SMS à un ami de Lars.

poils longs Les poils de Colonel Meow, un croisement d'himalayen et de persan appartenant à Anne-Marie Avey et Eric Rosario de Los Angeles, ne mesurent pas moins de 23 cm. Le chat a son propre site web, sa page Facebook et une chaîne sur YouTube avec plus de deux millions de visites. Ses poils sont si longs qu'il faut être deux pour les brosser, ce qu'Anne-Marie et Eric font trois fois par semaine.

grande vadrouille Mata Hairi, la chatte de Ron Buss, a quitté la maison de Portland, dans l'Oregon, pour sa promenade habituelle le 1er septembre 2012. Elle a passé les 10 mois suivants à sillonner les États-Unis avec Michael King, un auto-stoppeur qui l'avait ramassée dans un café, croyant avoir affaire à un chat errant. Perchée sur son sac à dos, elle a visité la Californie et le Montana. C'est lors d'une visite chez le vétérinaire que la puce électronique qu'elle porte a été décelée, permettant de la rendre à son propriétaire.

vacances de luxe L'hôtel Paw Seasons dans le Somerset, en Angleterre, propose des vacances de luxe pour chiens. Pour la modique somme de 65 000 € pour 2 semaines, votre meilleur ami aura une laisse, un collier et un manteau de marque, des séances de toilettage, de surf sur la plage, une niche sur mesure à l'image de la maison de ses maîtres, et des projections de *Lassie* et des *101 Dalmatiens*, accompagnées de pop-corn pour chiens.

tueur en série En vingt ans, Gustave, un crocodile du Nil de 6 mètres, vivant dans le Lac Tanganyika, est suspecté d'avoir tué plus de 200 personnes. Et il a échappé jusqu'à présent à tous les efforts menés pour le tuer ou le capturer.

passager clandestin Polly, une chatte tigrée de 2 ans, a effectué un voyage de 2 700 km coincée sous un train, et elle y a survécu. Sans eau ni nourriture, elle a passé deux jours à foncer à travers l'Angleterre et le Pays de Galles à 200 km/h avant que ses miaulements alertent le chef de train.

apaisant Jim Eggers de Saint-Louis, Missouri, souffre de troubles bipolaire. Mais quand il sent une crise approcher, il s'en remet à son perroquet, Sadie, qui le calme avec quelques sages paroles. L'oiseau l'accompagne partout, grâce à un sac à dos transformé pour pouvoir contenir sa cage.

assourdissant Les aboiements de Charlie, un golden retriever appartenant à Belinda Freebairn, d'Adelaïde en Australie, ont été mesurés à 113,1 décibels, soit plus qu'un concert de rock ou un marteau-piqueur.

Chat Vampire

→ **Lazarus, un chat trouvé dans les rues de Johnson City, dans le Tennessee, a une fissure palatine qui lui donne l'apparence d'un vampire.**

En l'absence de lèvre supérieure, ses crocs inférieurs font saillie. Et il semble n'avoir pas de nez. Cependant, en dépit de son aspect, il est si adorable que sa maîtresse, Cindy Chambers, l'utilise dans des séances de thérapie pour changer la perception qu'ont certains patients des animaux et des handicapés.

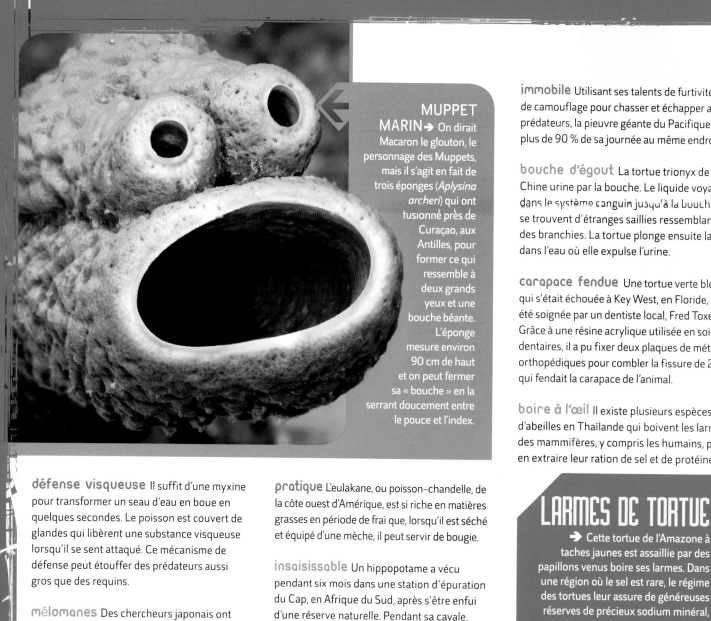

MUPPET MARIN → On dirait Macaron le glouton, le personnage des Muppets, mais il s'agit en fait de trois éponges (*Aplysina archeri*) qui ont fusionné près de Curaçao, aux Antilles, pour former ce qui ressemble à deux grands yeux et une bouche béante. L'éponge mesure environ 90 cm de haut et on peut fermer sa « bouche » en la serrant doucement entre le pouce et l'index.

immobile Utilisant ses talents de furtivité et de camouflage pour chasser et échapper aux prédateurs, la pieuvre géante du Pacifique passe plus de 90 % de sa journée au même endroit.

bouche d'égout La tortue trionyx de Chine urine par la bouche. Le liquide voyage dans le système sanguin jusqu'à la bouche où se trouvent d'étranges saillies ressemblant à des branchies. La tortue plonge ensuite la tête dans l'eau où elle expulse l'urine.

carapace fendue Une tortue verte blessée qui s'était échouée à Key West, en Floride, a été soignée par un dentiste local, Fred Toxel. Grâce à une résine acrylique utilisée en soins dentaires, il a pu fixer deux plaques de métal orthopédiques pour combler la fissure de 25 cm qui fendait la carapace de l'animal.

boire à l'œil Il existe plusieurs espèces d'abeilles en Thaïlande qui boivent les larmes des mammifères, y compris les humains, pour en extraire leur ration de sel et de protéines.

défense visqueuse Il suffit d'une myxine pour transformer un seau d'eau en boue en quelques secondes. Le poisson est couvert de glandes qui libèrent une substance visqueuse lorsqu'il se sent attaqué. Ce mécanisme de défense peut étouffer des prédateurs aussi gros que des requins.

mélomanes Des chercheurs japonais ont observé que, même si les poissons rouges sont connus pour leur étourderie, ils peuvent faire la différence entre la musique de Jean-Sébastien Bach et celle d'Igor Stravinsky.

pratique L'eulakane, ou poisson-chandelle, de la côte ouest d'Amérique, est si riche en matières grasses en période de frai que, lorsqu'il est séché et équipé d'une mèche, il peut servir de bougie.

insaisissable Un hippopotame a vécu pendant six mois dans une station d'épuration du Cap, en Afrique du Sud, après s'être enfui d'une réserve naturelle. Pendant sa cavale, le jeune mâle a échappé à ses poursuivants pendant des semaines dans un lac de la ville, apparaissant parfois dans des jardins, avant de s'installer dans la station d'épuration. Il a finalement été capturé et envoyé dans une réserve.

LARMES DE TORTUE

→ Cette tortue de l'Amazone à taches jaunes est assaillie par des papillons venus boire ses larmes. Dans une région où le sel est rare, le régime des tortues leur assure de généreuses réserves de précieux sodium minéral, incitant des douzaines de papillons à voleter autour de leur tête dans l'attente d'une boisson fortifiante. En l'absence de tortue, les papillons se rabattront sur l'urine des animaux ou la sueur des humains pour trouver leur dose de sel.

LA TÊTE HAUTE

➔ Au XIXᵉ siècle, une girafe nommée Zarafa voyagea à dos de chameau avant de marcher 900 km pour aller de Marseille à Paris.

Pendant les 44 jours que dura son voyage épique, les gens vinrent en foule voir la première girafe à fouler le sol français, et 100 000 personnes étaient là pour l'accueillir à Paris.

Capturée au Soudan en 1826, Zarafa était un cadeau du vice-roi d'Égypte Méhémet Ali au roi Charles X. La girafe, âgée de 1 an, gagna Kharthoum sur le dos d'un chameau avant de descendre le Nil et de traverser la Méditerranée dans la soute d'un cargo dont le pont avait été percé pour laisser passer le long cou de l'animal.

Après 32 jours de traversée, Zarafa débarqua à Marseille. Elle entama sa longue marche vers Paris le 20 mai 1827. Sur tout le parcours, les gens s'émerveillaient en voyant cette créature de 3,7 mètres de haut.

À Paris, les élégantes se mirent à porter des chignons imposants et les tissus tachetés se mirent à faire fureur.

Zarafa resta la vedette du zoo du Jardin des Plantes jusqu'à sa mort, en 1845.

> Zarafa fit tellement sensation à son arrivée en France que son image apparut sur de la vaisselle et sur des tapisseries.

GIRAFFE Femelle.

hommage Le biologiste Paul Sikkel, de l'Université d'Arkansas, a découvert une nouvelle espèce de parasite dans les récifs coralliens de Jamaïque. Et il l'a baptisée *Gnathia marleyi* en l'honneur du plus célèbre des musiciens jamaïcains, Bob Marley.

sur un arbre perché Deux jours après avoir disparu du domicile de Cynthia Weeks, à Davenport dans l'Iowa, Laddy, son border collie de 7 ans, fut retrouvé sain et sauf, deux pâtés de maisons plus loin, à 3 mètres du sol dans un arbre.

comment ça marche ? Né avec des os manquants dans ses pattes avant, Harvey, chaton d'un refuge de Glasgow, en Écosse, a appris à se déplacer en rampant sur ses « coudes » ou dressé sur ses pattes arrière.

chèvres tondeuses En août 2013, le cimetière du Congrès de Washington a loué 58 chèvres pendant une semaine pour 4 000 $ pour tondre la pelouse et éliminer des plantes envahissantes qui avaient poussé jusqu'à plus de 2 mètres de haut.

chat dans le châssis Un chaton noir nommé Pumpkin a eu bien de la chance. Coincé derrière le pare-chocs de la Jeep de Stacey Pulsifer pendant 22 heures, il a parcouru 160 km sur les routes de l'État de New York et s'en est tiré avec seulement une patte cassée.

crise du logement Plusieurs espèces de grenouilles du Sri Lanka utilisent les tas de bouses d'éléphants fraîches comme un domicile humide temporaire.

scarabée costaud Le dynaste Hercule d'Amérique du Sud mesure 15 cm et peut soulever 850 fois son propre poids, comme un humain qui porterait un objet de 60 tonnes. Le mâle possède également des cornes qui sont plus longues que son corps.

défenses recourbées Les défenses du sanglier babiroussa d'Indonésie sont recourbées vers l'arrière au-dessus de ses yeux. Elles peuvent atteindre une longueur de 30 cm, au point de percer parfois la peau de son front.

mite errante Une mite de l'Atlas géante, avec une envergure de 30 cm, a été trouvée dans le jardin d'une famille du Lancashire, en Angleterre, à près de 10 000 km de son habitat naturel en Asie du Sud-Est.

fausses araignées Une espèce découverte récemment de petites araignées du Pérou fabrique de fausses grosses araignées pour repousser les prédateurs. Les leurres sont construits en détail à partir de débris, jusqu'aux huit pattes, et les petites araignées font vibrer leur toile pour leur donner l'air vivant.

candidat Hank, un chat maine coon, a reçu 6 000 voix aux élections sénatoriales de 2012 en Virginie. Ses maîtres, Matthew O'Leary et Anthony Roberts avaient présenté sa candidature pour protester contre les campagnes politiques. Arrivé troisième, Hank, qui militait pour la stérilisation et la castration des animaux domestiques, a collecté 60 000 $ au profit de refuges animaliers.

choquant La décharge d'une anguille électrique est assez forte pour faire tomber un cheval. Les anguilles peuvent générer des tensions allant jusqu'à 600 volts, soit près de trois fois plus que celle des prises de courant classiques. Leur corps contient des organes électriques dont les cellules emmagasinent le courant comme des petites piles. Lorsque l'anguille se sent menacée ou décide d'attaquer, toutes ces cellules se déchargent simultanément.

rangés Ayant découvert 9 œufs dans le jardin de sa maison du Queensland, en Australie, Kyle Cummings, 3 ans, les a mis dans une boîte en plastique et rangés dans son placard. Quand sa mère a trouvé la boîte, 7 des œufs avaient donné naissance à des serpents d'une race locale (*Pseudonaja textilis*) particulièrement venimeuse dont la morsure, même par des bébés, peut-être fatale.

intrus Enquêtant sur un cambriolage dans le magasin d'une œuvre de charité du Queensland, en Australie, la police a trouvé le coupable : un python de 5,7 mètres. Un panneau du toit avait été coupé en deux, des vêtements renversés, de la vaisselle brisée. Les policiers soupçonnaient un maraudeur, jusqu'à ce qu'ils découvrent une flaque de vomi nauséabonde et le serpent endormi près d'un mur. On pense que l'animal, pesant 17 kg, s'était introduit par le toit, endommagé par un cyclone en 2011.

vidéo coquine Sans expérience, Colin, un panda géant femelle rejetait obstinément le mâle Yongyong, jusqu'à ce que les spécialistes du centre de Chengdu, en Chine, leur montrent une vidéo de pandas en train de s'accoupler, pour qu'ils voient comment on fait. « Le film a beaucoup intéressé Colin », explique un vétérinaire du centre. « Après ça, ils se sont accouplés avec succès. »

chat-pardeur Errant de maison en maison par les chatières, Milo, un chat tabby, a volé 26 jeux de clés dans un quartier de Londres. Sa maîtresse, Kirsten Alexander, a découvert le crime en le voyant rentrer avec un jeu de clés accroché à son collier magnétique.

mené en bateau À la suite du tsunami de 2011, un poisson de la famille des Oplegnathidae, originaire d'Asie, a traversé le Pacifique jusqu'à l'État de Washington à bord d'une petite embarcation à la dérive. Il a survécu à ce voyage de 8 000 km en se nourrissant de micro-organismes.

frimeurs Les criquets mâles sont plus violents lorsqu'ils se battent, et plus démonstratifs lorsqu'ils gagnent, quand d'autres criquets les regardent..

Boule de serpent

➜ **Au printemps, quand elles ont fini d'hiberner, les couleuvres à collier forment des « boules d'accouplement ». Jusqu'à huit mâles pour une ou deux femelles se rassemblent et passent parfois deux heures à se tortiller ensemble pour se reproduire.**

Les mâles s'efforcent de dérouler la femelle en entremêlant leurs corps avec le sien, jusqu'à ce que leurs organes reproductifs soient correctement alignés.

invasion de serpents En mai 2013, les bâtiments du Capitole de Louisiane, à Bâton-Rouge, furent envahis par des serpents d'eau venus du lac voisin. Des bébés serpents furent retrouvés enroulés dans les placards, dans des toilettes, et rampant sur les tapis des salles de délibération.

une boule dans l'estomac Ty, un tigre de 178 kg d'un refuge de Seminole, en Floride, a dû être opéré pour retirer une boule de poils de 1,8 kg, grosse comme un ballon de basket, de son estomac. Incapable d'évacuer la boule parce qu'elle était trop grosse, le tigre, âgé de 17 ans, n'avait rien mangé depuis deux semaines.

chagrin Karen Jones, du Kent en Angleterre, avait un immense chagrin après avoir enterré son chat noir bien-aimé, Norman, retrouvé sans vie sur une route fréquentée. Mais, le lendemain de l'enterrement dans le jardin, Norman est arrivé dans la cuisine juste à temps pour le thé. Karen avait enterré un autre chat.

vétéran En juin 2013, Wisdom, un albatros de Laysan du Pacifique Nord, a donné naissance à son 36e poussin, à 62 ans ! C'est plus du double de l'espérance de vie moyenne de cette espèce.

SPORTS

LE MIGHTY ATOM

➜ Joseph Greenstein est né prématurément en Pologne en 1893. Enfant chétif, il ne dépassait pas à l'âge adulte 1,63 mètre et 66 kg.

Néanmoins, sa petite stature n'empêcha pas Joseph de devenir le «Mighty Atom», un des hommes les plus forts du monde – peut-être même le plus fort, dans sa catégorie.

Dans sa jeunesse, un lutteur et hercule de cirque russe le prit sous son aile et l'aida à devenir un lutteur de premier ordre sous le nom de « Kid Greenstein » – un nom qui le conduisit en Asie, où il perfectionna ses prouesses physiques et développa la force mentale qu'il utilisera plus tard dans ses performances d'hercule. Il croyait que le pouvoir de l'esprit était tout aussi important que le pouvoir de la force physique.

C'est en Amérique que Joseph devint le « Mighty Atom » et accomplit des exploits de force apparemment impossibles pour sa petite stature. Il pouvait soulever des poids de 225 kg avec ses dents, couper des clous en deux à la force de sa mâchoire, et plier des barres de fer en différentes formes.

En 1934, il se cassa une côte pendant une démonstration à New York, mais lorsque l'ambulance arriva, il proposa de la tirer avec ses cheveux jusqu'à l'hôpital. Il se produisit à Atlantic City et à Coney Island, où, après avoir enthousiasmé les foules avec ses muscles, il leur vendait des fortifiants qui promettaient de décupler leur puissance musculaire. Parmi ses autres prouesses, il changeait un pneu de voiture sans outils et s'allongeait sur un lit de clous tout en supportant un orchestre de 17 musiciens sur son corps.

Le Mighty Atom pouvait plier une barre de fer en utilisant ses cheveux.

PROUESSES DU MIGHTY ATOM

Casser une chaîne en gonflant la poitrine

S'allonger sur une planche à clous tout en supportant 10 membres de sa famille et, en une autre occasion, un orchestre de 17 musiciens

Extraire un clou planté dans une planche avec ses dents

Faire des nœuds avec des fers à cheval

Tirer 5 voitures à la force de ses cheveux

Couper des chaînes en deux avec ses dents

Changer un pneu sans outils

Tirer un camion de 32 tonnes

Deux hommes aident le Mighty Atom à plier une barre de fer sur son nez.

Le Mighty Atom allongé sur une planche à clous, avec le poids ajouté des 17 membres d'un orchestre !

Un de ses tours habituels était de couper une chaîne avec ses dents.

→ **Le Mighty Atom eut une carrière étonnamment longue, étant donné les efforts extrêmes qu'il imposait à son corps. Il continua à se produire dans ses vieux jours, notamment au Madison Square Garden, à New York, alors qu'il était octogénaire. On pense que son histoire incroyable a inspiré Atom, le personnage de bande dessinée de DC Comics, qui apparut en 1940 et connut une longue carrière.**

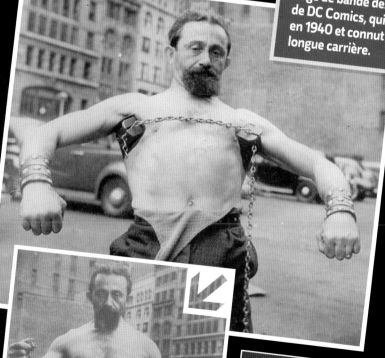

Il brise une chaîne uniquement en gonflant la poitrine.

Une poigne de fer, de la force et de la concentration aidaient le Mighty Atom à plier des barres de fer comme s'il s'agissait de simples fils de fer.

rebond chanceux Brad Johnson, ancien quarterback de la National Football League, est la seule personne dans l'histoire de la League à avoir réussi une passe de touchdown à lui-même. Il l'a fait lors d'un match des Vikings du Minnesota, son équipe, contre les Panthers de la Caroline, en 1997, lorsqu'il a récupéré sa propre passe détournée puis couru trois mètres pour réussir ce touchdown unique.

gros rebond Jay Phoenix, 30 ans, a accompli 150 sauts à l'élastique en 21 h 30 du haut d'une grue de 40 mètres de haut, à Brisbane, en Australie, réalisant une moyenne de 7 sauts par heure. Il conservait son niveau d'énergie en grignotant entre chaque saut et, s'apercevant qu'il était encore souvent en train de mâcher pendant le saut, il a découvert qu'il pouvait avaler pendant le rebond.

slalom d'escalier Les skieurs urbains Matt Wild et Logan Imlach ont skié du haut en bas d'un immeuble militaire de 5 étages à Whittier, en Alaska. Ils ont transporté des tas de neige dans le bâtiment et sont montés tout en haut avant de descendre les escaliers en slalomant et de sauter par les fenêtres ouvertes.

balle tueuse En 1920, Ray Chapman, des Indians de Cleveland, est mort à cause d'une balle lancée vers lui qui l'a frappé à la tête. C'est le seul joueur tué par une balle de baseball lors d'un match de la Major League.

parcours de jardin Prêts à tout pour construire un parcours de snowboard dans le jardin de sa maison à Aviemore, en Écosse, Mikey Jachacy et neuf de ses amis ont fait plusieurs voyages à 600 mètres d'altitude dans les monts Cairngorm pour rapporter 8 tonnes de neige. Ils ont ensuite construit un parcours de 60 mètres, avec des rampes, des sauts et même un tire-fesses, qui fonctionnait grâce à un vieux moteur de moto.

bolide à roulettes

→ Decio Lourenco, un skateboardeur professionnel sud-africain, a atteint une vitesse maximale de 109 km/h en dévalant une colline et à travers la circulation d'une autoroute très fréquentée de Cape Town, passant juste à quelques centimètres des véhicules venant en sens inverse. Ses cascades à grande vitesse ont mis en colère la police, qui dit qu'il a déclenché un radar dans une zone où la limite était fixée à 60 km/h.

toilettes d'équipe En 2012, Jim Vigmond, un fan des Maple Leafs de Toronto, a payé 5 300 $ pour des toilettes dans le vestiaire de l'équipe de hockey du stade Maple Leafs Gardens.

haut vol Jesse Richman, un kitesurfeur de Maui, à Hawaï, a été remorqué par un bateau et s'est élevé à une altitude sans précédent de 240 mètres au-dessus des gorges du fleuve Columbia dans l'Oregon – plus de 20 fois l'altitude que les kitesurfeurs atteignent d'ordinaire quand leur kite est pris par le vent.

carte rare Dans l'idée d'investir pour son fils, Jason LeBlanc, de Newburyport, dans le Massachusetts, a payé 92 000 $, dans une vente aux enchères dans le Maine en 2013, une carte de baseball vieille de 148 ans. Cette carte de 1865 montrait une photo de l'hégémonique club de baseball amateur des Atlantics de Brooklyn.

coup de main L'équipe de foot brésilienne Aparecidense a été exclue des matchs de qualification pour la 4e division en 2013 après que le masseur du club, Romildo da Silva, est entré sur le terrain de derrière le filet et a arrêté 2 tirs dans les dernières minutes afin d'empêcher l'équipe adversaire de Tupi de gagner. Da Silva, qui a été chassé du terrain par des joueurs de Tupi furieux, a reçu une amende de 250 $ et été suspendu pour 24 matchs.

40 marathons Originaire de Nottinghamshire, en Angleterre, Richard Whitehead, amputé des deux jambes et médaille d'or aux jeux Paralympiques, a couru 40 marathons en 40 jours sur ses prothèses pendant qu'il traversait la Grande-Bretagne en 2013.

prix porcelet Tous les ans en décembre, le vainqueur de la course cycliste Carrera ciclista del Cochinillo, qui se tient à Huércal-Overa, en Espagne, est traditionnellement récompensé avec un porcelet vivant, qu'il est censé manger au dîner de Noël.

plongeon dans un fossé

Adepte du kayak extrême, Ben Marr, de Mallorytown, dans l'Ontario, s'est maintenu droit tant bien que mal tandis qu'il pagayait furieusement pour descendre un fossé de drainage en béton très escarpé appelé le Lions Bay Slide, en Colombie-Britannique, à près de 56 km/h avant de tomber dans un réservoir.

course globale

Partant et arrivant à l'Opéra de Sydney, l'athlète australien Tom Denniss a fait le tour du monde à pied en courant, l'équivalent d'un marathon par jour pendant 622 jours. Traversant cinq continents et usant 17 paires de chaussures, il a parcouru 26 000 km en moins de 21 mois, de décembre 2011 à septembre 2013. Sa plus grande frayeur s'est produite pendant qu'il courait dans la chaîne des Andes, quand il a glissé sur la neige et failli faire une chute de 300 mètres le long d'une falaise de glace.

marathon de coups de batte

Surmontant la fatigue, la douleur musculaire et la faim, un fan de baseball de 52 ans, Mike Filippone, président de la North Babylon Youth League, à New York, a donné des coups de batte pendant 24 heures d'affilée en juin 2013, frappant ainsi près de 10 000 balles.

le sportif le plus vieux

D'origine arménienne, Artin Elmayan, de River Plate, en Argentine, est, à l'âge de 96 ans, le joueur de tennis professionnel le plus vieux du monde. Il joue 3 fois par semaine contre des adversaires plus jeunes que lui.

BARBIE SANS BRAS

→ Bien qu'elle ait perdu ses deux bras à l'âge de 2 ans, Barbie Thomas, de Phoenix, dans l'Arizona, participe à des concours de fitness contre des femmes non handicapées depuis plus de dix ans.

Ses bras ont été brûlés jusqu'à l'os par un choc électrique surpuissant alors qu'elle était grimpée sur un transformateur et avait saisi les fils électriques à deux mains. « Ils étaient comme du charbon, dit-elle. Ils étaient complètement morts et ont dû être amputés au niveau des épaules. »

La jeune Barbie n'était pas censée survivre. Pourtant, non seulement elle a survécu contre toute attente, mais elle a rapidement appris à s'adapter en étreignant sa mère avec ses jambes et en utilisant ses jambes et ses pieds pour s'habiller. Petite fille, elle a commencé des compétitions de danse et de natation, ainsi qu'à jouer au football, avant de se tourner vers le fitness. Aujourd'hui, cette charismatique mère de deux enfants s'entraîne six jours par semaine au club de gym, soulevant des poids et faisant des exercices de jambes, notamment le grand écart, des coups de pied en hauteur, et un incroyable saut carpé ninja qui lui permet, étendue sur le dos, de se redresser d'un bond en position debout.

Ripley's Interview

Comment êtes-vous devenue une fanatique du fitness ? J'ai toujours été « fit » (en forme). J'étais très active en grandissant, mais je me suis mise sérieusement au fitness après ma première grossesse.

Quelle est votre fréquence d'entraînement ? Je vais au club de gym 6 jours par semaine. Je prends aussi des cours de gymnastique trois ou quatre fois par semaine.

Qu'est-ce que vous préférez dans la compétition ? Exécuter un programme. C'est le plus grand défi pour moi, mais c'est tellement de plaisir !

Qu'est-ce qui vous inspire ? Savoir que j'inspire d'autres personnes et écouter leurs histoires. Également les gens qui en veulent plus que moi – ils m'inspirent beaucoup !

Avez-vous des pieds particulièrement adroits ? Mes pieds SONT mes mains. J'aimerais que mes doigts de pieds soient un peu plus longs, mais oui... ils ont beaucoup de dextérité, surtout mon pied droit. Je suis droitière !

Quel a été votre plus grand défi, et comment l'avez-vous surmonté ? Hormis les flips arrière, m'occuper de mes garçons quand ils étaient bébés, surtout quand ils venaient de naître. La première fois j'ai appris en tâtonnant, mais lorsque j'ai eu mon second bébé, c'était un jeu d'enfant.

POTEAU GLISSANT ↘

→ Tous les mois d'août à St Julian's, à Malte, des centaines de jeunes hommes courageux essaient de gravir un poteau glissant de 20 mètres de long pour récupérer un drapeau à son extrémité dans un jeu appelé *gostra*, qui remonte au Moyen Âge. Certains concurrents préfèrent courir le long du poteau de bois aussi vite que possible dans l'espoir d'attraper le drapeau *avant* de glisser inévitablement et de tomber dans l'eau en dessous.

lancer d'arbres Chaque année en janvier, les gens vivant près de Weidenthal, en Allemagne, se débarrassent de leurs vieux sapins de Noël en organisant une compétition pour voir à quelle distance ils peuvent les lancer. Il y a 3 disciplines dans ce Championnat mondial de lancer de sapins de Noël – *weitwurf* (javelot), *hammerwurf* (marteau) et *wochwurf* (saut en hauteur) – tous les arbres doivent d'abord avoir été débarrassés de leurs boules.

sport hybride Originaire des Pays-Bas, le footgolf est un nouveau sport dans lequel les joueurs tapent dans un ballon de football afin de le mettre dans des trous sur un parcours de golf en aussi peu de shoots que possible. En juin 2012, la première Coupe du Monde de footgolf s'est déroulée à Budapest, en Hongrie, attirant des joueurs de pays aussi lointains que les États-Unis, l'Argentine et le Mexique.

tournoi de ping-pong Max Fergus et Luke Logan, élèves du lycée de Stoughton, dans le Wisconsin, ont joué dans un tournoi de ping-pong une partie qui a duré 8 heures 30 minutes 6 secondes, sans jamais cesser de se renvoyer la balle.

course de puddings À la Course de bateaux-puddings du Yorkshire, en Grande-Bretagne, les concurrents rament sur un lac dans des puddings traditionnels géants, composés de farine, d'eau, d'œufs et recouverts de vernis.

À 4 PATTES → Courant à quatre pattes, le Japonais Kenichi Itô a fait un 100 mètres en 16,87 secondes sur la piste olympique de Tokyo en novembre 2013. Il a battu six autres concurrents dans un 100 mètres à quatre pattes et a dit qu'il a développé son style de course particulier, qui est basé sur les mouvements du Patas, un singe africain, depuis plus de dix ans.

pilote vétéran Hershel McGriff, de Portland, dans l'Oregon, a participé à une course de stock-cars de la Nascar dans le circuit Sonoma Raceway, en Californie, le 23 juin 2012, à l'âge de 84 ans. Il a terminé à une respectable place de 18e sur 30 pilotes.

hauts scores 4 clubs de football nigériens ont été suspendus en 2013 pour suspicion de matchs arrangés après que des matchs de qualification cruciaux ont produit des résultats de 79-0 et 67-0. Les Plateau United Feeders ont marqué 72 de leurs buts contre l'Akurba Football Club en 2e mi-temps – soit près de deux buts par minute – tandis que le Police Machine FC marquait 61 fois dans la 2e mi-temps de son match contre le Bubayaro FC.

vol atlantique Bernard Chambers a lâché Percy, son pigeon de course primé, en Bretagne, pour qu'il parcoure les 485 km jusqu'à chez lui, dans le Staffordshire, en Angleterre – mais à la place le volatile a volé 5 150 km jusqu'au Québec..

skieur de sable L'Allemand Henrik May préfère skier sur le sable plutôt que sur la neige et a atteint la vitesse maximale de 92 km/h sur une dune du désert de Namibie.

mieux payés Il y a seulement 11 États aux États-Unis où le fonctionnaire le mieux payé n'est pas un entraîneur sportif : l'Alaska, le Nevada, le Montana, le Dakota du Nord, le Dakota du Sud, l'État de New York, le Maine, le Vermont, le New Hampshire, le Delaware et le Massachusetts.

COURSE DE BÉLIERS

→ Dans une variante originale du 100 mètres, du comté de Yiwu, en Chine, courent avec, dans les bras, un mouton adulte dont les pattes sont attachées pour éviter qu'il s'échappe. L'événement de la « course avec mouton » fait partie de la fête des moissons annuelle, qui comprend également un concours de beauté de moutons.

noms justes Lorsque Hartlepool a battu Notts County 2-1 dans un match de football de première division en février 2013, les buteurs s'appelaient Hartley et Poole !

marathon man Chuck Engle, d'Arlington, Virginie, a gagné plus de 150 marathons depuis qu'il a commencé à en courir en 2000, et au moins un dans chacun des 50 États américains.

coup malchanceux Un homme de Jupiter, en Floride, s'est accidentellement tiré une balle dans la jambe pendant qu'il jouait au bowling. Il avait fourré un pistolet dans la poche de son short et celui-ci a tiré lorsqu'il a heurté sa cuisse avec la boule de bowling.

perchiste aveugle La perchiste Charlotte Brown, 15 ans, originaire d'Emory, au Texas, s'est qualifiée pour les championnats d'État 2013 malgré sa cécité, en franchissant une hauteur de 3,5 mètres. Elle est capable de sauter en comptant ses pas pendant sa course d'élan et en écoutant le cri de son entraîneur quand il est temps de sauter. Elle place également une bande de gazon artificiel noir d'une longueur de 24 mètres sur le couloir d'approche afin de créer un contraste lumière/obscurité et de pouvoir courir en ligne droite.

dingue de roues arrière ! Originaire des États-Unis, le monocycle extrême de montagne, décrit comme un croisement entre le vélo de montagne et le rodéo, est un sport où des casse-cou pédalent, pivotent et sautent de rocher en rocher pour descendre une montagne escarpée de haut en bas sur leurs monocycles personnalisés, sans tomber dans les ravins.

cibles explosives Le tejo, un sport traditionnel colombien, consiste à lancer des disques métalliques sur des cibles remplies de poudre à canon qui explosent à l'impact.

rivalité fraternelle Lorsque John Harbaugh, des Ravens de Baltimore, a battu Jim Harbaugh, des 49ers de San Francisco, au Super Bowl XLVII en 2013. C'était la première fois dans l'histoire du Super Bowl que des équipes entraînées par deux frères s'affrontaient.

biathlon de tanks L'armée russe a organisé un biathlon de chars d'assaut en 2013 où des équipes de Russie, du Kazakhstan et de Biélorussie devaient conduire leurs tanks sur un parcours d'obstacles et tirer sur des cibles le plus rapidement possible.

36 exclus Au Paraguay, lors d'un match junior entre Teniente Fariña et Libertad, un arbitre de foot a brandi 36 cartons rouges – faisant sortir les joueurs aussi bien que les remplaçants – après une bagarre générale dans les dernières minutes.

FOOT BULLE

→ Dans le football bulle, ce passionnant nouveau sport anglais, les joueurs sont emballés dans des zorbs – d'énormes bulles gonflables – et, au lieu de tacler pour prendre le ballon, se font simplement rebondir les uns contre les autres.

Ce jeu, inventé par Lee Moseley, se joue entre deux équipes de sept personnes et est moins dangereux qu'il n'y paraît, car, bien que les joueurs soient facilement renversés sur le dos comme des tortues, ils rebondissent sur leurs pieds.

mauvaise route En 2013, sur les 5 000 coureurs qui ont pris part au marathon du Nord à Sunderland, en Angleterre, un seul concurrent – Jake Harrison, de Leicester – a terminé le bon parcours. Par erreur, les organisateurs avaient envoyé tous les autres sur une mauvaise route, ce qui a eu pour résultat qu'ils ont couru 264 mètres de moins que la distance totale d'un marathon, 42,195 km.

cabochard Lors d'un match de football à Sarajevo, le gardien amateur Dusko Krtalica a continué de jouer bien qu'il ait reçu une balle de carabine dans la tête. Il avait été touché accidentellement par une balle tirée en l'air lors d'une cérémonie de mariage qui se déroulait dans le voisinage.

BASE JUMP SUR L'EVEREST

➜ En mai 2013, Valery Rozov, star russe du sport extrême, a fait un saut de BASE jump de la face nord du mont Everest, à 7 220 mètres d'altitude. Il a volé près d'une minute à 200 km/h le long de la face nord avant d'atterrir sain et sauf sur le glacier Rongbuk à l'altitude de 5 950 mètres. Il a réalisé ce saut audacieux pour célébrer le 60ᵉ anniversaire de la conquête de l'Everest.

cible mouvante La star japonaise du football Shunsuke Nakamura a réussi l'acrobatie – à son premier essai – d'envoyer du pied gauche un ballon de football dans la fenêtre ouverte d'un autobus en mouvement.

3 générations Bob Banhagel, 67 ans, son fils Rob Banhagel, 44 ans, et son petit-fils Jacob Blankenship, 18 ans, sont tous trois perchistes – et participent ensemble à des compétitions aux États-Unis.

heureux papa Lorsque le footballeur Ryan Tunnicliffe, 19 ans, est entré comme remplaçant pour Manchester United dans un match contre Newcastle en 2012, cela a permis à son père Mick de gagner 10 000 livres. Ce fier papa avait parié 100 livres quand son fils avait 9 ans que celui-ci jouerait un jour avec Manchester United – à 100 contre 1.

mains sûres Caleb Lloyd, un fan des Reds de Cincinnati, a attrapé deux balles de home-runs dans le même tour de batte lors de la victoire des Reds sur les Braves d'Atlanta en mai 2012.

des kilomètres devant À 69 ans, Larry Macon, de San Antonio, au Texas, a terminé un record de 255 marathons en 2013. Il en courait une moyenne de 3 par semaine et a ainsi parcouru un total de 6 614 km. Il use 13 paires de chaussures par an et, avocat à plein temps, a tenu des conférences téléphoniques tout en courant.

sans peur Peter Sheath, de Southampton, en Angleterre, a pratiqué le ski nautique pendant 25 ans alors qu'il est aveugle depuis l'âge de 30 ans. Aujourd'hui âgé de 74 ans, il en fait encore 2 fois par semaine et affirme que son handicap l'aide dans le sport parce que, étant incapable de voir, il n'a jamais peur.

vainqueur le plus vieux Bill « Spaceman » Lee, de San Francisco est devenu, à 65 ans, le plus vieux lanceur à gagner un match de baseball professionnel lorsque son équipe des Pacifics de San Rafael a battu les Na Koa Ikaika de Maui, le 23 août 2012.

FOOT ENFLAMMÉ

➜ Joué dans certaines régions de l'Indonésie pour célébrer le ramadan, le *sepak bola api* ressemble en tout point au football – sauf que les joueurs sont pieds nus et que le ballon est une boule de feu ardente. Le ballon est en fait une vieille noix de coco plongée dans 20 litres de kérosène pendant une semaine pour s'assurer qu'elle brûlera durant tout le match. Afin que les joueurs puissent shooter et faire des têtes sans souffrir de brûlures graves, ils subissent un rituel d'avant-match censé les rendre insensibles au feu dont un jeûne de 21 jours et doivent s'abstenir de manger tout aliment cuit au feu.

chute d'hélicoptère En juillet 2013, Zack Hample, de New York, a attrapé une balle de baseball lâchée d'un hélicoptère volant à 320 mètres au-dessus de lui, à Lowell, dans le Massachusetts. La balle est tombée à la vitesse de 152 km/h et a mis 12 secondes avant d'arriver dans le gant.

backflip de masse Tout en se tenant par la main, 30 skieurs ont descendu une pente et réalisé simultanément un backflip à la station de Mont Saint-Sauveur, au Québec, en avril 2013.

pied d'or Le joaillier japonais Ginza Tanaka a fondu une réplique en or massif du pied gauche de la star argentine du football Lionel Messi. Le pied d'or pèse 25 kg, mesure 25 cm de haut et est évalué à 5,25 millions de dollars.

carte de baseball Pour annoncer l'entraînement du printemps 2013, le fabricant de cartes de collection Topps a créé une carte de baseball géante de 27 mètres de haut et 18 de large montrant une photo de Prince Fielder, des Tigers de Détroit.

92 613 $!

CHAUSSETTE ROUGE → Une chaussette ensanglantée portée par Curt Schilling, le lanceur des Red Sox de Boston, dans les World Series 2004 s'est vendue 92 613 $ lors d'une vente aux enchères en février 2013..

transporcs Dans l'une des épreuves de la compétition d'hercules de Hengyang, en Chine, les concurrents doivent courir 30 mètres en portant deux cochons vivants, pesant 20 kg chacun.

dangers de mine Les soldats américains du Camp Bonifas, en Corée du Sud, ont construit un parcours de golf à un trou le long de la zone démilitarisée Nord-Sud, avec pour particularité d'être délimité par un champ de mines.

héros du football 20 % des bébés nés pendant les six premiers mois de 2013 à La Paz, en Bolivie, ont été prénommés Neymar en hommage à la star brésilienne du football.

maillot floral Le club allemand de football Borussia Dortmund a lancé son nouveau maillot pour la saison 2013-2014 en plantant 80 645 fleurs – principalement des soucis jaunes – pour reproduire son motif dans un parc voisin.

vestes à patates Au derby de Kiplingcotes, course de cross-country à cheval de 6,4 km vieille de 500 ans qui se déroule dans le Yorkshire, les jockeys amateurs parviennent au poids requis de 63,5 kg en fourrant des pommes de terre dans les poches de leur veste.

stade géant Don Martini, 75 ans, fan des New York Giants, a passé deux ans et dépensé 20 000 $ pour construire une réplique de l'ancien stade de l'équipe dans le garage situé derrière sa boutique de bagels de Blairstown, dans le New Jersey. Sa maquette, qui mesure 6 mètres de long et 5,2 de large, contient 65 000 sièges et reproduit même des éclairages et des ascenseurs en état de marche.

changement express En 2012, lors du grand prix de Formule 1 d'Allemagne, l'équipe McLaren a changé les 4 pneus de la voiture du pilote Jenson Button en tout juste 2,3 secondes.

prouesse unique Après avoir remporté le double masculin à Wimbledon en 2013, les frères américains Bob et Mike Bryan sont devenus la première paire à détenir en même temps les titres des 4 tournois du grand chelem et le titre olympique – le grand chelem d'or du tennis.

pas de runs Mai 2013, les équipes de baseball des Tigers de Détroit et des Pirats de Pittsburgh ont joué une paire de matchs de 9 tours de batte sans marquer en 3 jours – chose qui ne s'est produite que 5 fois au cours des 100 ans de l'histoire de la Major League.

chien perdu Le dernier hot-dog vendu au dernier match des Expos de Montréal en 2004 a été vendu 2 605 dollars sur eBay – plus de 700 fois son prix.

ballade en skate En décembre 2012, le Taïwanais Wu Meng-lung a fait un voyage de plus de 300 km en planche à roulettes en 24 heures – soit la distance aller-retour entre New York et Philadelphie. Il avait auparavant réalisé un tour de Taiwan de 1 100 km en 14 jours, à la fois en skateboard et à pied.

patron virtuel Le Baku FC, une équipe de football de première division d'Azerbaïdjan, a recruté Vugar Huseynzade, 21 ans, comme responsable de son équipe de réserve en 2012 alors même qu'il avait pour toute expérience de jouer au jeu vidéo *Football Manager* depuis dix ans.

Planche sur baies

→ Croyez-le ou pas, ce wakeboardeur intrépide se fait tirer à travers une tourbière de canneberges lors des Red Bull Winch Sessions de 2010, à Tomah, dans le Wisconsin.

Pour récolter les canneberges, les parterres sont inondés de 30 cm d'eau au-dessus des arbrisseaux, car comme les baies sont remplies d'air, elles flottent facilement à la surface et offrent un défi frais et fruité pour les wakeboardeurs.

05

CORPS

Larry, qu'est-ce qui vous a inspiré vos tatouages ?
J'en avais marre des attentes de la société. Je ne voulais pas faire ce qu'on attendait de moi, alors j'ai commencé à devenir un manimal – mi-homme, mi-animal. Mes tatouages de léopard m'ont donné des pouvoirs de léopard particuliers, comme voir dans le noir, courir très vite et chasser la nuit.

Quelles réactions avez-vous provoquées au début quand vous avez été entièrement tatoué ? Ma famille a un passé militaire et chrétien, alors ils n'ont pas très bien pris ça. J'ai été affecté qu'ils ne puissent pas faire l'association avec mon expression de soi. Ce que je voyais comme de l'art, ils y voyaient une profanation de mon corps. Il leur a fallu 10 ans pour s'y faire, mais aujourd'hui nous avons de meilleures relations. Ils peuvent voir que c'est bon pour moi.

Vous arrive-t-il de regretter vos tatouages ? Non. J'en suis fier – peu de gens me ressemblent. Quand je me regarde dans le miroir, j'aime ce que je vois. On ne m'enlèvera jamais mes tatouages. Ils pourraient me faire jeter en prison, mais j'aurais toujours cet art sur mon corps.

As-tu d'autres projets de modifications corporelles ? Je refais mes tatouages de visage plusieurs fois par an car ils s'effacent au soleil. J'aimerais aussi me faire tatouer les paupières, mais je ne veux pas le faire moi-même. C'est difficile de tatouer ses propres paupières. Et se faire tatouer les parties intimes est vraiment douloureux – je ne le conseillerais pas –, mais pour moi l'art en vaut la peine.

Larry, ici en jeune garçon, n'a pas toujours ressemblé à un léopard – il s'est fait tatouer pour la première fois à 20 ans.

Larry, dans son personnage de léopard, avec une amie à Austin.

Artiste tatoueur, Larry retouche lui-même ses taches quand elles commencent à s'effacer.

Larry Da Leopard

Un artiste tatoueur d'Austin, au Texas, a couvert son corps entier de plus de 1 000 taches pour devenir mi-homme, mi-léopard.

Né Lance Brieschke, ce gros chat enthousiaste de 40 ans a même changé son nom en Larry Da Léopard. Il a commencé à se faire des tatouages léopard à l'âge de 20 ans, s'est fait tatouer le visage cinq ans plus tard, et est aujourd'hui couvert de taches de la tête aux pieds. En accord avec son personnage, il rôde dans les rues vêtu d'un pagne à la Tarzan et d'une veste à imprimé léopard. S'il sort se promener avec un ami, il est parfois tenu en laisse.

Alors que les gens adorent son look, sa famille a pleuré la première fois qu'elle a vu ses taches et l'a désavoué pendant dix ans. Il s'est battu pour trouver un travail, mais dirige aujourd'hui son propre salon de tatouage pour lequel son corps sert de publicité.

Ce léopard n'a aucune intention de changer ses taches. Il retouche ses tatouages plusieurs fois par an au fur et à mesure qu'ils s'effacent et prétend qu'ils lui ont donné d'une certaine manière les traits de caractère d'un gros chat.

Larry arpente les rues d'Austin, au Texas, vêtu d'à peine plus qu'un pagne en peau de léopard.

Ripley's
L'encyclopédie de l'incroyable

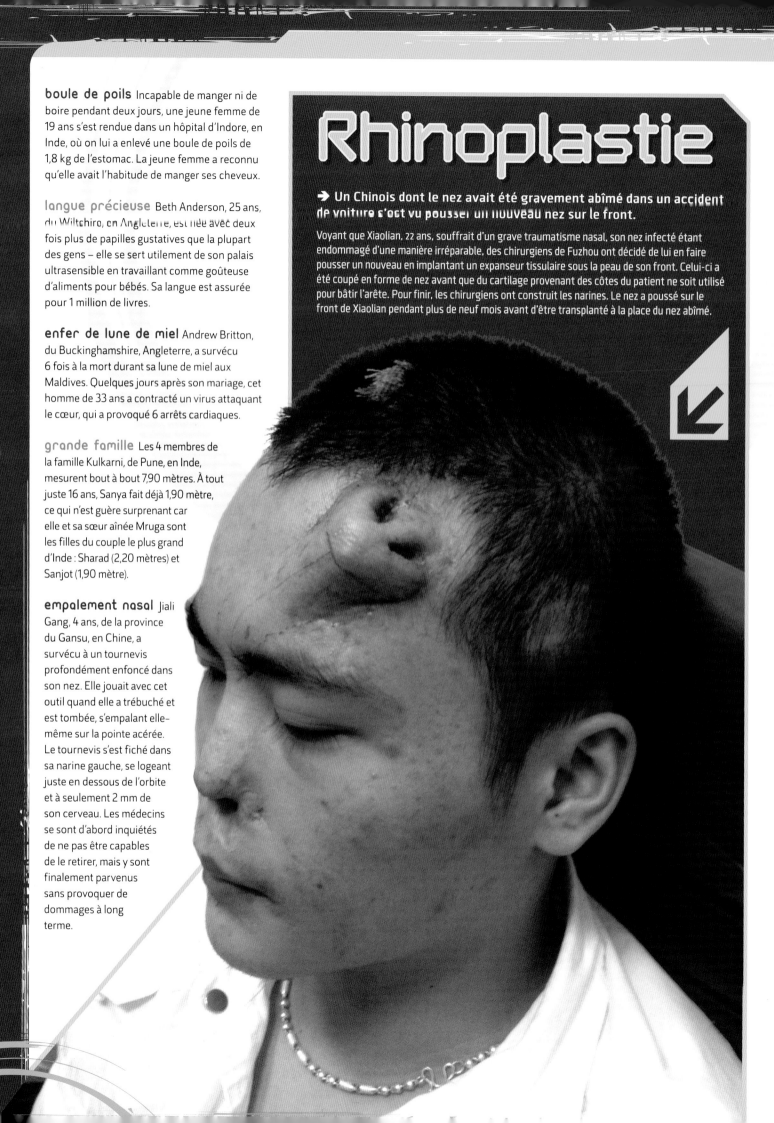

boule de poils Incapable de manger ni de boire pendant deux jours, une jeune femme de 19 ans s'est rendue dans un hôpital d'Indore, en Inde, où on lui a enlevé une boule de poils de 1,8 kg de l'estomac. La jeune femme a reconnu qu'elle avait l'habitude de manger ses cheveux.

langue précieuse Beth Anderson, 25 ans, du Wiltshire, en Angleterre, est née avec deux fois plus de papilles gustatives que la plupart des gens – elle se sert utilement de son palais ultrasensible en travaillant comme goûteuse d'aliments pour bébés. Sa langue est assurée pour 1 million de livres.

enfer de lune de miel Andrew Britton, du Buckinghamshire, Angleterre, a survécu 6 fois à la mort durant sa lune de miel aux Maldives. Quelques jours après son mariage, cet homme de 33 ans a contracté un virus attaquant le cœur, qui a provoqué 6 arrêts cardiaques.

grande famille Les 4 membres de la famille Kulkarni, de Pune, en Inde, mesurent bout à bout 7,90 mètres. À tout juste 16 ans, Sanya fait déjà 1,90 mètre, ce qui n'est guère surprenant car elle et sa sœur aînée Mruga sont les filles du couple le plus grand d'Inde : Sharad (2,20 mètres) et Sanjot (1,90 mètre).

empalement nasal Jiali Gang, 4 ans, de la province du Gansu, en Chine, a survécu à un tournevis profondément enfoncé dans son nez. Elle jouait avec cet outil quand elle a trébuché et est tombée, s'empalant elle-même sur la pointe acérée. Le tournevis s'est fiché dans sa narine gauche, se logeant juste en dessous de l'orbite et à seulement 2 mm de son cerveau. Les médecins se sont d'abord inquiétés de ne pas être capables de le retirer, mais y sont finalement parvenus sans provoquer de dommages à long terme.

Rhinoplastie

➔ Un Chinois dont le nez avait été gravement abîmé dans un accident de voiture s'est vu pousser un nouveau nez sur le front.

Voyant que Xiaolian, 22 ans, souffrait d'un grave traumatisme nasal, son nez infecté étant endommagé d'une manière irréparable, des chirurgiens de Fuzhou ont décidé de lui en faire pousser un nouveau en implantant un expanseur tissulaire sous la peau de son front. Celui-ci a été coupé en forme de nez avant que du cartilage provenant des côtes du patient ne soit utilisé pour bâtir l'arête. Pour finir, les chirurgiens ont construit les narines. Le nez a poussé sur le front de Xiaolian pendant plus de neuf mois avant d'être transplanté à la place du nez abîmé.

[VOS/TÉLÉCHARGEMENTS]

BOCAL D'ONGLES

Richard M. Gibson, de Lafayette, en Louisiane, garde ses ongles de mains et de pieds depuis 1978. Il les conserve dans un bocal de 300 ml, qui est aujourd'hui rempli à 90 %.

TAILLÉ RÉELLE !

urine bue Sam Woodhead, randonneur de 18 ans originaire de Londres, a survécu trois jours sous une chaleur accablante de 40 °C dans l'*outback* australien en buvant une solution pour lentilles de contact et sa propre urine. Perdu après avoir fait un jogging à partir d'une ferme de bétail du Queensland, il a perdu 12,7 kg pendant son épreuve et serait mort quelques heures plus tard si un hélicoptère de recherche, qui regagnait sa base par manque d'essence, n'avait pas repéré un short de couleur vive que Sam avait hissé comme signal de détresse.

harponnée dans la bouche Elisangela Borborema Rosa a frôlé la mort après avoir été touchée à la bouche par un fusil sous-marin alors que son mari nettoyait cette arme dans la cuisine de leur maison d'Arraial do Cabo, au Brésil. Le harpon a traversé sa bouche et transpercé sa colonne vertébrale. À quelques millimètres près, elle serait morte ou paralysée à vie.

bras momifié Début 2012, un donateur anonyme a offert un bras momifié au National Museum of Civil War Medicine de Frederick, dans le Maryland. On croit savoir qu'il provient de la bataille d'Antietam, en 1862, et qu'il a été trouvé et conservé par un fermier local.

dent de pipi Des scientifiques de Canton, en Chine, ont fait pousser une dent à partir d'urine humaine. L'urine a été utilisée comme source de cellules-souches, lesquelles ont été ensuite implantées dans des souris, et en moins de trois semaines se sont développées de minuscules structures en forme de dents avec de la pulpe dentaire et de l'émail.

air sans fin Pendant plus de 3 ans, Susan Root, de l'Essex, en Angleterre, a eu en boucle dans la tête la chanson *How Much is that Doggie in the Window?*. Elle souffre d'une forme rare d'acouphène qui fait que la musique et les chansons passent dans sa tête jour et nuit – la musique qu'elle entend est souvent si forte qu'elle couvre le son de la voix de son mari quand il parle.

chute de peau Emma et Stacey Picken, deux sœurs ado du comté de Durham, en Angleterre, perdent toute leur peau tous les jours. Elles souffrent d'ichtyose lamellaire, une maladie qui accélère le renouvellement des cellules de la peau et provoque la perte de la couche supérieure de la peau 6 fois plus rapidement que chez les gens normaux. Elles ont constamment besoin d'enlever leur peau morte et le lave-linge familial ne cesse de tomber en panne à cause des résidus de la crème qu'elles doivent mettre 2 fois par jour.

clone de lennon Michael Zuk, dentiste d'Edmonton, dans l'Alberta, a acheté une dent pourrie de John Lennon 30 000 $ à une vente aux enchères en 2011 et dit qu'il espère en extraire l'ADN pour cloner l'ancien Beatles !

trek endormi Joy Grigg, des Cornouailles, en Angleterre, a disparu après être passée par la fenêtre de sa cuisine lors d'une crise de somnambulisme – et, plus tard, a été retrouvée indemne dans une haie à 10 km de chez elle. Deux mois plus tôt, en janvier 2013, elle avait parcouru 8 km dans son sommeil. Son mari n'a eu de cesse de l'appeler sur son téléphone portable, jusqu'à ce que la vibration dans sa poche finisse par la réveiller.

attrape-œil Un procès pour agression à Philadelphie, en Pennsylvanie, a été interrompu après que l'œil de verre de la victime est sorti de son orbite dans la salle du tribunal alors qu'elle témoignait. John Huttick rapportait avoir perdu un œil dans une rixe, lorsque son œil de verre bleu jaillit soudain et qu'il le rattrapa devant les jurés sous le choc.

ANNEAU DE PEAU →

Le styliste islandais Sruli Recht a produit un anneau en or couvert d'une bande de sa propre peau. Des chirurgiens lui ont retiré un morceau de peau de 11 cm de long de son abdomen, lequel a ensuite été salé et tanné, puis monté sur un anneau en or 24 carats.

SUPER-FESSES

➔ Vanity Wonder, 30 ans, mannequin et ancienne danseuse du Midwest, est devenue une fanatique des injections pour augmenter la taille de ses fesses. En cinq ans, elle a dépensé 15 000 $ pour environ 1 000 injections. Lors de la première séance, elle reçut 9 injections de silicone avec de la colle forte dans chaque fesse, mais dans des séances ultérieures, elle reçut un total stupéfiant de 120 piqûres dans chacune. Néanmoins, ces piqûres qui auraient pu la tuer, lui provoquèrent une infection qui donna à ses fesses l'aspect d'un « sac d'oranges ». Pour retrouver sa forme ronde, elle a dû recevoir des injections de silicone supplémentaires, tant et si bien que ses fesses ont fini plus grosses que ce qu'elle avait souhaité, lui laissant des mensurations uniques de 34-23-45. Elle jure qu'elle ne fera plus d'autres injections.

corps bleu JJim Hall, de Baltimore, dans le Maryland, a le corps entièrement couvert d'un tatouage bleu clair. Lorsqu'il était urbaniste, il cachait son corps tatoué sous son costume de travail, mais une fois qu'il a pris sa retraite en 2007 il était libre de se faire aussi tatouer le visage et le crâne. Sur une période de 35 ans, Jim, qui s'appelle lui-même « Virgule Bleue », a dépensé plus de 135 000 $ en modifications corporelles.

diagnostic choc Un Chinois de 66 ans a consulté dans un hôpital de Hong Kong pour un gonflement dans son abdomen – et a découvert qu'il était en réalité une femme ! Sa maladie était due à une combinaison extrêmement rare de deux troubles génétiques : le syndrome de Turner – marqué par l'absence de certains caractères féminins, notamment l'aptitude à la grossesse – et l'hyperplasie congénitale des surrénales, qui fait ressembler la malade à un homme. Six cas seulement de patientes présentant ces maladies ont été rapportés.

mal de l'air éternel Depuis qu'elle est descendue d'un avion en Turquie il y a plus de 8 ans, Catharina Bell, du Northumberland, en Angleterre, souffre du mal de l'air de façon permanente. On lui a diagnostiqué un trouble neurologique appelé syndrome du mal de débarquement, qui la laisse avec la tête qui tourne et l'estomac retourné plusieurs mois d'affilée.

appli pratique Une société écossaise a créé une prothèse de main qui peut être contrôlée par une application de téléphone portable. La « révolution i-limb ultra » de Touch Bionics comprend un puissant pouce rotatif pour une dextérité améliorée et 24 options différentes de prise, chacun activé d'une simple pichenette sur l'écran. Ça permet au porteur de la prothèse de régler la main pour différentes tâches, telles qu'écrire, taper à la machine ou même lacer des chaussures.

salive de vampire Un nouveau médicament développé pour traiter les victimes d'AVC est fabriqué à partir de draculine, la salive des chauves-souris vampires.

UN HOMME ÉVENTRÉ PAR UNE BÉTONNEUSE SURVIT POUR RACONTER SON HISTOIRE

■ Shaukei Oliveira, un ouvrier du bâtiment de Chatham, dans l'Ontario, a miraculeusement survécu après avoir été happé dans une bétonneuse en marche qui l'a éventré, brisé les os et mis à nu les poumons et le cœur. Cet homme de 47 ans raclait du mortier au bord de la cuve de malaxage lorsque son pull s'est coincé, il a été aussitôt happé à l'intérieur de la puissante machine. Par chance, ses collègues l'ont retournée et ont réussi à le libérer avant qu'il soit écrasé à mort. Malgré cela, en quelques secondes il souffrait de plusieurs côtes cassées, d'une énorme entaille à la poitrine, de cartilage et de nerfs gravement abîmés et d'un poumon collabé. On l'a transporté aux urgences et placé sous respiration artificielle mais, fait remarquable, deux semaines plus tard il avait suffisamment récupéré pour rentrer chez lui.

Homme à cornes

➔ Cain Tubal, un artiste de modification corporelle colombien, exhibe ses implants de silicone en forme de cornes à la troisième Convention internationale du tatouage à Medellín, en Colombie.

La Convention présentait des artistes corporels non conventionnels du monde entier, dont les plus extrêmes étaient suspendus par des piques de métal dans le dos ou à des crochets tranchants comme des rasoirs leur perçant la peau.

→ **coiffeur « aveugle »** Tian Hao, un coiffeur de la province de Shaanxi, en Chine, coupe les cheveux de ses clients les yeux fermés. Il dit qu'il utilise la méditation zen pour sentir l'« aura » des cheveux et les couper parfaitement tout en gardant les yeux fermés. Une fois qu'il a terminé la coupe avec des ciseaux bien affûtés, il utilise un aspirateur – au lieu d'un sèche-cheveux – pour les coiffer.

quelque chose à déclarer ? Lee Charie, un touriste anglais, a survécu à une chute de près de 7 mètres d'un balcon d'hôtel en Thaïlande – et a ensuite pris l'avion pour rentrer chez lui avec un quart de son crâne dans ses bagages à main. Lee s'est écrasé le côté gauche de son crâne dans sa chute et les chirurgiens thaïlandais ont été contraints de lui en retirer une partie pour permettre à sa cavité cérébrale de guérir. Ils lui ont donné le morceau manquant dans une boîte de sorte que les médecins anglais puissent l'utiliser comme moule pour modeler une plaque de titane recouvrant le trou.

implant cérébral Né sourd, Grayson Clamp, 3 ans, originaire de Charlotte, en Caroline du Nord, a finalement entendu la voix de son père en devenant le premier enfant du monde à recevoir un implant du tronc cérébral auditif, opération qui impliquait d'implanter une puce électronique dans son cerveau.

famille raiponce Quatre membres de la famille Russel, à Morris, dans l'Illinois, ont des cheveux longs qui mesurent au total 4,3 mètres. Tere Lynn Svetlecich Russell, la mère, possède une chevelure de 1,88 mètre qu'elle laisse pousser depuis qu'elle est bébé ; sa fille aînée Callan, 11 ans, des cheveux de 0,93 mètre ; Cendalyn, 9 ans, des tresses de 0,91 mètre ; et Chesney, 6 ans, une longueur de 0,66 mètre. Tere Lynn dit que le seul inconvénient d'avoir des cheveux aussi longs c'est qu'ils se prennent parfois dans la portière d'une voiture ou sont aspirés pendant qu'elle passe l'aspirateur.

traumatisme du ver solitaire Sherry Fuller, de l'Essex, en Angleterre, a failli mourir à cause d'un ténia du porc dans son cerveau. Infestée alors qu'elle travaillait à Madagascar, elle avait des larves de la taille d'une pièce de 10 cents dans la tête et a été hantée par des rêves pendant 2 ans. Elle souffrait de maux de tête et de crises d'épilepsie, son œil droit est devenu noir et quand on lui a donné un comprimé vermifuge, bras, jambes et dos ont enflé.

soins aux escargots Le salon de beauté Ci:z.Labo, à Tokyo, offre des soins du visage avec des escargots vivants à ses clients. Les escargots sont posés sur le visage et peuvent se déplacer au hasard, leur traînée de bave aide à se débarrasser des peaux mortes, soigne les coups de soleil et, en général, hydrate la peau.

les yeux écrivent ! Tapan Dey, de Calcutta, en Inde, peut écrire soigneusement en tenant un stylo avec différentes parties de son corps, notamment ses yeux, son nez, sa bouche et ses cheveux. Il peut aussi écrire avec ses deux mains et ses deux pieds simultanément.

sale tour visuel Les personnes qui ont pu voir durant toute leur vie et sont brutalement frappées de cécité peuvent développer le syndrome d'Anton : ils ne sont pas mentalement conscients qu'ils sont devenus aveugles.

VISION DOUBLE

Pavan Agrawal et son frère aîné Amit ont chacun un œil bleu et un œil marron. L'œil droit de Pavan est bleu, le gauche marron, alors que c'est l'inverse pour Amit. Ils vivent avec les 20 membres de leur famille – dont aucun n'a les yeux vairons – à Ahmedabad, en Inde, et travaillent dans le commerce familial.

bébé bleu Areesha Shehzad, de Bradford, en Angleterre, doit passer au moins 12 heures par jour sous un rayonnement de lampes UV bleues pour soigner une maladie du foie qui touche une personne sur 4 millions. Atteinte du syndrome de Crigler-Najjar, Areesha souffre d'un déficit d'une enzyme qui décompose un produit chimique toxique que l'on trouve dans les globules rouges. Sans sa photothérapie quotidienne, elle pourrait succomber à des dégâts cérébraux mortels.

lame de couteau Billy McNeely, de Fort Good Hope, dans les Territoires du Nord-Ouest (Canada), se demandait pourquoi il souffrait de douleurs dans le dos et déclenchait des détecteurs de métaux – jusqu'à ce qu'il apprenne qu'il avait une lame de couteau de 7 cm dans le dos.

écolière barbue Une écolière chinoise de 16 ans s'est vu pousser la barbe et la moustache comme effet secondaire indésirable d'un traitement pharmaceutique qui l'a sauvée d'une forme rare d'anémie.

asticots mangeurs de chair Après des vacances au Pérou, Rochelle Harris est rentrée chez elle, à Derby, en Angleterre, et a commencé à entendre des bruits de grattement et à souffrir de maux de tête. En se réveillant un matin, elle a trouvé son oreiller couvert de liquide. Quand les médecins l'ont examinée, ils ont découvert une masse grouillante d'asticots vivants à l'intérieur de son oreille. Une larve du Nouveau Monde y avait déposé ses œufs et les asticots avaient creusé un trou de 12 mm dans son conduit auditif. S'ils avaient atteint son cerveau, elle aurait pu en mourir.

sens retrouvés Grâce à une opération de trois heures, June Blythe, 66 ans, de Norfolk, en Angleterre, peut sentir le goût et l'odeur des choses pour la première fois depuis près de quarante ans. Elle avait perdu ces sens en 1975 après avoir souffert d'une rhinosinusite chronique, une maladie inflammatoire grave des sinus. Étonnamment, elle avait gagné des prix de cuisine (qu'elle ne pouvait goûter) et était devenue aromathérapeute, utilisant des huiles essentielles de plantes odorantes (qu'elle ne pouvait sentir).

drame du désert Coincé dans le désert sans son fauteuil roulant, sans manteau, nourriture ni eau, Ricky Gilmore, un paraplégique de Newcomb, au Nouveau-Mexique, est parvenu tant bien que mal à parcourir 6,4 km en se traînant sur une route sale pendant trois jours. Ricky, qui avait perdu l'usage de ses jambes dans un accident de voiture dix-neuf ans auparavant, était près de l'épuisement quand une voiture qui passait s'est arrêtée pour le secourir.

tumeur énorme Gemma Fletcher, de Sheffield, en Angleterre, a accouché de sa fille Ava sous césarienne d'urgence, lorsque les médecins ont découvert qu'elle avait une tumeur au rein encore plus grosse que son bébé. La petite Ava pesait 2,9 kg à la naissance, alors que la tumeur faisait 3,4 kg.

→ Nerina Orton a une taille qui mesure exactement 40 cm. Étudiante à Birmingham, en Angleterre, elle affine son abdomen en se laçant dans des corsets de plus en plus petits, une méthode connue sous le nom de « laçage serré », qui finit par déplacer ses intestins, son estomac et son foie.

Nerina porte un corset presque toute la journée chaque jour, même dans son sommeil, et l'enlève seulement pour se doucher. Elle raconte que, quand elle enlève son corset, elle sent ses organes internes reprendre leur place d'origine tandis que sa taille revient à 61 cm, ce qui est déjà svelte. Nerina, qui a commencé à porter des corsets à l'adolescence et en possède 78 aujourd'hui, consulte régulièrement un médecin pour s'assurer que l'effet extrême du corset sur son corps ne cause pas de dégâts à long terme sur sa santé.

Nerina porte un corset 23 heures par jour.

TAILLE RÉELLE !

TAILLE DE GUÊPE

Une taille de 40 cm !

PLUS...

Reine du Corset

Ethel Granger (1905-1982), de Peterborough, en Angleterre, avait probablement la taille la plus fine de tous les temps : 33 cm !

Ethel a porté un corset pendant des décennies, mais elle n'a pas retenu l'attention du public avant les années 1950 et a atteint sa taille la plus fine dans les années 1960, époque à laquelle sa taille naturelle avait rétréci de 25 cm. Elle dormait avec son corset et serrait progressivement les lacets tout au long de la journée, jusqu'à ce que sa taille soit si fine qu'elle doive fabriquer ses propres vêtements.

Ethel dans le jardin de sa maison en 1957.

THE "VERY THING" FOR LADIES
FOR AN ELEGANT FIGURE & GOOD HEALTH.
HARNESS' ELECTRIC CORSETS
PRICE ONLY 5/6
POST FREE

FOR WOMEN OF ALL AGES.

HARNESS' ELECTRIC CORSETS
ONLY 5/6 POST FREE.
By wearing these perfectly designed Corsets the most awkward figure becomes graceful and elegant, the internal organs are speedily strengthened,
THE CHEST IS AIDED IN ITS HEALTHY DEVELOPMENT,
And the entire system is invigorated.
Send at once Postal Order or Cheque for 5s. 6d. to the Secretary, C Dept.
THE MEDICAL BATTERY CO. LIMITED.
52, OXFORD St LONDON. W.
ONLY 5/6 POST FREE.

THEY CURE WEAK BACK

À la fin du XIXᵉ siècle, des publicités vantaient un corset électrique comme nouveau traitement miracle. Elles prétendaient que l'électricité parcourant le corset – des aimants en fait – pouvait guérir un grand nombre de maladies, renforcer les organes internes et les « dos faibles », et même soigner l'obésité.

À l'époque victorienne, la mode des corsets serrés a conduit des médecins à avertir que les sous-vêtements pouvaient créer un risque pour la santé. Ils prodiguaient des conseils sur la manière de porter des corsets pour éviter les dégâts.

THE FAMILY DOCTOR
AND PEOPLE'S MEDICAL ADVISER.
426
SATURDAY, APRIL 29, 1893. PRICE ONE PENNY.
THE RIBS AND TIGHT-LACING
IN WELL-SHAPED CORSETS.

Polaire (1879-1939), de son vrai nom Émilie Marie Bouchard, était une comédienne de vaudeville française célèbre dans le Paris du début du XXᵉ siècle pour sa « taille de guêpe » de 33 cm – affinée par des années de port d'un corset des heures par jour. Lorsque Polaire a joué à Broadway, les affiches annonçaient « la femme la plus laide du monde », alors qu'elle était célèbre pour sa beauté en Europe.

mangeuse endormie Lesley Cusack, mère de trois enfants du Cheshire, en Angleterre, mange l'équivalent de 2 500 calories par nuit – dans son sommeil. Elle souffre d'un trouble de l'alimentation lié au sommeil et n'a aucun contrôle sur ce qu'elle mange pendant son somnambulisme. Ses festins nocturnes comprennent un saladier de fruits, de la vaseline, du sirop pour la toux, des pommes de terre crues et de la peinture en émulsion.

cadavres congelés La Fondation pour l'allongement de la vie Alcor, à Scottsdale, en Arizona, fournit une conservation sûre à plus de 120 personnes congelées, qu'elle souhaite ramener à la vie un jour.

corps étrangers Chaque année, environ 1 500 personnes aux États-Unis se retrouvent avec des objets laissés dans leur corps pendant une intervention chirurgicale : des compresses chirurgicales, des éponges, des sondes, un clamp de 18 cm, un écarteur de 33 cm, une partie de moniteur cardiaque pour fœtus et un gant de chirurgie.

sang rare James Harrison, de Nouvelle-Galles du Sud, en Australie, a donné son sang d'un type rare 1 000 fois. Son sang contient un anticorps qui a sauvé plus de deux millions de bébés australiens de la maladie hémolytique du nouveau-né, une forme grave d'anémie.

EN 2008, DES CHERCHEURS BRITANNIQUES ONT DÉCOUVERT UNE FEMME DE 60 ANS QUI NE POUVAIT RECONNAÎTRE QU'UNE VOIX – CELLE DE SEAN CONNERY, L'ACTEUR DE JAMES BOND !

chute chanceuse Victime d'une crise cardiaque à son travail à Dundee, en Écosse, Kevin Brockbank a été sauvé grâce à Martin Amriding, un ami de 94 kg qui, en tendant la main pour l'attraper, est tombé accidentellement sur lui – l'impact a redémarré son cœur.

tatouage de camion Miss Mena, une cracheuse de feu de Myrtle Beach, en Caroline du Sud, a tatoué un camion Ford F-150 sur son bras – non parce qu'elle l'aime, mais parce qu'elle a été renversée trois fois par ces camions.

pub facial Brandon Chicotsky, d'Austin, au Texas, vend des espaces publicitaires sur sa tête chauve. Il a fondé Bald Logo.com où des entreprises le paient 320 $ par jour pour se promener en ville avec leur logo ou leur nom tatoué temporairement sur sa tête.

UN HOMME DE 610 KG

→ D'un poids colossal de 610 kg – le poids de cinq éléphanteaux –, Khaled Mohsen Shaeri, d'Arabie Saoudite, est resté alité deux ans et demi. Le roi Abdullah s'est intéressé personnellement à sa situation et a ordonné son évacuation à l'hôpital. Les parties de l'appartement de Shaeri qui gênaient son déplacement ont été détruites de manière à l'hélitreuiller et à le sortir sur un chariot élévateur avant qu'il soit emmené par avion à l'hôpital.

Khaled Mohsen Shaeri est maintenu sur son lit avec des sangles tandis qu'il monte dans l'avion.

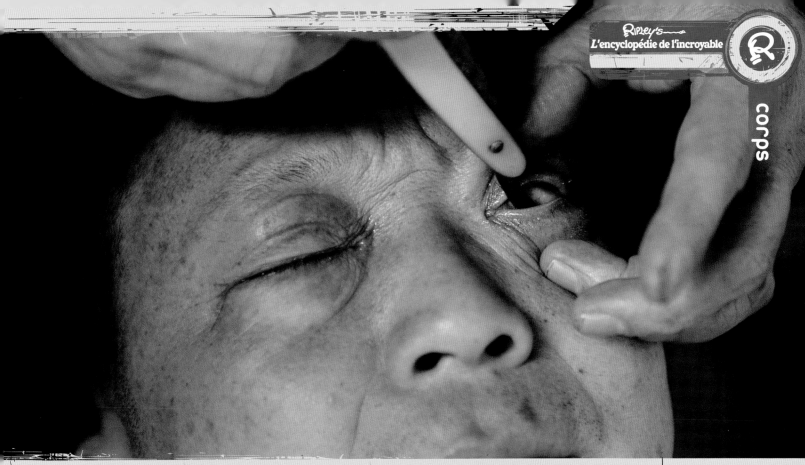

Rasage de globe oculaire

➔ **Dans la province du Sichuan, en Chine, des coiffeurs font payer 80 cents pour raser les globes oculaires de leurs clients avec une lame bien affûtée.**

Liu Deyuan est l'un des rares coiffeurs pour hommes qui pratiquent la tradition séculaire du rasage de globe oculaire, dont on dit qu'il renforce la vision de la vie. Il plonge la lame dans l'eau et rase doucement l'intérieur des deux paupières. Ensuite, il enfonce un bâtonnet métallique à l'extrémité en forme de boule entre les paupières et le fait glisser comme un balai d'essuie-glace. L'opération prend environ cinq minutes, durant lesquelles le client n'ose pas bouger un muscle. Liu dit qu'il n'a jamais eu d'accident, et attribue son succès à sa main ferme.

larmoiement Lorsque des archéologues ont trouvé la momie de l'ancien pharaon égyptien Ramsès IV dans la Vallée des Rois à la fin du XIXᵉ siècle, ils ont découvert que ses yeux avaient été remplacés par des oignons.

cicatrices effrayantes Pour les hommes qui vivent sur le fleuve Sepik, en Papouasie-Nouvelle-Guinée il est habituel de se faire scarifier le dos de profondes cicatrices qui leur donnent l'aspect d'une peau de crocodile.

mal aiguillée Distrait par un appel téléphonique, un acupuncteur de Wiener Neustadt, en Autriche, a fermé son cabinet et est rentré chez lui en oubliant une patiente couverte d'aiguilles. Vivi Ziegler s'est sentie d'abord si détendue qu'elle s'est assoupie, mais quand elle s'est réveillée seule dans le noir et frigorifiée, elle a dû appeler la police pour qu'elle la sorte par une fenêtre.

grands yeux Les globes oculaires des personnes originaires du Cercle arctique sont 20 % plus gros que ceux des gens de l'Équateur. Cela leur permet de mieux voir dans un coin du monde où la luminosité est faible une grande partie de l'année.

bras sectionné Lorsqu'un ouvrier hongrois a eu le bras sectionné dans un accident à Purbach, en Autriche, il a parcouru 16 km en voiture jusqu'à l'hôpital – emportant le bras avec lui. Malgré le sang qui coulait de sa blessure, il s'est même arrêté à un feu rouge sur le chemin. Puis il s'est garé, a marché dans l'hôpital, a posé son bras sur le guichet de la réception et a demandé de l'aide.

maire tatoué Ray Johnson, de Campo, dans le Colorado, est considéré comme le maire le plus tatoué des États-Unis. Il porte des tatouages sur les cuisses, le torse et les bras.

fiente d'oiseau Un soin de beauté japonais, le soin du visage des geishas, utilise une crème composée de son de riz mélangé à des excréments de rossignol d'Asie.

goutte à goutte Des médecins de Taranaki, en Nouvelle-Zélande, ont sauvé la vue d'un patient – Denis Duthie – qui souffrait d'un empoisonnement au méthanol, en lui perfusant du whisky Johnnie Walker, car ils étaient à court d'alcool médical, employé habituellement pour ce traitement.

marquer des paniers Lors d'un coma provoqué par une méningite, Maggie Meier, d'Overland Park, dans le Kansas, était incapable de marcher, parler ou manger, mais, en tant que lycéenne pratiquant le basket, elle pouvait marquer des paniers de son fauteuil roulant ! Son neurologue a expliqué ça par le fait que le basket était enraciné en elle comme l'un de ses instincts primaires et que son corps se rappelait comment jouer avant de pouvoir se lever ou marcher.

TATOUAGE CRÂNIEN ➔ Complètement
chauve à cause d'une alopécie, Ann McDonald, une grand-mère de 60 ans d'Édimbourg, en Écosse, en a eu assez de porter une perruque et a décidé de se faire tatouer entièrement le crâne. Son tatouage à 1 000 € a demandé 12 heures de travail et se compose de hachures en spirale sur fond noir et de boucles pour représenter les cheveux.

Scorpion noir

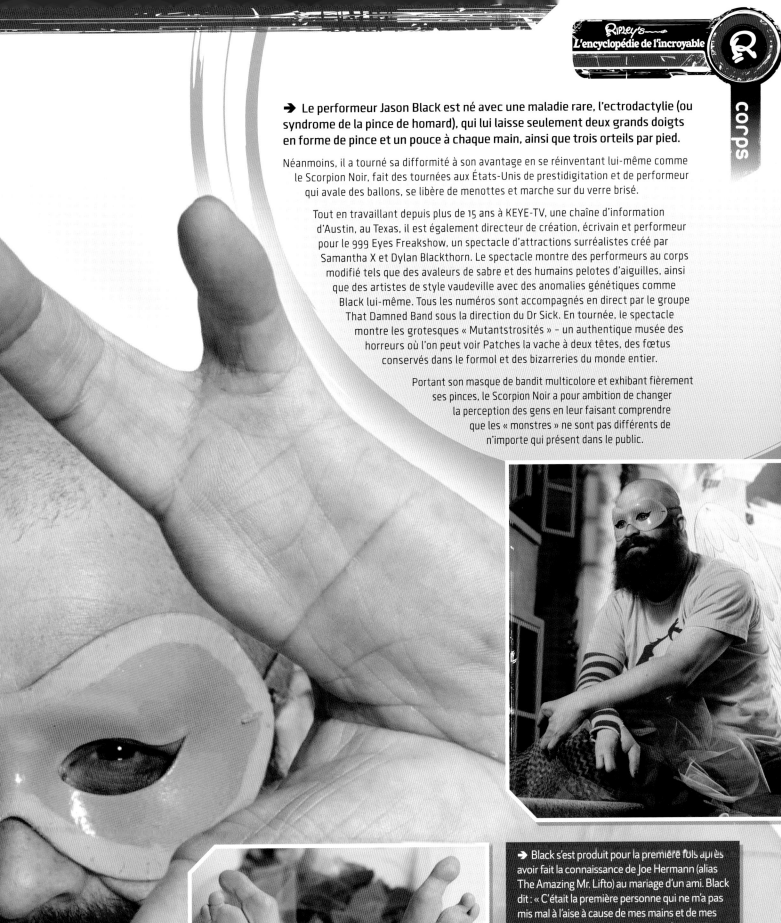

➜ Le performeur Jason Black est né avec une maladie rare, l'ectrodactylie (ou syndrome de la pince de homard), qui lui laisse seulement deux grands doigts en forme de pince et un pouce à chaque main, ainsi que trois orteils par pied.

Néanmoins, il a tourné sa difformité à son avantage en se réinventant lui-même comme le Scorpion Noir, fait des tournées aux États-Unis de prestidigitation et de performeur qui avale des ballons, se libère de menottes et marche sur du verre brisé.

Tout en travaillant depuis plus de 15 ans à KEYE-TV, une chaîne d'information d'Austin, au Texas, il est également directeur de création, écrivain et performeur pour le 999 Eyes Freakshow, un spectacle d'attractions surréalistes créé par Samantha X et Dylan Blackthorn. Le spectacle montre des performeurs au corps modifié tels que des avaleurs de sabre et des humains pelotes d'aiguilles, ainsi que des artistes de style vaudeville avec des anomalies génétiques comme Black lui-même. Tous les numéros sont accompagnés en direct par le groupe That Damned Band sous la direction du Dr Sick. En tournée, le spectacle montre les grotesques « Mutantstrosités » – un authentique musée des horreurs où l'on peut voir Patches la vache à deux têtes, des fœtus conservés dans le formol et des bizarreries du monde entier.

Portant son masque de bandit multicolore et exhibant fièrement ses pinces, le Scorpion Noir a pour ambition de changer la perception des gens en leur faisant comprendre que les « monstres » ne sont pas différents de n'importe qui présent dans le public.

➜ Black s'est produit pour la première fois après avoir fait la connaissance de Joe Hermann (alias The Amazing Mr. Lifto) au mariage d'un ami. Black dit : « C'était la première personne qui ne m'a pas mis mal à l'aise à cause de mes mains et de mes pieds. Avant de rencontrer Joe, je ne les considérais vraiment pas comme des cadeaux, plus comme quelque chose qui m'empêchait d'avoir une vie normale. » Depuis qu'il a commencé à tourner avec 999 Eyes, il a découvert que ses camarades de spectacle trouvent ses mains et ses pieds tout simplement géniaux. « Lifto était juste la première personne avant beaucoup d'autres à me signaler la chance que j'ai. »

Ces malheureux individus ont réussi à s'empaler sur différents objets dans toutes sortes d'accidents... Par chance, aucun d'eux n'a subi de lésions durables.

Un **stylo** s'est enfoncé de 7,5 cm dans la poitrine de Veronica Valentine, 8 ans, lorsqu'elle est tombée dans l'escalier de chez elle à Coral Springs, en Floride, en 2001.

Daniel Carr, 13 ans, est tombé d'un arbre et s'est empalé de 60 cm sur un **mât** dans le Suffolk, en Angleterre, en 2005.

Le sauteur en longueur français Salim Sdiri a été empalé sur le flanc par le **javelot** d'un concurrent finlandais lancé de l'autre côté du stade lors d'un meeting d'athlétisme à Rome en 2007.

Vignesh Nageshwaran, 11 ans, originaire de Dehli, en Inde, s'est empalé le palais avec une **brosse à dents** lorsqu'il est tombé de sa bicyclette alors qu'il se brossait les dents en 2009.

Tyler Colvin, des Cubs de Chicago, a été empalé par une **batte de baseball cassée** dans la poitrine tandis qu'il courait dans un match de 2010 contre les Florida Marlins.

L'orbite de l'œil droit de Leroy Luetscher, 86 ans, originaire de Green Valley, en Arizona, a été empalée par un **sécateur** en 2011.

Lewis Todd, 8 ans, de Manchester, en Angleterre, a glissé pendant qu'il escaladait un portail en 2013 et s'est empalé sur une **pointe métallique**.

VILAIN VISAGE → Henry Damon, de Caracas au Venezuela, a subi plusieurs opérations chirurgicales dans le but de ressembler au méchant Red Skull (Crâne Rouge), l'ennemi de Captain America. On lui a, entre autres, coupé une partie du nez, installé des implants sous la peau au niveau du front, et tatoué une grande partie du visage.

accent étranger Après avoir souffert d'une grave blessure à la tête durant plus de huit ans, Leanne Rowe, une Australienne qui est née et a grandi en Tasmanie, parle aujourd'hui avec l'accent français – bien qu'elle ne soit jamais allée en France et n'ait aucun ami français. Elle serait le deuxième cas en Australie du syndrome de l'accent étranger, une maladie liée à des lésions de la partie du cerveau qui contrôle la parole.

yeux animés Les muscles de mise au point des yeux bougent environ 100 000 fois par jour. Pour faire autant d'exercice à vos muscles de jambes, vous devriez marcher environ 80 km.

compatibilité parfaite Lorsque Jonathan Woodlief, de Dallas, au Texas, a eu besoin d'une transplantation rénale, il a découvert que la femme avec qui il était marié depuis moins d'un mois, Caitlin, était compatible, malgré des probabilités incroyablement faibles.

bébé à un million de dollars Rachel Evans, de Sydney, était sur le point de rentrer de vacances en Colombie-Britannique, lorsqu'elle accoucha prématurément à l'aéroport. Elle a donné naissance à une petite fille dans un hôpital de Vancouver – et a reçu une facture médicale d'un million de dollars canadiens.

régime de grenouilles William LaFever, 28 ans, a survécu pendant 3 semaines dans le désert d'Escalante, en Utah, en mangeant des grenouilles vivantes et des racines. Il voulait marcher 240 km entre Boulder et Page, en Arizona, mais avait parcouru moins d'un tiers de cette distance lorsqu'il a commencé à souffrir de la faim et de déshydratation sous la chaleur. Un hélicoptère de secours l'a trouvé juste à temps, car il n'aurait probablement pas survécu un jour de plus.

puzzle stylo Un Afghan de 24 ans a passé à son insu quinze ans avec un stylo dans la tête à la suite d'un accident d'enfance. Souffrant depuis des années de maux de tête constants, de rhumes et d'une mauvaise vision à un œil, il a demandé de l'aide à des médecins d'Aachen, en Allemagne, et un scanner a révélé un stylo de 10 cm de long logé de ses sinus à son pharynx, endommageant l'orbite de son œil droit.

marcheur sur les mains Yan Yuhong, 10 ans, de Yibin, dans la province du Hubei, en Chine, a marché sur les mains pour aller à l'école chaque jour pendant plus de 4 ans. Paralysé par une maladie d'enfance, il a appris à marcher sur les mains lorsqu'il avait 4 ans et trouve aujourd'hui qu'il marche mieux de cette façon qu'avec des béquilles. Il doit encore se lever plus tôt que ses camarades, car son trajet jusqu'à l'école lui prend 90 minutes.

peur de gorge Une femme de 55 ans de Kattappana, en Inde, qui souffrait de démangeaisons à la gorge, s'est fait retirer un mille-pattes venimeux et vivant de sa gorge où il était resté coincé durant une semaine.

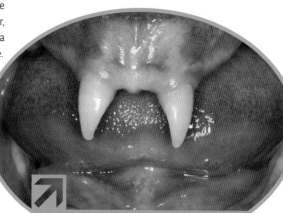

CROCS DE VAMPIRE

→ Wang Pengfei, 16 ans, de Chongqing, en Chine, s'est vu pousser deux canines pointues qui lui donnent la mâchoire d'un vampire. Il est né avec très peu de cheveux et n'a que ces deux dents pointues sur la gencive supérieure et aucune à l'inférieure. Sa mère désire absolument qu'il se fasse opérer, mais les médecins disent qu'il doit attendre d'être adulte.

eux olympiques d'ongles

➔ En 2013, plus de 200 concurrents ont convergé vers Rome, en Italie, pour prendre part aux jeux Olympiques des ongles – une compétition artistique qui se déroule sur deux jours et présente des motifs outranciers comprenant des plumes et des figurines sur des ongles parfaitement manucurés.

À la recherche d'un trésor de Cristina Bea affichait fièrement des crânes, des pirates, des sirènes et même un navire. D'autres créations représentaient des danseurs des années 1920 et des geishas japonaises, tandis que, dans la catégorie « ongles aiguilles », des ongles d'acrylique étaient limés en formes pointues impossibles dignes de Freddy Krueger.

bébé à ressort Maria Kohler, 2 ans, a miraculeusement échappé à la mort après une chute de 9 mètres d'un balcon du cinquième étage à Munich, en Allemagne. Elle a rebondi sur un auvent en toile et a atterri sur l'herbe sans un bleu ni une égratignure.

d'entre les morts Diagnostiqué mort par des médecins d'un hôpital de Syracuse, dans l'État de New York, Colleen Burns, 39 ans, gisait sur la table d'opération pour qu'on lui prélève ses organes quand elle s'est brusquement réveillée.

bonne chute Zoe Sievwright, de Dundee, en Écosse, a survécu à une chute de plus de 1 000 mètres lorsque son parachute a refusé de s'ouvrir, et n'a souffert que d'une cheville cassée.

flèche capricieuse Tandis qu'il marchait dans un parc à Moscou, Konstantine Myakush a eu le cou transpercé par une flèche tirée par un sportif maladroit – mais a survécu. La flèche de 50 cm de long est entrée par le côté droit de son cou sous sa mâchoire et est ressortie par sa gorge. Des chirurgiens l'ont retirée avec succès car elle n'avait pas touché d'artère.

fuite de cerveau Joe Nagy, de Phoenix, en Arizona, a cru pendant 18 mois qu'il avait un écoulement nasal chronique. Il a fini par apprendre que ce liquide était en fait son cerveau qui fuyait ! Le cerveau, logé directement au-dessus du nez, produit 350 ml de liquide par jour et les médecins ont découvert que la membrane qui enveloppait son cerveau avait un trou, d'où le liquide s'écoulait. Ils ont réparé ce trou par une intervention chirurgicale.

épaules qui se touchent Krystal Dickson, de Boston, dans le Massachusetts, est capable de tordre son corps de telle sorte qu'elle peut faire se toucher ses épaules.

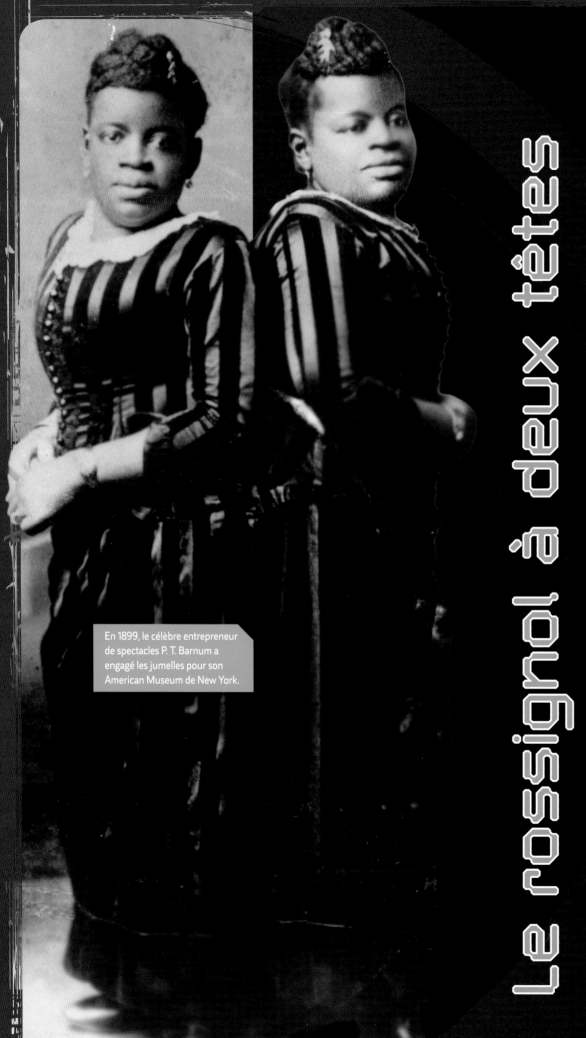

En 1899, le célèbre entrepreneur de spectacles P. T. Barnum a engagé les jumelles pour son American Museum de New York.

Le rossignol à deux têtes

Millie et Christine McKoy étaient nées attachées aux hanches – les 8e et 9e de 14 frères et sœurs – dans une ferme d'esclaves de Caroline du Nord en 1851.

Encore bébés, elles furent vendues à un spectacle itinérant et échangées entre plusieurs forains, avant que Joseph Smith devienne leur manager. Dans une autre tractation qui tourna mal, les sœurs furent volées et emmenées en Angleterre, où on les enleva au moins une fois encore, jusqu'à ce que Joseph Smith et Monemia, leur mère, retrouvent leur trace quatre ans plus tard.

Quand Millie et Christine retournèrent finalement aux États-Unis, Smith et sa femme les aidèrent à apprendre à chanter, à danser et à jouer du piano et de la guitare, les faisant connaître sous le nom de «Rossignol à deux têtes» – l'une ayant une voix de contralto, l'autre de soprano. Le duo parlait également cinq langues et écrivait de la poésie, des talents qui firent d'elles des stars internationales.

Au sommet de leur popularité, «Millie Christine» – elles se désignaient souvent elles-mêmes comme une seule personne – se produisait chaque jour devant des milliers de spectateurs, et 150000 personnes virent leur duo lors de leur séjour à Philadelphie. Elles gagnèrent bientôt assez d'argent pour acquérir une ferme en Caroline du Nord pour leur père Joseph – alors affranchi – et pour soutenir des écoles pour les enfants noirs. Elles se produisirent dans le célèbre American Museum de P.T. Barnum à New York, ainsi que devant la reine Victoria à plusieurs reprises, et reçurent même une invitation du pape.

Elles quittèrent le monde du spectacle au début des années 1900, et vécurent jusqu'en 1912, où elles contractèrent la tuberculose et moururent à moins de 24 heures d'intervalle. Elles sont enterrées dans le cimetière de Welches Creek, en Caroline du Nord, où leurs descendants organisèrent une cérémonie en 2012 pour le centenaire de leur disparition.

ARKABLE HUMAN PHENOMENA!
HE AFRICAN TWINS.
(The Engraving by Permission of the Proprietors of the "Picture Times.")

Les jumelles furent exposées à Londres quand elles n'avaient que 5 ans.

(CHRISTINA AND MILLY.)
These extraordinary Children, only Five Years old, and whom Nature has linked by an Indissoluble Band, about 16 inches in circumference, having excited the most intense interest, and created the greatest sensation wherever they have been witnessed, **ARE NOW ON VIEW**, for a brief period only, at the
EGYPTIAN HALL, PICCADILLY,
From **TWO** till **FIVE**, and from **SEVEN** till **NINE** o'Clock.

LE + DE RIPLEY'S

La formation de jumeaux siamois se produit lorsqu'un embryon qui normalement devrait se diviser en deux pour donner des vrais jumeaux ne se sépare pas correctement – un phénomène observé dans seulement 0,001 % des naissances. Millie et Christine étaient attachées au niveau du bassin, faisant d'elles des jumelles « pygopagus », une forme rare de la maladie, avec deux corps distincts (la plupart des siamois partagent des organes, ou sont attachés au niveau de la tête). Grâce aux techniques médicales modernes, il est probable que Millie et Christine auraient pu être séparées, et les médecins qui les examinèrent considérèrent la possibilité de le faire, mais le savoir médical de l'époque était limité et les jumelles étaient de toute façon très heureuses de vivre ensemble.

Millie et Christine se produisant dans une foire à Leeds, Angleterre, sur une photographie datant probablement de 1874.

Les jumelles étaient si populaires qu'on leur a écrit leurs propres chansons pour leurs performances en Angleterre.

NIGHTINGALE MUSIC

WRITTEN COMPOSED AND ARRANGED
FOR
CHRISTINE MILLIE
THE TWO-HEADED NIGHTINGALE.
BY
WILLIAM WILSON.

N°1. THE DEAR, DEAR FRIENDS AT HOME 3/-
N°2. (QUED) SISTERS WE, GAY & FREE 4/-
N°3. PUT ME IN MY LITTLE BED 3/-
N°4. NIGHTINGALE SCHOTTISCHE 3/-
N°5. NIGHTINGALE MAZURKA 3/-
N°6. (SONG) WHIP POOR WILL 3/-
N°7. THE SONG OF THE NIGHTINGALE 3/-

"Carolina Twins,"
MILLIE AND CHRISTINA.

Une photographie des « jumelles de Caroline » adolescentes, en 1866. De telles « cartes de visite » de personnalités célèbres étaient populaires avant que la photographie instantanée existe.

balle de vessie Pendant 20 ans, Amlesh Kumar, de Dehli, a souffert de douleurs à l'estomac, jusqu'à ce que des médecins lui retirent de l'abdomen un calcul urinaire de 0,5 kg, de la taille d'une balle de baseball.

maman hypnotique Danielle Davies, du Yorkshire du Sud, Angleterre, a perdu 38 kg et 10 tailles de robe, après que sa mère lui a fait croire sous hypnose qu'on lui avait mis un anneau gastrique.

le plus vieux papa Ramajit Raghav, paysan de Sonipat, dans le nord de l'Inde, prétend avoir engendré un fils à l'âge de 96 ans, ce qui fait de lui le plus vieux père du monde. Il dit être resté célibataire jusqu'à ce qu'il ait rencontré sa femme Shakuntala, qui a 44 ans de moins que lui, en 2000. Son premier fils est né en 2010, lorsqu'il avait 94 ans, et il en a eu un 2ᵉ deux ans plus tard.

longues boucles Nguyen Van Chien, 86 ans, de Tien Giang, au Vietnam, ne s'est pas coupé les cheveux depuis l'enfance – cela fait plus de 70 ans. Ses cheveux mesurent aujourd'hui plus de 4 mètres et pèsent environ 2 kg.

sourire permanent Victime d'un AVC en 2004, Malcolm Myatt, du Staffordshire, en Angleterre, sourit et rit constamment parce qu'il n'est plus capable de ressentir la tristesse. L'AVC a touché la partie du cerveau qui régule les réactions émotionnelles, le laissant susceptible de se mettre à glousser à tout moment.

deux orteils Nombre de membres de la tribu des Vadomas, au Zimbabwe, n'ont que deux orteils à chaque pied. Ils souffrent d'une maladie génétique appelée ectrodactylie, qui les prive des trois orteils du milieu. La mutation a un avantage : leurs pieds leur permettent de grimper aux arbres facilement.

LES + GRANDES PARTIES DU CORPS

Taille	Walter Hudson (États-Unis)	3.02 m
Ongles	Melvin Boothe (États-Unis)	98 cm
Biceps	Moustafa Ismail (Égypte)	78 cm
Pied	Robert Wadlow (États-Unis)	47 cm
Main	Leonid Stadnyk (Ukraine)	31 cm
Bouche	Francisco Domingo Joaquim (Angola)	17 cm
Gros orteil	Matthew McGrory (États-Unis)	12.7 cm
Langue	Stephen Taylor (Grande-Bretagne)	9.8 cm
Nez	Mehmet Ozyurek (Turquie)	3.46 in / 8.8 cm
Cil	Stuart Muller (États-Unis)	6.99 cm

→ Les hanches de Mikel Ruffinelli ont une circonférence stupéfiante de 2,5 mètres, ce qui lui confère les plus grandes hanches du monde, la rendant si large qu'elle doit réserver deux sièges pour voyager en avion et franchir les portes de profil.

Incapable de se glisser dans une voiture, Mikel peut seulement conduire un camion. Chez elle, à Los Angeles, elle utilise une chaise renforcée et ne peut fermer la porte de la douche. Malgré l'énormité de ses hanches, son tour de taille n'est que de 100 cm.

Pourtant, ce mannequin grande taille de 40 ans était une adolescente athlétique sans problème de poids et ne pesait que 82 kg à 20 ans. Puis, à 22 ans, elle a pris 25 kg après avoir accouché de son premier enfant. Trois autres enfants plus tard, son poids et ses hanches avaient encore augmenté et sa balance indique aujourd'hui 190 kg.

Mikel consomme une moyenne de 3000 calories par jour et ne souhaite pas faire de régime. « Je n'ai pas de soucis de santé, dit-elle. De toute façon les hommes aiment les formes généreuses. Certains supposent que je me suis fait opérer pour mettre en valeur ma silhouette, mais tout est naturel. C'est le résultat d'avoir eu quatre enfants – mais les hanches larges sont courantes dans la famille.

Où que j'aille, mes hanches attirent l'attention – à la fois en bien et en mal. Par le passé, ça me mettait mal à l'aise, mais en vieillissant j'ai appris à aimer mon corps et aujourd'hui je n'ai pas peur de l'exhiber. Je ne veux pas grossir davantage, mais je ne veux pas non plus perdre mes formes. Je me trouve géniale ! »

LÈVRES BIZARRES ↙

→ On dirait un œil, mais c'est une vraie bouche ! En fixant des faux cils sur sa lèvre supérieure et au moyen de mini-pinceaux pour peindre une pupille aussi vraie que nature, Sandra Holmbom, de Pitea, en Suède, a créé un troisième œil sur sa bouche. Elle a aussi orné ses lèvres d'images de roses, de pommes et même d'une aurore boréale.

Happy

Les hanches de Mikel Ruffinelli ont une circonférence stupéfiante de 2,5 mètres, ce qui lui donne les plus grandes hanches du monde.

2,5 mètres !

Reine des ongles

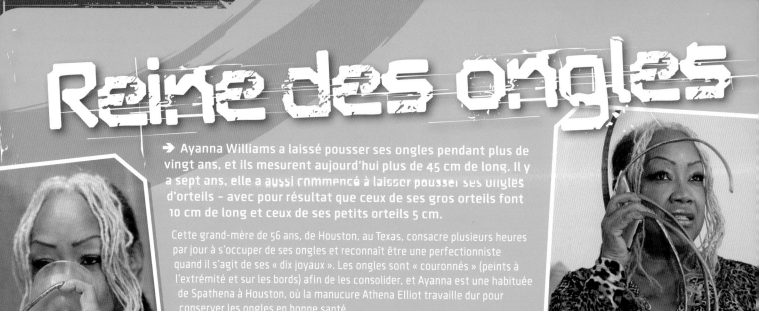

➜ Ayanna Williams a laissé pousser ses ongles pendant plus de vingt ans, et ils mesurent aujourd'hui plus de 45 cm de long. Il y a sept ans, elle a aussi commencé à laisser pousser ses ongles d'orteils – avec pour résultat que ceux de ses gros orteils font 10 cm de long et ceux de ses petits orteils 5 cm.

Cette grand-mère de 56 ans, de Houston, au Texas, consacre plusieurs heures par jour à s'occuper de ses ongles et reconnaît être une perfectionniste quand il s'agit de ses « dix joyaux ». Les ongles sont « couronnés » (peints à l'extrémité et sur les bords) afin de les consolider, et Ayanna est une habituée de Spathena à Houston, où la manucure Athena Elliot travaille dur pour conserver les ongles en bonne santé.

Lorsqu'elle fait la cuisine, Ayanna a besoin de beaucoup d'espace à cause de ses ongles encombrants, et elle ne fait pas la vaisselle à la main, car ses ongles ne sont pas adaptés à l'évier. La vie peut ne pas être simple, mais elle prend simplement le temps de faire les choses à son rythme et y parvient toujours – elle a beaucoup de famille pour l'aider.

Chaque matin au réveil, elle se demande si elle ne devrait pas les couper – mais c'est plus facile à dire qu'à faire. Elle a dit un jour : « Je les adore. Ils sont 50 % de ce que je suis. Les couper, ce serait comme de perdre un bras ou une jambe.»

Au téléphone

Buvant un verre d'eau

Vernissant ses ongles

Se maquillant

ONGLES PERDUS

Ayanna a finalement décidé de couper les ongles de ses gros orteils. Ce ne fut pas facile à décider, mais la vie n'était pas simple avec eux. Elle était obligée de marcher lentement sur ses talons, comme un pingouin, et lorsqu'elle montait un escalier, elle devait marcher sur le côté. Elle portait des sandales la plupart du temps car elle ne pouvait pas mettre des chaussettes ou des bottes en hiver, et ne pouvait enfiler des tennis que si elle découpait des trous à l'extrémité afin que ses ongles passent à travers. Malgré ces défis, Ayanna adorait ses longs ongles d'orteils et les laisse à nouveau pousser.

Signant une lettre

Se brossant les dents

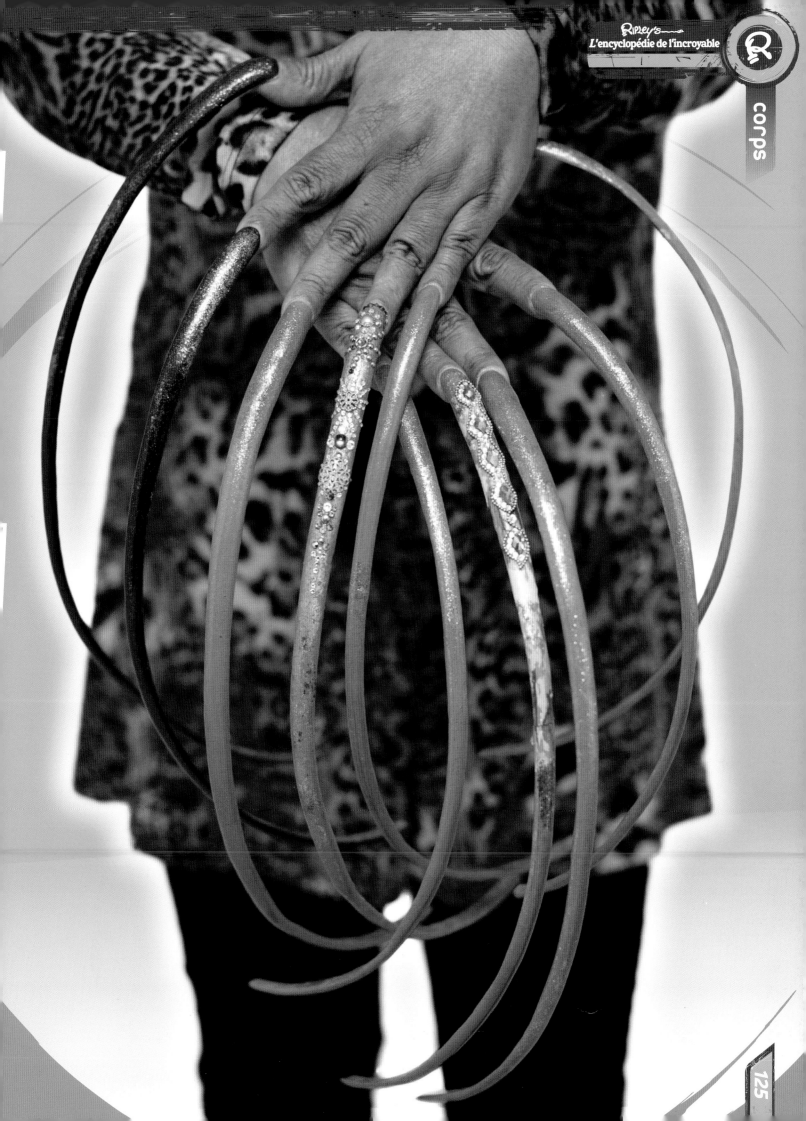

toujours en retard Jim Dunbar, d'Angus, en Écosse, souffre d'une maladie appelée syndrome du retard chronique. Son sens du temps étant perverti, il arrive toujours en retard au travail, aux rendez-vous, en vacances et aux enterrements. Il a même été en retard de 20 minutes au rendez-vous médical où sa maladie lui a été diagnostiquée.

sans rire ! Une personne qui souffre de syncope provoquée par le rire peut effectivement perdre conscience rien qu'en riant.

pieds de singe Une étude scientifique des visiteurs du musée de la Science de Boston a révélé qu'environ 1 personne sur 13 a des pieds flexibles, comme les singes. On a demandé aux visiteurs de marcher pieds nus, mais alors que la plupart avaient des pieds très rigides, un nombre significatif en avaient de plus souples, semblables à l'articulation médio-tarsienne qui permet aux chimpanzés de s'accrocher aux branches d'arbre.

hystérie de masse À l'automne 2011, une épidémie d'hystérie de masse a provoqué chez une douzaine de lycéens de LeRoy, dans l'État de New York, des symptômes de tremblements douloureux et d'éclats de voix.

doigt pointé Lorsqu'un doigt coupé a atterri sur le paillasson de sa maison à Padoue, en Italie, l'homme de 64 ans, terrifié, a cru qu'il s'agissait d'un avertissement sinistre de la mafia. Mais l'enquête a révélé que ce doigt appartenait à un livreur innocent qui, sautant pour atteindre la boîte aux lettres placée très haut, s'y était coincé la main et avait perdu un doigt.

demi-cerveau Un bocal contenant la moitié d'un cerveau et un autre contenant deux globes oculaires disséqués figuraient parmi une collection de morceaux de corps humains soigneusement conservés, qui ont été trouvés dans le garage d'une maison vide de Caledonia, dans le Wisconsin, en 2012. La police a découvert qu'ils avaient fait partie de la collection d'un chirurgien et dataient de 1901.

UN MÉDECIN REND UN BRAS 47 ANS APRÈS L'AMPUTATION

■ Le Dr Sam Axelrad (à gauche), un urologue de Houston, au Texas, est arrivé au Vietnam en 2013 avec quelque chose d'inhabituel dans ses bagages – les os d'un bras infecté qu'il avait amputé en 1966. Il avait conservé ces restes dans un placard de chez lui aux États-Unis pendant plus de quarante ans en souvenir du soldat nord-vietnamien dont il avait sauvé la vie pendant la guerre du Vietnam. En 2011, il a considéré de nouveau ses ossements et s'est demandé ce qui était arrivé à son propriétaire d'origine. Finalement, il a retrouvé l'ancien soldat, Nguyen Quang Hung, et s'est envolé pour Hanoï afin de les lui remettre.

filles fortes Deux sœurs adolescentes, Haylee et Hannah Smith, de Lebanon, dans l'Oregon, ont soulevé le tracteur de 1 362 kg de leur père, Jeff, qui s'était retourné pendant qu'il conduisait et l'avait coincé en dessous.

boom de garçons JJay et Teri Schwandt, de Grand Rapids, dans le Michigan, ont 12 enfants – et tous sont des garçons. Qui plus est, la sœur de Teri, Kate Osberger, qui vit à Détroit, a 10 enfants – et tous sont des garçons aussi !

escargot dans le genou Après une chute sur une plage, un œuf d'escargot de mer s'était logé dans le genou de Paul Franklin, 4 ans, d'Aliso Viejo, en Californie. Au départ, on a cru que le petit garçon avait seulement un bleu au genou, mais au bout de trois semaines la blessure était devenue noire et avait pris la taille d'une orange. Lorsque sa mère a pressé la plaie pour la vider, une chose noire a émergé. Elle a cru que c'était une petite pierre, mais lorsque celle-ci s'est mise à bouger, elle a compris qu'il s'agissait d'un escargot de mer. Le garçon avait dû tomber sur un nid.

entreposage sûr Souffrant d'un coup sur la tête suite à une chute lors d'une virée de pêche au Hells Canyon, dans l'Idaho, Jamie Hilton s'est vu rattacher une partie de son crâne – qui entre-temps avait été entreposée dans son abdomen pendant plus d'un an. La chute avait provoqué un grave gonflement et pour lui sauver la vie les médecins avaient détaché un quart de son crâne et l'avait entreposé sous la peau de son abdomen jusqu'à ce que son cerveau soit guéri. Dans son corps, le morceau de crâne demeurait stérile et nourri jusqu'à ce qu'il soit remis à sa place 42 jours plus tard.

LE + DE RIPLEY'S

Une luxation des globes oculaires est le déplacement en avant de l'œil de telle sorte que les paupières se referment derrière. Cela arrive le plus couramment aux chiens, mais quelques humains peuvent le faire, soit parce qu'ils sont nés avec cette maladie, soit en la contractant suite à un traumatisme à la tête. Certaines personnes souffrent également d'une luxation des globes oculaires spontanée, lorsque leurs yeux jaillissent involontairement. Un Indien inquiet de 46 ans a raconté que ses yeux avaient jailli plusieurs fois en trois mois.

VOS TÉLÉCHARGEMENTS

Denise Salazar, 17 ans, de Tracy, en Californie, grande fan de Ripley's, nous a envoyé ces étonnantes photographies d'elle avec les yeux exorbités. Ce talent rare et extrême, qu'elle possède depuis l'âge de 8 ans, s'appelle luxation des globes oculaires et signifie qu'en retournant ses paupières elle peut faire sortir ses yeux d'une manière très saillante. C'est assez irréel, mais par chance elle peut les remettre en place comme elle le veut.

Queue humaine

→ Vang Seo Chung, de la province de Hà Giang, au Vietnam, a vécu plus de 40 ans avec une queue de 50 cm de long. L'appendice pileux pousse de sa taille à une vitesse de 10 cm par an. Il y a quelques années, elle mesurait 3 mètres et il pouvait l'enrouler autour de son ventre, mais sa femme lui a demandé de la couper. Il attache la queue dans un petit sac lorsqu'il part en voyage. Van Seo Chung est né normal, mis à part cet étrange morceau de fourrure dans son dos. Quand elle a poussé, sa queue a eu la réputation de porter chance à sa famille. Dès qu'il l'a fait couper, il est tombé malade.

choc de pointe Des médecins de Bialystok, en Pologne, ont retiré un tournevis enfoncé de 5 cm dans la tête d'un homme de 25 ans. La victime avait glissé et était tombée tête la première sur le tournevis, perdant immédiatement conscience. Quand il finit par revenir à lui, il était incapable de se rappeler ce qu'il s'était passé, et sentit tout d'abord une douleur à la main. Lorsqu'il comprit finalement qu'il y avait autre chose, il se regarda dans un miroir et vit le tournevis fiché dans son front juste au-dessus de son œil droit. Il a fallu trois heures aux médecins pour le retirer, mais l'homme a été complètement guéri.

accro aux piqûres Une femme de 53 ans de Morningview, dans le Kentucky, se pique elle-même plus de cent fois par semaine avec des abeilles, et s'est piqué au total plus de 50 000 fois au cours des dix dernières années. Elle a commencé à le faire après avoir lu que les piqûres d'abeilles soulageaient l'arthrite, mais est devenue si accro que dans une même session elle se pique parfois jusqu'à 20 fois sur la hanche. Elle mène à bien cette opération douloureuse en attrapant l'abeille avec une pince à épiler et en la forçant à piquer, ce qui provoque sa mort. Afin d'être sûre de ne pas manquer de piqûres, elle garde des ruches dans son jardin.

bulle d'air Lorsqu'un remorqueur a chaviré au large des côtes du Nigeria en mai 2013, le cuisinier du bateau, Harrison Okene a survécu deux jours et demi sous l'eau dans une petite bulle d'air sous le navire avarié. Prisonnier de l'eau glacée, il a réussi à respirer pendant 60 heures à l'intérieur d'une bulle d'air de 1,20 mètre entre le plafond des toilettes et une chambre adjacente jusqu'à ce qu'il entende des coups et voie la lampe torche d'un plongeur de sauvetage. Une fois secouru, il a dû rester dans une chambre de décompression pour normaliser sa pression sanguine avant de pouvoir retrouver sa famille.

années perdues Sarah Thomson, une mère de trois enfants d'Exeter, en Angleterre, s'est réveillée d'un coma de dix jours convaincue qu'elle était encore une adolescente, et sans aucun souvenir de son mari ni de ses enfants. Sarah travaillait sur son ordinateur lorsqu'elle s'est effondrée, victime d'un caillot de sang qui a effacé treize années de sa vie. Lorsqu'elle a émergé de son coma, elle pensait que les Spice Girls étaient toujours ensemble, a été « choquée » d'apprendre la mort de Michael Jackson et n'avait jamais entendu parler de Simon Cowell.

aimants avalés Un petit garçon de 12 mois de Chelyabinsk, en Russie, a subi une opération pour se faire retirer de l'estomac 42 magnets de frigo. Sa mère a paniqué lorsqu'elle a remarqué que tous les magnets avaient disparu et des scanners ont confirmé que son fils les avait avalés.

surprise de plume Quand Mya Whittington, 7 mois, de Hutchinson, au Kansas, a été emmenée à l'hôpital avec une bosse de la taille d'une balle de golf sur le cou, les médecins lui ont retiré une plume noire de 5 cm de long. On pense qu'elle l'avait avalée ou inhalée, et la plume avait ensuite percé l'intérieur de sa joue ou de sa gorge avant que son corps ne la force à ressortir par un gonflement.

pointe métallique Alors qu'il essayait de sauter par-dessus un mur à côté d'un portail en fer forgé, Josh Hassan, 12 ans, de Londres, a glissé et s'est empalé sur une pointe de métal de 30 cm. La pointe lui a percé la poitrine, mais a miraculeusement évité ses organes vitaux de quelques centimètres. Une fois sorti de l'hôpital, Josh a décidé de garder la pointe en souvenir.

MANTEAU
DE POILS

➜ L'entreprise britannique Arla a commandé la création d'un manteau entièrement fait de poils de poitrine d'hommes. Les stylistes ont eu besoin de 200 heures pour tisser environ un million de poils. Ce manteau en édition limitée a été mis en vente 2 499 £ (3 450 €).

MONDE SENS DESSUS DESSOUS ➜ Bojana Danilovic, d'Užice, en Serbie, présente une forme extrême d'orientation spatiale : elle voit le monde sens dessus dessous. Elle doit tourner les livres, les journaux, son téléphone portable et même sa télévision à l'envers. Au travail, elle utilise un écran et un clavier d'ordinateur spéciaux. D'habitude, les yeux voient le monde à l'envers et le cerveau renverse l'image en la traitant, mais dans le cas de Bojana cette correction n'a pas lieu.

concours de favoris Pour marquer le bicentenaire de la bataille du lac Érié, 19 hommes présentant des rouflaquettes en forme de côtelettes de mouton ont participé au concours de rouflaquettes de Perry qui s'est déroulée à Érié, en Pennsylvanie, afin de trouver quels favoris ressemblaient le plus à ceux d'Oliver Hazard Perry, le commandant de la flotte américaine victorieuse dans la bataille contre les Britanniques en 1813.

symptômes fraternels Pendant qu'il était dans la salle d'attente de l'hôpital de Saint Cloud, dans le Minnesota, où il avait conduit son frère Bruce pour une opération urgente de la vésicule biliaire, LeRoy Hanson a soudain ressenti les mêmes symptômes et a dû se faire lui aussi retirer la vésicule biliaire. Enfants, les deux frères avaient aussi été opérés des amygdales en même temps.

atterrissage catastrophe Le parachutiste Liam Dunne, de Taupo, en Nouvelle-Zélande, a trompé la mort quand son parachute principal lui a fait défaut et que celui de secours ne s'est que partiellement ouvert lors d'un saut de 4 000 mètres. Il a touché le sol à une telle vitesse qu'il a rebondi, mais il a survécu grâce au sol mou.

mémoire sélective Différents types de mémoire sont stockés dans différentes parties du cerveau, ce qui rend possible pour une personne de souffrir d'une amnésie qui le priverait de tous les détails de sa vie, mais lui permet de se souvenir de comment lire et jouer de la musique.

MALADIES CÉRÉBRALES RARES

Les personnes qui souffrent du **syndrome de la belle endormie** dorment régulièrement plus de 20 heures par jour.

Les patients ayant le **syndrome de la main étrangère** ont une main dont ils croient qu'elle bouge d'elle-même et est hors de contrôle, voire les attaque.

Les gens qui souffrent du **syndrome d'Alice au Pays des merveilles** voient les objets beaucoup plus petits ou plus grands qu'ils ne le sont en réalité.

La maladie cérébrale extrêmement rare appelée **hyperthymésie** permet à une personne de se souvenir de tout ce qui lui est arrivé dans la vie dans les moindres détails.

La syncope des soins des cheveux est un trouble qui se manifeste par un évanouissement lorsqu'on se brosse ou se coupe les cheveux.

La synesthésie est une maladie dans laquelle les sens s'embrouillent de telle sorte, par exemple, qu'on « goûte » les mots et « voit » les sons.

Les gens souffrant de **prosopagnosie**, ou « cécité des visages », sont incapables d'identifier les visages.

Le syndrome des larmes de crocodile est une maladie rare dans laquelle les gens se mettent à pleurer d'une manière incontrôlable lorsqu'ils mangent.

Bol de barbe

→ Isaiah Webb peut manger des nouilles chinoises dans sa barbe ! Ce fan de barbe de San Francisco, en Californie – aussi connu sous le nom de Monsieur Incroyabarbe – a commencé à se laisser pousser la barbe en 2012.

Au bout de six mois, Angela, sa femme, s'est mise à modeler sa barbe en étranges et merveilleuses créations. Il se vante aujourd'hui d'avoir plus de 28 modèles différents, notamment l'un qui a une capacité de cinq tasses et un autre qui peut contenir un hamburger, des frites et un milk-shake. Il façonne sa barbe avec des bigoudis, de la laque et un sèche-cheveux, et poste sur Internet une nouvelle création chaque lundi.

gallois courant Victime d'un AVC, Alun Morgan, un Anglais de 81 ans, s'est réveillé en parlant couramment le gallois et sans plus aucun souvenir de l'anglais. Durant la Seconde Guerre mondiale, il avait été évacué au Pays de Galles et avait parlé un peu cette langue à cette époque, mais cela datait de soixante-dix ans. Les médecins lui ont diagnostiqué une aphasie, une forme de lésion cérébrale qui cause un déplacement du centre du langage, et pensent que le gallois qu'il avait entendu enfant avait été assimilé à son insu jusqu'à ce qu'il soit libéré suite à l'AVC.

pubarbe L'agence de publicité Cornett-IMS, dans le Kentucky, a eu l'idée du Beardvertising, payant des hommes 55 $ par jour pour qu'ils portent de petites annonces publicitaires accrochées à leur barbe.

LONGUE LANGUE

Philip Romano, un étudiant de 21 ans d'Armonk, dans l'État de New York, a envoyé à Ripley's cette photo de sa langue surdimensionnée. C'est l'une des plus longues du monde, elle mesure 10 cm de son extrémité jusqu'au milieu de ces lèvres fermées.

main bionique Ayant perdu un bras dans un accident, Nigel Ackland du Cambridgeshire, en Angleterre, s'est fait poser une main bionique high-tech qui bouge comme une vraie main en répondant aux contractions de ses muscles. Elle est si sensible qu'il peut même l'utiliser pour éplucher des légumes et taper sur un clavier d'ordinateur.

super-vision Alors que la plupart des gens peuvent distinguer environ un million de couleurs différentes, Susan Hogan, de Mount Washington, en Pennsylvanie, peut en voir 100 millions ! Elle est tétrachromate, ce qui signifie qu'elle a une maladie génétique rare qui la rend capable de quatre gammes de couleurs distinctes au lieu de trois comme la plupart d'entre nous.

concert chirurgical Brad Carter un patient du centre médical UCLA, a chanté et joué de la guitare au bloc opératoire pendant qu'il subissait une intervention chirurgicale du cerveau. Des médecins implantaient un pacemaker dans le cerveau de ce musicien de Los Angeles pour lutter contre des tremblements des mains provoqués par la maladie de Parkinson, qui l'avait empêché de jouer pendant près de 7 ans – et afin de localiser l'emplacement idéal des électrodes ils l'ont réveillé au milieu de l'opération et lui ont demandé de jouer de sa guitare.

accord parfait Gordon Henry du Bershire, en Angleterre, s'est séparé de sa petite amie Jo MacFarlane en 1993, mais ils se sont remis ensemble 20 ans plus tard lorsqu'il lui a donné un de ses reins. Elle souffre d'une maladie rénale chronique et cherchait désespérément un donneur. Quand son ex-compagnon a entendu parler de son état, il lui a offert un rein, qui s'est révélé convenir parfaitement.

mâche fer Keith Davis, un ancien joueur de football américain des Giants de New York, peut plier en forme de U une barre de métal de 2,5 cm d'épaisseur avec ses bras et ses dents. Il peut aussi écraser des piles de briques d'une main et transformer une poêle en boule.

plombage antique Une mâchoire humaine vieille de 6 500 ans, découverte par des archéologues dans la paroi d'une grotte dans le nord de la Slovénie, avait une dent portant une couronne en cire d'abeille.

piercings de visage Axel Rosales, de Villa Maria, en Argentine, n'a pas moins de 280 piercings sur le visage. La métamorphose lui a pris 18 mois, autrement dit une moyenne d'un nouveau piercing par jour.

gifle Des esthéticiennes thaïlandaises facturent 350 $ pour gifler leurs clients – un traitement qui, dit-on, fait paraître plus jeune en raffermissant les visages flasques, et aide à éliminer les rides.

LES HOMMES SAUVAGES DE BORNÉO

➔ Waino et Plutano étaient deux frères nains qui se sont produits dans les célèbres spectacles pour P. T. Barnum à travers les États-Unis à la fin du XIXe siècle. Ils étaient présentés comme les Hommes Sauvages de Bornéo – une paire de nains effrayants d'un mètre de haut qui avaient prétendument été capturés sur l'île de Bornéo, une partie du monde qui était encore mystérieuse et exotique pour la plupart de leur public. En 1894, le New York Times les a appelés « les deux monstres les plus étranges jamais montrés en Amérique ». En réalité, ils s'appelaient Hiram et Barney Davis, des frères de l'Ohio avec des problèmes d'apprentissage qui prétendaient être des « sauvages » sur scène. Ils devinrent célèbres lorsque Barnum les emmena à New York, où ils gagnèrent beaucoup d'argent en exécutant des tours de force – on prétendait que chacun d'eux pouvait soulever dix fois son propre poids.

nouvelle oreille Quand Sherrie Walter, de Bel Air, dans le Maryland, a perdu une oreille à cause d'un cancer, des médecins de l'université Johns Hopkins ont fait pousser une oreille de remplacement sur son avant-bras en utilisant ses propres tissus corporels. Du cartilage de sa cage thoracique a été prélevé pour former l'oreille, qui a été placée sous la peau de son bras, près du poignet. Elle s'est développée là pendant quatre mois avant d'être greffée à sa tête.

parti pris de gauche Bien que seulement 10 % de la population des États-Unis soit gauchère, trois des quatre derniers présidents – George Bush Senior, Bill Clinton et Barack Obama – le sont. Avant eux, Ronald Reagan était lui aussi gaucher de naissance mais avait été contrarié par ses instituteurs et ses parents.

yeux tatoués

➜ Jean Jabril Joseph, un poète de Fort Lauderdale, en Floride, a eu la sclérotique, ou partie blanche de l'œil, tatouée en noir par une série d'injections d'encre.

Bien que le tatouage des yeux ait l'air d'une mode nouvelle, dès le XIXᵉ siècle, des médecins injectaient couramment de l'encre dans les yeux de leurs patients afin de recouvrir des cicatrices de cornée défigurantes.

harponné Bruno Barcellos, un pêcheur de Souza Coutinho, s'est blessé accidentellement au visage avec un harpon et a survécu bien que ce dernier lui ait transpercé l'œil gauche et se soit enfoncé de 15 cm dans son crâne. Il était en train de nettoyer son arme à Petrópolis, au Brésil, quand le coup est parti, tirant un harpon de 30 cm de long dans sa tête. Pourtant, il n'a souffert d'aucune lésion cérébrale et était même assez conscient pour aller chercher des secours.

bénéfice de santé Les membres d'une communauté isolée de l'Équateur qui souffrent d'une rare forme de nanisme appelée syndrome de Laron, sont presque entièrement immunisés contre le cancer et le diabète.

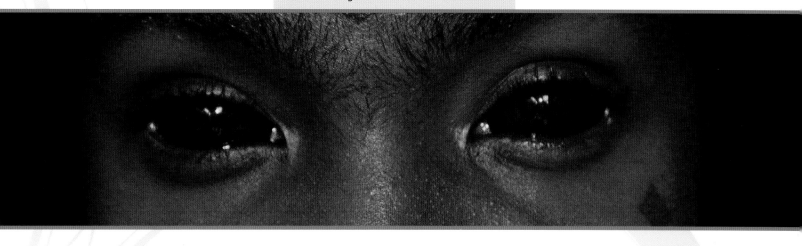

doigt de poisson Un doigt humain trouvé dans le corps d'un poisson dans le lac Priest, dans l'Idaho, s'est révélé appartenir à un wakeboardeur qui avait perdu quatre doigts dans un accident à 13 km de là, trois mois auparavant. Un pêcheur a découvert ce doigt pendant qu'il nettoyait une truite qu'il avait pêchée. Le bureau du shérif l'a aidé à identifier son propriétaire, Haans Galassi. Il a refusé de se le faire greffer et les trois autres doigts sectionnés demeurent introuvables.

étudiant star Irene Nthambi, 12 ans, de Thika, au Kenya, qui est aveugle et n'a pas le sens du toucher dans ses doigts, est capable de prendre part aux cours de son école pour malvoyants en utilisant sa langue pour écrire et ses lèvres pour lire. Elle écrit en saisissant un stylet avec sa langue et utilise ses lèvres pour lire une machine Braille. Malgré les efforts d'adaptation que cela requiert, elle est toujours la première de sa classe.

jambes poilues Pour dissuader les hommes de regarder les jambes des femmes dans les transports publics chinois, certaines femmes ont commencé à porter des collants velus – des collants couverts de poils noirs et épais.

transplantation faciale Quinze ans après avoir perdu une grande partie de son visage à cause d'un coup de feu accidentel, Richard Lee Norris s'est fait remplacer la mâchoire, le nez et sa peau dans une série d'opérations de transplantation qui ont duré 72 heures à l'université du Maryland.

yeux bruyants

➜ Pendant sept ans, chaque fois qu'elle se tournait pour regarder quelque chose, Julie Redfern, du Lancashire, en Angleterre, pouvait entendre ses yeux bouger dans leur orbite. Elle pouvait aussi entendre le sang circuler dans ses veines et son cerveau trembler dans son crâne. En fait, elle entendait tous les sons produits par son corps – sons qu'on n'entend jamais en temps normal. Son ouïe intensifiée était due à une rare maladie de l'oreille interne – le syndrome de déhiscence du canal semi-circulaire supérieur – et avait pour conséquence qu'elle avait dû arrêter de manger des aliments croustillants, comme les pommes et les chips, à cause du bruit assourdissant qu'elle entendait dans sa tête pendant qu'elle mâchait.

placenta encadré Amanda Cotton, une artiste de Londres, fabrique des cadres à partir de placentas de femmes qu'elle utilise pour encadrer des photos de leurs bébés. Après avoir fait bouillir et cuire le placenta, elle l'écrase en petits morceaux. Puis elle met les morceaux secs dans un moule et ajoute de la résine pour donner un effet marbré.

LE -¡- DE RIPLEY'S

Le syndrome de déhiscence du canal semi-circulaire supérieur est une maladie rare de l'oreille interne causée par de petits trous qui se forment dans l'os temporal qui recouvre une partie de l'oreille. Cela rend le patient hypersensible aux bruits provenant de l'intérieur du corps, comme les bruits des liquides qui circulent et les battements du cœur. Cette maladie, qui n'a été reconnue qu'en 1998, peut être provoquée par une lente érosion de l'os ou par un coup sur le crâne.

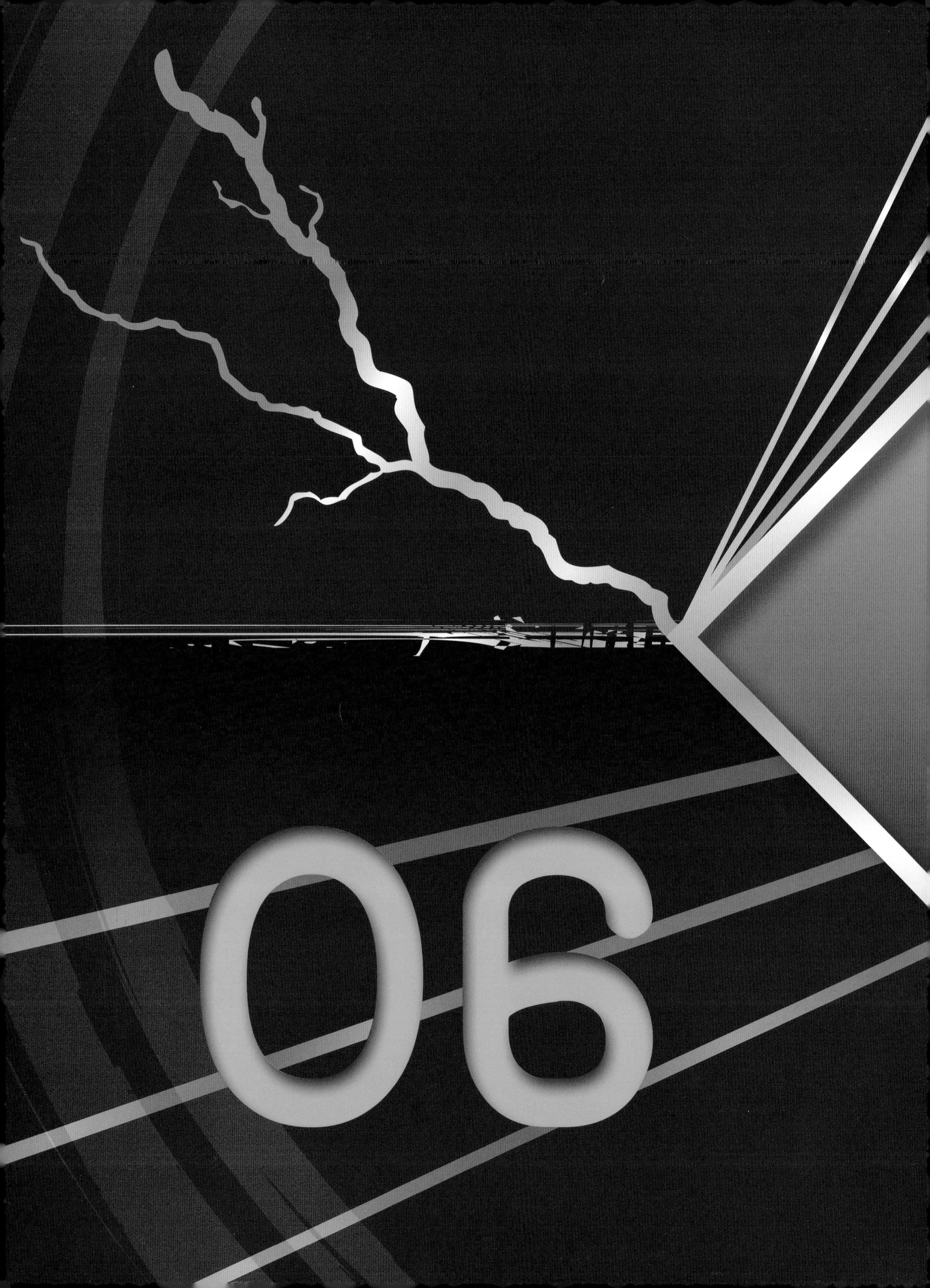
06

CULTURE POP

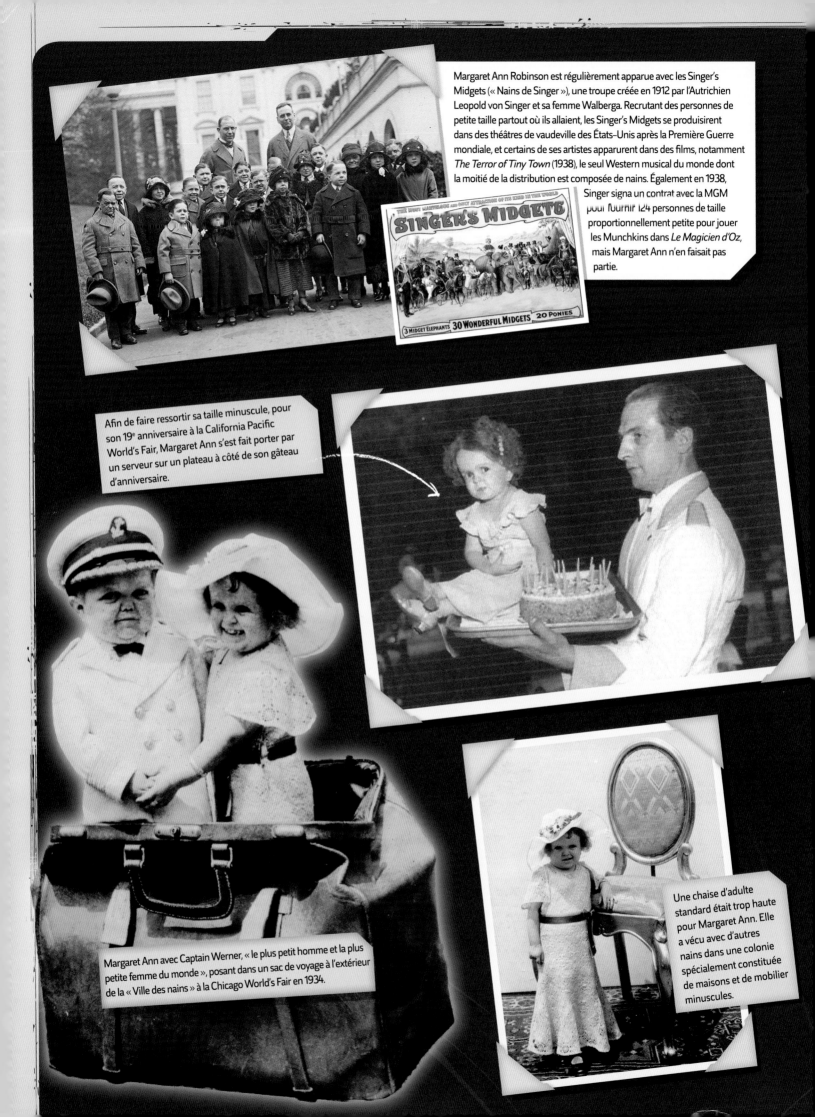

Margaret Ann Robinson est régulièrement apparue avec les Singer's Midgets (« Nains de Singer »), une troupe créée en 1912 par l'Autrichien Leopold von Singer et sa femme Walberga. Recrutant des personnes de petite taille partout où ils allaient, les Singer's Midgets se produisirent dans des théâtres de vaudeville des États-Unis après la Première Guerre mondiale, et certains de ses artistes apparurent dans des films, notamment *The Terror of Tiny Town* (1938), le seul Western musical du monde dont la moitié de la distribution est composée de nains. Également en 1938, Singer signa un contrat avec la MGM pour fournir 124 personnes de taille proportionnellement petite pour jouer les Munchkins dans *Le Magicien d'Oz*, mais Margaret Ann n'en faisait pas partie.

Afin de faire ressortir sa taille minuscule, pour son 19e anniversaire à la California Pacific World's Fair, Margaret Ann s'est fait porter par un serveur sur un plateau à côté de son gâteau d'anniversaire.

Margaret Ann avec Captain Werner, « le plus petit homme et la plus petite femme du monde », posant dans un sac de voyage à l'extérieur de la « Ville des nains » à la Chicago World's Fair en 1934.

Une chaise d'adulte standard était trop haute pour Margaret Ann. Elle a vécu avec d'autres nains dans une colonie spécialement constituée de maisons et de mobilier minuscules.

Qui est cette petite DAME ?

➜ Annoncée dans les attractions américaines contemporaines comme « la plus petite femme du monde », Margaret Ann Robinson était si minuscule qu'elle pouvait tenir dans la paume d'une main.

À l'âge de 19 ans, elle mesurait tout juste 53 cm et pesait 8,10 kg, autrement dit moins qu'un enfant de 2 ans. Rien d'étonnant à ce que le Shriners' Circus l'ait annoncée en 1936 comme une « poupée humaine vivante qui respire, marche et parle ».

Née Margaret Ann Meek à Denver, dans le Colorado, en 1916, elle pesait un poids respectable de 2,90 kg à la naissance. Ses deux parents étaient d'une taille normale, son père, un mineur de charbon, faisant 1,80 mètre. Quand il devint visible que Margaret Ann souffrait de nanisme, elle entra dans le show-business et, lors de la World's Fair de Chicago en 1934, elle et Captain Werner (ci-contre), « le plus petit homme du monde », furent photographiés ensemble dans un sac de voyage en cuir devant l'entrée de la « Ville des nains », une colonie de 187 personnes de petite taille vivant dans des maisons miniatures meublées de mobilier minuscule.

Voyageant souvent avec sa mère, Margaret Ann partit en tournée avec des cirques pendant plus de quarante ans. Au sommet de sa carrière, elle fit une publicité pour le nettoyant pour sols Glo-Coat de Johnson afin de montrer aux ménagères combien il était facile de garder impeccable leur cuisine. Vers l'âge de 50 ans, elle enthousiasmait encore le public sous le surnom de « Princesse Ann, la lady minuscule ».

53 cm de haut !

IN PERSON
MARGARET ANN ROBINSON
The Smallest Adult
Ever Born to Live!
Height 21 ins. - Age 19 yrs. - Weight 18 lbs.
This Living, Breathing, Walking, Talking Human Doll
Will Appear Twice Daily At

MELHA TEMPLE A.A.O.N.M.S.
SHRINERS' CIRCUS
PRESENTING
The Morton-Hamid Circus
MAY 4TH TO 9TH INCLUSIVE 1936 STATE ARMORY

MARIAGE KLINGON

➔ 1 063 fans de Star Trek se sont déguisés en personnages de la série lors d'une convention à Londres, en octobre 2012. La convention a également accueilli le mariage de Jossie Sockertopp et Sonnie Gustavsson, un couple suédois qui s'est marié entièrement vêtu en costume klingon. La cérémonie s'est déroulée en langue klingon.

bd rare Parmi les vieux journaux utilisés pour insonoriser le mur d'une maison qu'il venait d'acquérir à Elbow Lake, dans le Minnesota, David Gonzalez, un ouvrier du bâtiment, a découvert un rare exemplaire du 1er numéro d'Action Comics, un magazine de bandes dessinées de juin 1939 dans lequel Superman fait sa première apparition. Il l'a vendu dans une vente aux enchères pour 175 000 dollars – plus de 17 fois le prix qu'il avait payé pour la maison.

remake de film Jonason Pauley et Jesse Perrotta, deux metteurs en scène amateurs de l'Arizona, ont passé plus de deux ans à réaliser leur propre remake scène par scène, de 80 minutes, du film Toy Story en utilisant des jouets du merchandising officiel et des acteurs réels.

lunettes en cheveux Alexander Groves et Azuka Murakami, deux diplômés du Royal College of Art de Londres, ont créé une collection de lunettes dont les montures étaient constituées de cheveux humains fixés ensemble avec de la biorésine.

défaite de dolly La chanteuse de country Dolly Parton a un jour perdu un concours de sosies de Dolly Parton à Santa Monica, en Californie – face à un homme !

Les stylistes américains Susan Rosen et Steinmetz Diamonds ont créé un **bikini** qui utilise 150 carats de diamants sans défaut montés dans du platine et pas de tissu. Le bruit court que Tiger Woods l'aurait acheté en 2010. **Prix : 30 milliond de dolllars**

La styliste anglaise Debbie Wingham a créé une **abaya** (robe portée par certaines femmes musulmanes) noire unique en son genre : incrustée de 1 000 rubis et 2 000 diamants, parmi lesquels un rare diamant rouge de 7 millions de dollars . **Prix : 17,6 millions de dollars**

Secret Circus a créé un **jean** pour femmes avec 15 gros diamants de premier choix cousus sur les poches arrière. **Prix : 1,3 million de dollars**

Les Britanniques Stuart Hughes et Richard Jewels ont conçu une **veste** pour hommes en cachemire et soie parsemée de 480 diamants, d'un total époustouflant de 240 carats. **Prix : 943 000 dollars**

Le chausseur Stuart Weitzman a créé une paire de **talons aiguilles** « Rêve de diamants » incrustés de 1 420 diamants. **Prix : 500 000 dollars**

SOUTIEN-GORGE EN DIAMANT

➔ Le fabricant de lingerie Victoria's Secret a conçu un soutien-gorge à 2,5 millions de dollars décoré de 5 200 pierres précieuses, parmi lesquelles un diamant de 20 carats et un rubis énorme.

Les grands magasins anglais Selfridges ont commandé une **ceinture** représentant 70 pyramides réalisées à partir d'or 18 carats et montées sur du cuir blanc. **Prix : 32 000 dollars** pour toute personne ayant un tour de taille inférieur à 28 pouces (71 cm) - chaque pouce supplémentaire étant facturé 1 300 dollars.

GROSSES ÉTIQUETTES : LISTE DE VÊTEMENTS COÛTEUX

mode d'animaux tués sur la route

clown des enfants Avant de devenir célèbre, Hugh Jackman, star des films *X-Men* et *Wolverine*, a travaillé comme clown pour les fêtes d'enfants dans son Australie natale pendant trois ans, se faisant payer 50 $ par spectacle.

sujet brûlant En Norvège, près d'un million de personnes allumèrent leur télévision pour regarder une émission en primetime ne montrant qu'un feu de cheminée – certains téléphonèrent pour se plaindre que le bois était empilé dans le mauvais sens ! L'émission était inspirée d'un livre de Lars Mytting sur la façon de couper et brûler le bois, ouvrage qui a passé plus d'un an dans la liste des meilleures ventes en Norvège.

talons plats Les femmes ont besoin d'un permis pour porter des chaussures avec des talons de plus de 5 cm dans la ville californienne de Carmel-by-the-Sea.

correspondance d'étiquette Stephanie Watson, de Melbourne, en Australie, a fabriqué une robe de mariée à partir de 10 000 étiquettes de date de péremption de pain qu'elle avait collectionnées pendant une période de dix ans.

robe de foot Karen Bell, une jeune mariée de Manchester, en Grande-Bretagne, a fabriqué sa robe de mariée en cousant ensemble la collection de maillots de l'équipe de Manchester City de son mari, dont certains dataient du début des années 1980.

➤ La styliste de mode Jess Eaton, de Brighton, en Angleterre, a créé une gamme de vêtements de mariage à partir d'animaux tués sur la route, parmi lesquels cette pèlerine de mariée faite de plumes de cygnes.

Elle a également réalisé un collier à partir d'os humains provenant d'une cage thoracique trouvée dans une faculté de médecine..

Épouvantail Des ouvriers de l'aéroport de Staverton, dans le Gloucestershire, en Angleterre, ont chassé de la piste les oiseaux importuns en montant un haut-parleur sur le toit d'une camionnette et en passant les chansons de Tina Turner à plein volume.

audition par téléphone L'acteur anglais Eddie Redmayne a passé une audition pour le rôle de Marius dans le film *Les Misérables* de 2013 sur son iPhone. Vêtu de son costume de cow-boy du film *Hick* qu'il tournait alors en Caroline du Nord, il s'est filmé chantant dans sa caravane sur le tournage et a envoyé la vidéo à son agent.

télé géante Une télé géante construite par Porsche en Autriche a un écran de 510 cm et coûte plus de 600 000 $ – 4 fois le prix d'une Porsche 911. La CEED 201 est constituée de plus de 787 000 LED, qui affichent 281 billions de couleurs, et est si grande qu'elle doit être utilisée à l'extérieur.

cordes d'araignée Shigeyoshi Osaki de la faculté de médecine de Nara, au Japon, fabrique des cordes de violon à partir de soie de toile d'araignée. Plus de 300 araignées sont utilisées pour produire les 500 fils nécessaires à fabriquer chaque corde.

Planches à roulettes musicales

→ Juhana Nyrhinen, de Finlande, fabrique pour 500 $ des versions électriques de Kanteles et autres instruments finlandais traditionnels à partir de planches à roulettes ordinaires. Les instrumentistes peuvent tenir l'instrument de musique sur leurs genoux et produire des trémolos caractéristiques en s'appuyant sur les roues.

multitâche Ben Lapps, de Mason, dans l'Ohio, peut jouer de la guitare et au basket-ball en même temps. Une vidéo YouTube, qui a attiré 300 000 vues en une journée, le montre jouant un air sur sa guitare tout en faisant rebondir un ballon de basket et marquant des paniers.

tricot en direct En 2013, un réseau de télédiffusion publique de la télévision norvégienne a annoncé qu'elle consacrait cinq heures de tricot en direct – précédées d'un documentaire de quatre heures montrant comment la laine tondue d'un mouton est transformée en pull-over.

girl power Le groupe pop japonais de filles AKB48 comprend 88 membres. Puisqu'elles ne peuvent pas monter toutes sur scène en même temps, elles jouent à pierre-feuille-ciseaux pour choisir qui chantera.

réception frisquette En novembre 2012, le guitariste rock anglais Charlie Simpson, ancien membre du groupe Busted, a donné un concert en plein air de 15 minutes en Sibérie, par une température de – 30 °C.

poulets alimentaires Le premier livre publié par L. Frank Baum, l'auteur du *Magicien d'Oz*, était un guide sur l'élevage et le dressage les poulets.

robe de divorce Demi Barnes, étudiante en art de 15 ans du Sussex, en Angleterre, a réalisé une robe de mariée à partir de plus de 1 500 documents de divorce. Après avoir construit un corsage en fil de fer, il lui fallut 10 heures pour agrafer des formulaires de divorce authentiques – mais vierges – qu'elle avait téléchargés sur Internet.

CRAVATE À FERMETURE ÉCLAIR

→ Pour les hommes qui se battent pour nouer leur cravate, le styliste Josh Jakus, d'Oakland, en Californie, a créé une cravate en feutre de laine infaillible, avec une fermeture Éclair cousue au milieu qui se met en quelques secondes et évite d'avoir à faire un nœud. Découvrant que son entreprise, Actual, avait un surplus de feutre et de fermetures Éclair issus de la production d'autres produits, Josh a essayé de réfléchir à des moyens d'utiliser les matériaux en excédent. Il a commencé par expérimenter un collier mais a fini par cette cravate vraiment originale.

changement rapide Vanna White est la présentatrice du jeu télévisé *La Roue de la fortune* depuis 1982, et a porté plus de 6 000 robes durant cette période, ne mettant jamais la même tenue plus d'une fois.

[VOS/TÉLÉCHARGEMENTS]

CYMBALE DE LA FOI

Mark Temperato, un révérend rock de Lakeville, dans l'État de New York, possède une batterie géante comprenant plus de 900 éléments – et il peut taper sur chaque caisse, cymbale ou cloche de vache sans bouger de son siège, même si certains d'entre eux sont à 2,4 mètres de distance. Temperato, qui joue sous le nom de scène de RevM et entrepose sa batterie dans son église, estime qu'il lui faut une heure pour frapper tous les instruments l'un après l'autre. Il a passé plus de 20 ans à rassembler sa collection, qui pèse plus de 2 270 kg et demande 17 heures d'entretien par semaine.

tour batterie Le compositeur américain Joseph Bertolozzi a transformé la tour Eiffel en batterie géante. Avec des baguettes classiques, des maillets en latex et même une bûche enveloppée dans de la laine, il a exploré chaque surface de la tour de 324 mètres, frappant balustrades, panneaux et poutrelles avec une force variable pour créer 2 000 sons différents pour un morceau de percussions, « *Tower Music* ». Ce n'est pas le premier monument que Bertolozzi a échantillonné – en 2007, il a composé « *Bridge Music* » en frappant à coups répétés le Mid-Hudson Bridge dans l'État de New York.

erreur de texto Un homme de 33 ans du Sussex, dans le New Jersey, a été arrêté pour avoir envoyé par erreur un texto à un inspecteur de police, dans lequel il disait qu'il avait de la drogue à vendre et voulait le rencontrer dans une pizzeria.

cercueil musical Fredrik Hjelmquist, un inventeur suédois, a créé un cercueil équipé d'un système stéréo. Ça permet aux gens de compiler leur propre playlist avant de mourir afin que leur musique préférée puisse être diffusée dans leur tombe. Leurs proches peuvent même mettre à jour les chansons au moyen d'une application et un écran tactile inséré dans la tombe.

harpistes jumelles Camille et Kennerly Kitt – seules harpistes professionnelles connues qui soient des vraies jumelles – interprètent des classiques rock de Metallica, les Rolling Stones, Bon Jovi et AC/DC sur des harpes. Elles se produisent également dans des lieux inhabituels, comme des cimetières, chemins déserts et bretelles de sortie d'autoroute.

ROULETTE TATOUAGE

→ Le chanteur américain Ryan Cabrera a dû se faire tatouer le visage de l'acteur Ryan Gosling sur la jambe après avoir perdu à un jeu de roulette-tatouage dans lequel des amis aux yeux bandés devaient piocher un tatouage les uns pour les autres.

code vestimentaire Des visiteurs ont été refoulés du parc de safari World of Adventures, dans le Surrey, en Angleterre, parce qu'ils portaient des vêtements à imprimé léopard et rayures de tigre qui auraient pu induire en erreur ou effrayer les animaux.

guérison par le jeu Des médecins de l'université McGill, à Montréal, au Canada, traitent des patients ayant un œil paresseux en les faisant jouer au jeu vidéo Tetris car cela entraîne les deux yeux à travailler ensemble.

cravates sonores Alyce Santoro, une artiste de Marfa, au Texas, fabrique des cravates à partir de bandes magnétiques tricotées – qui peuvent encore être lues et produire de la musique si un lecteur de cassette est collé à la surface du tissu. Comprenant des morceaux de musiciens comme Miles Davis, Richie Havens et John Coltrane, ainsi que le son de l'océan et des chants d'oiseaux, son tissu sonore est fabriqué à partir de 50 % de fil polyester et de 50 % de bande magnétique de cassette et a la consistance du denim.

surveillance maternelle La pop star Justin Bieber a un grand tatouage de l'œil de sa mère dans le creux de son bras gauche.

chanteur aviaire Hatebeak, un groupe de heavy metal de Baltimore, dans le Maryland, qui a sorti des disques dans les années 2000, avait pour chanteur un perroquet gris africain nommé Waldo.

costume du colonel Masao Watanabe, le président de Kentucky Fried Chicken au Japon, a acheté le costume blanc du « Colonel » Harland Sanders pour 20 750 $ en juin 2013.

rues extraterrestres Klingon Court et Romulan Court sont deux rues qui se croisent à un carrefour de Sacramento, en Califormie. Elles ont été ainsi nommées en 1971 par Ted Colbert, un ingénieur civil et fan de *Star Trek*.

cinéma flottant Pour un festival de cinéma en 2012, l'architecte allemand Ole Scheeren a créé une salle de cinéma flottante dans un lagon sur la côte thaïlandaise. L'Archipelago Cinema se compose d'un écran flottant monté sur des radeaux de bois et de mousse, et d'un auditorium flottant, auxquels les amateurs de cinéma sont conduits par bateau.

maquette d'hogwarts La maquette de 15 mètres du château Hogwarts qui a été utilisée dans tous les films Harry Potter contenait plus de 2 500 éclairages fibre optique et était si détaillée que si toutes les heures passées à sa construction par les 86 artistes et membres de l'équipe étaient cumulées, cela ferait un total de 74 années.

pyjama lecteur Un pyjama hi-tech peut être utilisé pour lire des histoires aux enfants avant de dormir. Le « Pyjama intelligent » est imprimé de 47 groupes de points – chaque groupe lié à une histoire différente – qui agissent comme des codes-barres lorsqu'ils sont scannés par un smartphone ou une tablette.

version navajo *La Guerre des étoiles* a été doublée en langue navajo afin d'aider à la préservation de cette langue. Une équipe de cinq Indiens Navajos n'a pas ménagé ses efforts pour traduire le scénario original, gênée par le fait qu'il n'existe pas de traduction directe pour des phrases célèbres comme « Que la force soit avec toi ».

chiens meneurs Le groupe new-yorkais Caninus a sorti trois disques avec deux pitbulls, Budgie et Basil, comme chanteurs. Caninus a été formé en 2001 par le groupe de metalcore Most Precious Blood, remplaçant ses chanteurs par des chiens. Le groupe a joué jusqu'à la mort de Basil, en 2011.

DES ERREURS VRAIMENT COÛTEUSES !

En 2008, David Garrett, un musicien allemand, a trébuché et est tombé sur son violon Stradivarius vieux de 290 ans. Estimé **1,5 million** de dollars, il a coûté près de 100 000 $ en réparation, mais pourrait bien ne jamais retrouver le même son.

En 1999, des ingénieurs de Lockheed Martin ont utilisé le système impérial d'unités dans un projet de navette spatiale pour Mars alors que la NASA utilisait le système métrique. Quand la navette, d'un coût de **125 millions** de dollars, a été lancée, elle s'est perdue dans l'espace.

En 2006, un site de voyages a répertorié un vol Alitalia entre Toronto et Chypre à 39 $ au lieu de 3 900 $. 2 000 voyageurs ont sauté sur la bonne affaire, ce qui a coûté plus de **7 millions** de dollars à Alitalia.

En 2010, une personne âgée d'Angleterre a jeté un ticket de loterie gagnant qui lui aurait rapporté **181 millions** de dollars.

En 2005, un courtier de Mizuho Securities, au Japon, a voulu vendre une action pour 610 000 yens, mais à la place a passé un ordre de 610 000 actions à vendre 1 yen l'unité. La faute de frappe a coûté **224 millions** de dollars à Mizuho.

PAPIER GÂCHÉ

→ Andrew Vickers, un artiste de Sheffield, en Angleterre, a fabriqué cette sculpture en papier mâché en utilisant de vieux magazines de bandes dessinées qu'il avait découverts dans une benne à ordures, pour finalement découvrir qu'il s'agissait d'éditions rares valant 20 000 £. À son insu, son *Paperboy* contenait des parties collées de classiques de Marvel Comics, parmi lesquels une première édition, datant de 1963, de *The Avengers*, estimée 10 000 £ à elle seule. Ainsi, cela lui aurait coûté moins cher de réaliser sa sculpture en marbre d'Italie !

Monde de Barbie

→ Stanley Colorite, de Hudson, en Floride, possède 2 000 poupées Barbie et 1 000 Ken.

Sa collection est si importante qu'elle occupe quatre pièces de sa maison, notamment la salle de bains. Il a acheté sa première poupée en 1997 et aujourd'hui en achète jusqu'à 20 par mois. Il estime qu'il dépense 30 000 $ par an pour sa passion.

mari aimant Paul Brockman, de Lomita, en Californie, a acheté à sa femme Margot 55 000 robes au cours des 56 dernières années, et il les a toutes choisies lui-même.

micro-livre L'éditeur japonais Toppan Printing a créé un livre avec des pages mesurant tout juste 0,75 x 0,75 mm. Cet ouvrage de 22 pages, qui contient des noms et des illustrations de fleurs, est si petit qu'il peut seulement être lu avec un verre grossissant.

faire des folies Danny Kitchen, 5 ans, de Bristol, en Angleterre, a accumulé une facture de 2 500 $ sur l'iPad de ses parents en tout juste 10 minutes après avoir téléchargé un jeu gratuit puis fini dans sa boutique en ligne.

collection épicée Liz West, du Yorkshire de l'Ouest a collectionné plus de 5 000 objets concernant les Spice Girls, parmi lesquels des tenues portées par le groupe, des disques de platine, des livres et des poupées.

sans mots L'actrice Jori Phillips, de Vancouver, a passé des mois à déchirer des pages d'un dictionnaire des synonymes, à les plier et les coller ensemble pour fabriquer une robe de papier sans bretelles. Doublée de tissu et caractérisée par un corsage, sa robe recyclée se compose de centaines de pages de synonymes de A à O.

fan de jeux Brett Martin, de Denver, dans le Colorado, possède plus de 8 000 objets de collection de jeux vidéo, d'une valeur estimée à 100 000 $.

TONNERRE DE BREST !
→ Un multimillionnaire anonyme a construit sa propre île pirate privée sur un lac de sa propriété dans le Cambridgeshire, en Angleterre. Caractérisée par des bâtiments en bois dans le style du XVIIIe siècle, l'île Challis reflète l'amour de son propriétaire pour tout ce qui concerne la piraterie et possède sa propre auberge, Le Doublon Noir, ainsi qu'une pension, une plage, une cascade, un lagon et un embarcadère.

DOCTOR WHO

→ *Doctor Who*, le phénomène britannique de la science-fiction, a été diffusé pour la première fois à la télévision le 23 novembre 1963, et continue de l'être depuis plus de cinquante ans, ce qui en fait la série de science-fiction la plus longue du monde.

Au 25 décembre 2013, un total de 800 épisodes ont été diffusés et la série est aujourd'hui vue dans plus de 50 pays chaque semaine. Ripley's a voulu célébrer ce succès en présentant quelques-uns des plus insolites « Whoviens », tels que l'on nomme les fans de *Doctor Who*, et leurs hommages à cette série.

- Il y a eu 12 Doctors Who au total – le premier apparaissant le 23 novembre 1963, et le douzième Doctor a fait sa première apparition le 25 décembre 2013.

- Le nombre total d'années voyagées par tous les Doctors est de 204 272 560 259 444.

- Un total de 52 % des aventures du Doctor sont situées dans le futur, 22 % dans le passé et 16 % dans le présent.

- Les Daleks sont les adversaires les plus populaires dans la série, apparaissant dans 22 histoires avec 9 caméos. Les Cybermen arrivent en deuxième loin derrière avec 14 histoires et 5 caméos.

- Jusqu'à 2013, les Daleks ont dit « Exterminez ! » 469 fois et tué 210 personnes sur l'écran.

- Le Doctor est apparu dans les *Simpson* quatre fois, mais n'a jamais prononcé un mot.

- Des cassettes contenant 9 épisodes de *Doctor Who* des années 1960 et qu'on croyait perdues ont été découvertes en 2013 dans un placard d'une chaîne de télé au Nigeria.

- Le plus grand voyageur des Doctors est le onzième, qui effectue 70 voyages dans le temps sur l'écran.

- Le Doctor parle cinq milliards de langues, parmi lesquelles le bébé et le cheval.

- Le plus long voyage dans le temps a été effectué par le dixième Doctor entre Utopio et The Sound of Drums, à 99.99 trillions d'années-lumière.

- Il faudrait 371 heures 19 minutes 25 secondes pour regarder tous les épisodes de Doctor Who jusqu'à la fin 2013.

TAPISSERIE DE BAYEUX

Bill Mudron, un auteur de bandes dessinées de Portland, dans l'Oregon, a dessiné cette œuvre magnifique dans le style de la Tapisserie de Bayeux afin de chroniquer toutes les aventures de *Doctor Who* sur plus de cinquante ans. Le dessin de 0,50 m² commence par le premier Doctor Who, William Hartnell, en 1963 et se poursuit à travers chaque renaissance jusqu'à Matt Smith, le onzième Doctor, en 2013.

GÂTEAU TARDIS

Boulangère et fan de *Doctor Who*, Lisa Wheatcroft, de Carlisle, en Angleterre, a fabriqué cet incroyable gâteau Tardis de 1,20 mètre de haut. Il lui a fallu trois semaines et il a été réalisé à partir de plus de douze blocs de gâteaux maintenus ensemble par un mélange de riz soufflé et de guimauve, de la ganache de chocolat et un glaçage à la nuance de bleu précise.

COLLECTIONNEUR DE DALEKS

Fan des adversaires robots de Doctor Who depuis l'âge de 7 ans, Rob Hull, de Doncaster, en Angleterre, possède aujourd'hui 1 200 Daleks. Il lui a fallu 25 ans pour acquérir des Daleks de toutes les tailles, des miniatures minuscules jusqu'à un modèle grandeur nature, et ils ont virtuellement envahi son domicile familial. Deux de ses enfants ont commencé leur propre collection de Daleks.

on ne lâche pas Une scène de *Dragon Lord*, un film de 1982 avec Jackie Chan, a nécessité 2 900 prises.

vieille rappeuse Jeanne Calment, d'Arles, a réalisé un album de rap en 1996, lorsqu'elle avait 120 ans.

mauvaise direction En l'espace de trois semaines en septembre 2013, deux motards ont traversé une piste de l'aéroport international de Fairbanks, en Alaska, lequel est utilisé par 737 avions, à cause d'une application de navigation satellite de leur smartphone qui leur avait indiqué une mauvaise direction.

police dyslexique Christian Boer, un graphiste néerlandais, a inventé une police de caractères pour aider les lecteurs dyslexiques dans leur handicap de lecture. En variant la taille et la forme des lettres dans la police Dyslexie de telle sorte que chacune soit unique, il a fait en sorte que tous les mots soient reconnaissables.

musique d'humeur Une entreprise japonaise a inventé un ensemble de casques liseurs d'esprit qui passent de la musique en fonction de l'humeur de ceux qui les portent. Les casques contiennent un capteur frontal qui analyse les ondes cérébrales pour détecter l'humeur de la personne puis se connecte à une application iPhone qui sélectionne la chanson qui convient le mieux à cet état d'esprit.

bijoux de lait Allicia Mogarevo, de Wakefield, dans le Rhode Island, fabrique des bijoux à partir de lait de femmes. Des mères du monde entier lui envoient leur lait dans des sacs scellés, et elle en plastifie un échantillon qu'elle moule dans des formes miniatures – cœurs, lunes, fleurs et mains minuscules – qui sont ensuite insérées dans des pendentifs.

l'emprunteuse Louise Brown, de Stranraer, en Écosse, a emprunté plus de 25 000 livres dans des bibliothèques pendant une période de 63 ans.

jeux vidéo à vendre Un utilisateur d'eBay appelé Videogames Museum, de Milan, a mis en vente plus de 6 850 jeux, 330 consoles, 220 manettes et 185 accessoires pour un prix total de 550 000 $. Il a pris plus de 10 000 photographies en 2 mois pour illustrer sa collection de trente ans, qui comprend tous les jeux vidéo *Mario*, *Zelda*, *Metal Gear* et *Final Fantasy* qui ont existé.

boom de recrutement À la suite de la sortie de *Top Gun*, le film hollywoodien de 1986 avec Tom Cruise, le nombre de candidatures de jeunes hommes désirant intégrer l'US Navy comme pilote d'avion a augmenté de 500 %.

rencard avec un fantôme Ghostdating est un site de rencontres pour fantômes qui souhaitent rencontrer d'autres personnes mortes ! Le règlement du site indique que les personnes vivantes, les morts vivants et les vampires sont tous interdits d'accès à la base de données des morts.

LABYRINTHE DE MAÏS

Agriculteur et fan de *Doctor Who*, Tom Pearcy a créé une image de Dalek de 300 mètres qui couvre un champ de 7 hectares contenant plus d'un million de plants de maïs, près de York, en Angleterre. Le dessin prend la forme d'un labyrinthe géant composé de 10 km de chemins.

CYBERMAN SE MARIE

Un Cyberman s'est marié lors d'un mariage *Doctor Who* de masse à Londres, en novembre 2013, pour marquer le 50e anniversaire de la série. 50 couples « whoviens » se sont mariés ou ont renouvelé leurs vœux en costume devant une congrégation de Daleks et de différentes incarnations du Doctor, après quoi on leur a offert des bagues commémoratives et des tatouages *Doctor Who*. Certains fans avaient fait le voyage du Canada et des États-Unis.

LES ONGLES DE QUI ?

L'artiste des ongles Kayleigh O'Connor, de Birmingham, en Angleterre, a conçu une gamme d'ongles superbement peints célébrant *Doctor Who*, et représentant certains des grands ennemis du Doctor ainsi que des Tardis. Il a aussi créé des ongles présentant le portrait de personnages d'*Harry Potter* et la série télévisée *Breaking Bad*.

COQUILLE MUSICALE

➜ Ce facteur d'instruments de musique colombien travaille sur un *charangos* – un instrument à cordes sud-américain semblable au luth qui est parfois fabriqué à partir de dos de tatous.

soutien en ligne
Inocente, un court documentaire oscarisé en 2013, à propos d'un artiste de rue SDF, a été tourné pour 52 257 $ – la somme donnée par 294 soutiens sur Kickstarter.

sanctuaire sf Le musée Rancho Obi-Wan de Steve Sansweet à Petaluma, en Californie, contient sa collection de plus de 300 000 objets de *La Guerre des étoiles*, parmi lesquels des jouets et maquettes, et comprend une salle entière de flippers et de jeux d'arcade.

jeu marathon Victor Sandberg, de Stockholm, en Suède, a joué à *Missile Command*, un classique des jeux Atari, pendant 56 heures d'affilée avec une seule pièce de monnaie, enregistrant un score de 81 796 035 points.

sons de décharge Les enfants musiciens du Cateura Orchestra du bidonville de Cateura, au Paraguay, jouent des instruments – notamment violon, violoncelle, flûte et batterie – qui sont tous fabriqués à partir de déchets venant de décharges. Dans une zone aussi déshéritée, un violon coûte plus cher qu'une maison.

application de santé Une application Facebook appelée « Au secours, j'ai la grippe » scanne, dans les mises à jour de statut de vos amis, les mots comme « renifler » et « tousser » pour suggérer quelles personnes vous devriez éviter de voir avant une quinzaine de jours.

multitâche Le virtuose ukrainien Oleksandr Bozhyk peut jouer de quatre violons en même temps. Utilisant deux archets, il pose deux violons sur son bras gauche, en met un sous son bras droit et un quatrième sous son menton.

messages mélangés Les sons produits par les brachiosaures dans *Jurassic Park* étaient un mélange de chants de baleines et de braiments d'âne.

ancêtre sorcière Une ancêtre d'Emma Watson, l'actrice d'Harry Potter, a été reconnue coupable de sorcellerie dans l'Angleterre du XVIe siècle.

temple de bd Chalermchai Kositpipat a passé plus de 10 ans à construire le temple bouddhiste de Wat Rong Khun près de Chiang Rai, en Thaïlande, qui est décoré de personnages de BD et de films – comme Superman, Batman, Neo de *Matrix* et les extraterrestres de *Predator* – ainsi que d'icônes religieuses plus traditionnelles.

à battre ! Lors d'un événement de percussion à Nashville, dans le Tennessee, en juillet 2013, Tom Gosset, de Toronto, a battu un record en donnant 1 208 coups de baguette en 60 secondes – plus de 20 coups par seconde.

amende Keith Richards, le guitariste des Rolling Stones, a écopé d'une amende de bibliothèque de 3 000 £ pour avoir oublié de rapporter des livres qu'il avait empruntés il y a plus de cinquante ans dans une bibliothèque publique du Kent, en Angleterre.

collaboration internationale *The Owner*, un film de 2012 conçu par Marty Shea et Ian Bonner de Detroit, dans le Michigan, est fait de séquences tournées dans le monde entier par 25 metteurs en scène de 13 pays.

superhéros personnel En 2012, Marvel Comics a créé un nouveau superhéros, l'Oreille Bleue, pour encourager Anthony Smith, un garçon malentendant de 4 ans de Salem, dans le New Hampshire, à porter sa prothèse auditive à l'école. Le jeune fan de B.D ayant protesté que les superhéros ne portaient jamais de prothèses auditives, sa mère avait écrit à Marvel, qui a répondu en inventant ce nouveau personnage – nommé d'après le surnom d'Anthony – qui doit ses superpouvoirs à son appareil auditif.

échec rapide Une vidéo YouTube montrant une Sud-Coréenne qui échoue à son examen de conduite en exactement 7 secondes a enregistré 500 000 vues. Quelques secondes après avoir mis le contact, la femme roule sur un talus et fait se retourner la voiture, tandis que le moniteur lui crie de poser le pied sur le frein plutôt que sur l'accélérateur.

POUVOIR DES FANS
➜ Un groupe de 6 fans de *La Guerre des étoiles*, dirigé par le Belge Mark Dermul, a voyagé en Tunisie en 2012 pour sauver le Lars Homestead – la maison de Luke Skywalker sur la planète Tatooine qui figure dans trois films de la saga. Ils ont collecté 11 700 $ et travaillé sous une chaleur de 46 °C pour restaurer le bâtiment en forme d'igloo qui avait été ravagé par le climat du désert et était tombé en ruine depuis sa dernière apparition sur les écrans en 2005.

POUPÉES VIVANTES

➜ **Valeria Lukyanova et Justin Jedlica sont des Barbie et Ken de chair et de sang.**

Le mince mannequin ukrainien de 28 ans est une poupée Barbie des pieds à la tête, mettant en valeur son look Barbie avec un maquillage intelligent et des lentilles de contact colorées. Justin, 33 ans, de Chicago, a dépensé 150 000 $ dans 140 interventions esthétiques pour se transformer en Ken, parmi lesquelles une rhinoplastie, des implants pectoraux, fessiers et de biceps, ainsi qu'une chirurgie faciale. Il dit qu'il se traite lui-même comme une sculpture humaine.

ALTER EGO

Toby Sheldon, un auteur-compositeur de 33 ans de Los Angeles, a dépensé **100 000 $** en opérations de chirurgie esthétique pour essayer de se transformer en **Justin Bieber** son idole, parmi lesquelles 30 000 $ pour acquérir le sourire permanent de la tête de bébé du chanteur. Il a également subi une intervention des paupières, une réduction du menton, des combleurs faciaux, et il a fait abaisser sa ligne de cheveux.

Nileen Namita, une mère de 3 enfants de Brighton, en Angleterre, a subi plus de 50 opérations de chirurgie esthétique – parmi lesquelles 8 rhinoplasties et 3 liftings, qui lui ont coûté un total de **360 000 $** pour réaliser son rêve de ressembler à **Néfertiti,** la reine de l'Égypte antique.

Herbert Chavez, des Philippines, a subi **19 opérations** en 16 ans – parmi lesquelles un blanchiment de la peau et une fossette au menton – afin de se transformer en son idole **Superman.**

Janet Cunliffe, une rousse de 50 ans taillant du 42, a dépensé **15 000 $** pour ressembler presque à l'identique à sa **sœur Jane**, qui a 22 ans de moins qu'elle. Elles vont jusqu'à porter les mêmes vêtements.

Mikki Jay, de St Helens, en Angleterre, a dépensé **16 000 $** pour se faire remodeler le nez, le menton et les joues afin de devenir un sosie de **Michael Jackson.**

Pendant plus de vingt ans, Sarah Burge, une mère de famille du Cambridgeshire, en Angleterre, a subi des centaines d'opérations de chirurgie esthétique et dépensé plus de **130 000 $** pour se transformer en **Barbie** vivante.

AUGMENTATION DE SALAIRE → Plus de 60 employés de Rapid Realty, une agence immobilière de New York, ont gagné un meilleur partage des commissions en acceptant de se faire tatouer le logo de leur entreprise quelque part sur le corps. C'est leur patron, Anthony Lolli, qui a eu cette idée, laquelle fait gagner aux agents une augmentation de salaire allant jusqu'à 60 % après avoir fait des affaires avec un artiste tatoueur. Les employés se sont fait tatouer sur le bras, la cheville et le dos, et l'un d'eux, Robert Trezza, l'a fait alors qu'il n'avait travaillé qu'un mois pour l'agence.

rejet de reagan

Soixante-dix ans avant de devenir le président des États-Unis en 1981, Ronald Reagan n'avait pas obtenu le rôle d'un homme politique dans le film de 1964 *Que le meilleur l'emporte*, au prétexte qu'il n'avait pas l'air « présidentiel ».

mariage de souris

Wayne Allwine (1947-2009), la voix de Mickey Mouse de 1977 à 2009, a épousé Russi Taylor, qui est la voix de Minnie depuis 1986.

rognures d'ongles

Une femme anonyme a vendu 10 de ses rognures d'ongles – une de chaque doigt – sur eBay pour 1 $.

application pour papier

Des milliers de Vénézuéliens ont téléchargé une application de smartphone qui les aidait à trouver du papier toilette – une marchandise qui était en pénurie d'approvisionnement dans le pays pendant la plus grande partie de 2013.

conte perdu

La Bougie de suif, un conte de fées de 700 mots écrit par l'écrivain danois Hans Christian Andersen dans les années 1820, est resté inconnu durant près de 200 ans jusqu'à ce qu'un exemplaire du manuscrit soit découvert au fond d'une boîte de classement en 2012.

musée de la basket

Le ShoeZeum de Jordan Michael Geller, à Las Vegas, dans le Nevada, contient une paire de tous les modèles de Nike Air Jordan jamais fabriqués et expose une collection de plus de 2 600 paires de baskets. Seules quelques-unes ont été portées, mais parmi elles se trouve une paire que Michael Jordan a lacée lorsqu'il faisait ses débuts dans l'équipe de basket des Chicago Bulls.

coupe claire

Le total de pellicule tournée pour *2001 : l'Odyssée de l'espace*, le film de Stanley Kubrick de 1968, fait environ 200 fois la longueur finale du film.

membres d'origine

ZZ Top, le groupe de rock du Texas, est composé des mêmes membres – Billy Gibbons, Dusty Hill et Frank Beard – depuis qu'il s'est formé en 1969.

chaussures à tête chercheuse

Le styliste anglais Dominic Wilcox a créé des chaussures avec une technologie GPS connectée à un ordinateur, qui dirige celui qui les porte vers chez lui. La chaussure gauche a une boussole et des flèches clignotantes intégrées, tandis que la droite a un indicateur de distance. Avant de se mettre en route, l'adresse doit être entrée dans l'ordinateur.

panique sur twitter

Plus de la moitié du trading boursier est réalisé par des ordinateurs qui passent automatiquement au crible les informations, données et même tweets pour mener à bien des opérations en quelques fractions de seconde sans aucune intervention humaine. Ainsi, le 23 avril 2013, lorsqu'un tweet d'une agence de canulars a rapporté des explosions à la Maison Blanche, les ordinateurs de Wall Street ont réagi en se débarrassant de 134 milliards d'actions en tout juste dix minutes.

chemise d'or

Le millionnaire Datta Phuge, de Pune, en Inde, a dépensé 235 000 $ pour une chemise réalisée à partir de 3,2 kg d'or pur à 22 carats. Il a fallu deux semaines à une équipe de 15 orfèvres pour fabriquer la chemise, qui contient 14 000 fleurs entrelacées avec 100 000 paillettes cousues sur une doublure de soie, ainsi que six boutons de cristal Swarovski.

chanson de métro

L'humoriste joueur de guitare et l'auteur-compositeur-interprète Jay Foreman, de Londres, ont écrit une chanson rimée dans laquelle sont mentionnés les noms des 270 stations du métro londonien. La chanson s'interprète en à peine plus de 3 minutes.

MOUSTACHE DE CHAT →

L'un des derniers engouements sur Internet consiste à porter une moustache de chat. Les propriétaires de chats sont photographiés posant avec leur chat devant leur visage de telle sorte qu'on ait l'impression qu'ils portent une moustache ! L'engouement a commencé sur Tumblr lorsqu'un usager du site a téléchargé un cliché de sa fausse moustache de félin, et l'astuce a rapidement fait le tour du monde.

Des chiens aussi !

Cinéma de chemin de fer

➔ En 1905, l'ancien chef des pompiers de Kansas City George C. Hale a eu l'idée de réaliser de courts journaux de « voyages fantômes » montrant des images tournées depuis l'avant d'un train.

Les films de ses « Hale's Tours » étaient projetés dans de fausses voitures de chemin de fer, qui s'ébranlaient, vibraient et penchaient pour simuler le voyage d'un vrai train. Des effets sonores, y compris les sifflements de vapeur et le tintamarre des roues, participaient à l'illusion, tandis que des paysages peints défilaient devant les vitres sur les côtés. En 1907, il existait 500 salles de projection des « Hale's Tours » aux États-Unis, mais à cause de l'essor des salles de cinéma et du nombre limité de séquences tournées, leur popularité fut de courte durée et la plupart avaient disparu en moins de quatre ans.

Les films « Hale's Tours » étaient projetés dans une fausse voiture de chemin de fer. Jusqu'à 72 passagers étaient assis face à l'écran où ils sentaient les mouvements et entendaient les bruits qui leur faisaient croire qu'ils se trouvaient dans un vrai train.

Le cameraman Billy Bitzer se perchait d'une manière précaire à l'avant d'un train en mouvement pour filmer les documentaires de voyage des « Hale's Tours ».

marcher dans les airs Les fans de films de kung-fu peuvent courir dans les airs ou au-dessus de l'eau dans un parc à thème sur les arts martiaux, à Kunming, en Chine. Le parc possède le même système informatisé de levage par câble que celui utilisé pour le cinéma, ce qui permet aux visiteurs d'imiter les cascadeurs marchant dans les airs que l'on voit dans les films comme *Tigre et Dragon*.

saccage de robe La dernière mode dans les photographies de mariage s'appelle « *Trash the dress* » – et implique que la mariée détruise délibérément sa robe juste après la cérémonie en la mouillant, la salissant, l'aspergeant de peinture, voire en la brûlant en partie !

tweeteur rapide Le 3 août 2012, Joseph Caswell, de Cary, Caroline du Nord, a envoyé 62 tweets en une minute – c'est-à-dire plus d'un par seconde.

la plus petite bibliothèque La bibliothèque de Cardigan, dans l'Île-du-Prince-Édouard, au Canada, est située dans un bâtiment qui mesure 3,50 x 3,50 mètres et conserve 1 800 livres, ce qui en fait la plus petite bibliothèque publique du monde. Une adhésion à vie coûte 5 $.

vieillissement express Le metteur en scène américain Anthony Cerniello a réalisé une vidéo dans laquelle on voit une jeune fille vieillir sur toute sa vie en moins de 5 minutes. Assistant à une réunion de famille de la fille, lui et le photographe Keith Sirchio ont pris des portraits de femmes de sa famille de tout âge. Ces photos ont ensuite été soumises à un lent morphing avant que des animateurs donnent vie aux images en ajoutant des clignements de paupières et des mouvements de bouche.

➘ EN 1978, LE METTEUR EN SCÈNE WERNER HERZOG, À LA SUITE D'UN PARI PERDU, A FAIT CUIRE ET MANGÉ SES CHAUSSURES EN PUBLIC.

sujet brûlant Le roman futuriste *Fahrenheit 451* de l'auteur américain Ray Bradbury (1920-2012), publié en 1953, s'intitulait à l'origine *Le Pompier*, mais comme lui et son éditeur trouvaient ce titre ennuyeux, il a appelé la caserne de pompiers locale et a demandé à quelle température brûle le papier. Le pompier a demandé à Bradbury de patienter, est allé faire brûler un livre, puis lui a indiqué la température pertinente : 451 °F (233 °C).

canular de zombies Le programme habituel de la chaîne de télévision KRTV, dans le Montana, a été interrompu le 11 février 2013 par l'alerte terrible d'une « apocalypse zombie », lorsque des hackers se sont infiltrés dans le système. Les spectateurs ont été informés que des morts sortaient de leurs tombes dans plusieurs comtés du Montana et avaient commencé à attaquer les vivants.

sens dessus dessous Pour se guérir de son angoisse de la page blanche, Dan Brown, l'auteur américain du *Da Vinci Code*, se suspend parfois à son équipement de gymnastique, la tête en bas.

sur le long terme Publié en 1851, *Moby Dick*, le roman d'Herman Melville, avait d'abord été descendu par les critiques et s'est vendu seulement à 3 700 exemplaires durant sa vie.

changement de nom Jason Sadler, de Jacksonville, en Floride, a accepté qu'un site Internet devienne son patronyme officiel pour 45 500 $, de telle sorte que pendant toute l'année 2013 il était légitimement connu sous le nom de Jason HeadsetsDotCom.

effet hurlant Le « cri Wilhelm » – le cri de douleur d'un homme utilisé comme effet sonore – a servi dans plus de 200 films et jeux vidéo depuis 1951, y compris les sagas Le *Seigneur des anneaux* et *La Guerre des étoiles*.

propre à jamais L'entreprise américaine Wool&Prince a développé une chemise en laine contre les odeurs et infroissable, qui peut être portée 100 jours d'affilée sans être lavée.

brillant compositeur « *It's All in the Game* », une chanson de variétés interprétée par Tommy Edwards en 1958 et numéro un aux États-Unis, a été écrite en 1911 par Charles G. Dawes, qui a plus tard été vice–président des États-Unis sous la présidence de Calvin Coolidge et a reçu un Prix Nobel de la paix.

GRANDE VOIX → Le SOHO Digital KaraOK Center a dévoilé un microphone doré pleinement fonctionnel mesurant 2,8 mètres de haut et 56 cm de diamètre à Urumqi, en Chine. Le microphone est si grand qu'on doit se tenir sur des marches pour chanter avec.

bouffée d'adrénaline Regarder un film d'horreur chargé d'adrénaline peut brûler plus de calories que 30 minutes à soulever des poids.

vrai pilote de course Disponible pour seulement un client, le jeu vidéo *Grid 2: Mono Edition* de Codemasters avait un prix de 190 000 $ – car, en plus du jeu lui-même et d'une console PlayStation 3 pour y jouer, cette édition spéciale comprenait un véritable monoplace BAC Mono pouvant atteindre 275 km/h, un casque et une combinaison de course.

cadeau d'anniversaire Travis Schwend a payé 300 $ pour louer le Sun-Ray Cinema à Jacksonville, en Floride, pendant 5 heures pour que son fils Jonah puisse fêter son 13e anniversaire en jouant aux jeux vidéo avec ses amis sur écran géant, avec pizzas, pop-corn et sodas à volonté.

amende à soi-même Son smartphone s'étant mis à sonner lors d'une audience à Ionia, dans le Michigan, le juge Raymond Voet s'est verbalisé lui-même et a payé une amende de 25 $.

théorie suspecte Le chanteur d'opéra italien Enrico Caruso (1873-1921), grand fumeur, portait des anchois autour du cou car il croyait que ça protégeait sa voix des dégâts de la cigarette.

alerte au sconse La chaîne de télévision WXRM-TV de Colorado Springs a cessé d'émettre pendant 24 heures à cause d'un sconse qui avait uriné sur un émetteur. Après s'être introduit dans la salle de l'émetteur de Cheyenne Mountain, l'animal s'est brûlé lui-même en touchant l'équipement et a réagi en aspergeant les câbles, provoquant une coupure de courant.

malheurs de woody Pixar a failli perdre toute l'animation du film Toy Story 2 lorsque quelqu'un a, par erreur, supprimé tous les fichiers du système. Les fichiers de sauvegarde ont également fait défaut, mais juste au moment où ils ont pensé qu'ils devraient passer une année à recréer le travail, des fichiers d'une copie intacte ont été retrouvés sur l'ordinateur personnel du directeur technique Galyn Susman, qui avait travaillé sur le film chez lui tout en s'occupant de son bébé.

violon volant Le violoniste Ben Lee de Londres peut jouer *Le Vol du bourdon* de Rimski-Korsakov en 58 secondes – c'est-à-dire une moyenne de 15 notes par seconde.

ROBE EN PÉTALES DE ROSES

→ Xiao Fan a utilisé 9 999 roses rouges pour réaliser une robe fleurie avant de demander la main de sa petite amie Yin Mi pour la Saint-Valentin dans le parc d'attractions de Guangzhou, en Chine, où ils s'étaient rencontrés trois ans plus tôt. La robe avait une traîne de 15 mètres faite de fleurs cousues une par une. Le nombre de roses utilisées était également symbolique, car le nombre 9 signifie « pour toujours » dans la culture chinoise.

MINI-BÊTES

➜ Croyez-le ou non, il s'agit du King Kong qui a terrifié les amateurs de cinéma pendant qu'il grimpait l'Empire State Building dans la scène finale du film emblématique de 1933.

C'est une maquette à armature métallique de 55 cm, composée de charnières et d'écrous, et qui a été recouverte de coton et de caoutchouc pour former les muscles, d'une couche de latex pour la peau et enfin de fourrure de lapin pour représenter le grand singe. L'armature, qui s'est vendue 200 000 $ en 2009, a des articulations mobiles et un crâne en aluminium moulé sur une sculpture de bois. Elle fut animée par le technicien Willis O'Brien en utilisant une animation image par image.

Cette petite maquette n'a pas été la seule utilisée pour représenter King Kong dans le film. Certaines scènes en gros plan montraient un énorme buste de King Kong, la tête, le cou et la poitrine étant faits de bois, de tissu et de peau d'ours. Les crocs faisaient 25 cm et les globes oculaires 30 cm.

FAITS SUR KING KONG

Une scène dans laquelle King Kong éjecte quatre marins d'un pont, les faisant tomber dans un ravin où ils sont mangés vivants par des araignées géantes, a été partiellement coupée parce que, à l'avant-première, des personnes dans le public se sont évanouies ou sont sorties de la salle en courant, terrorisées.

Le personnage du metteur en scène Carl Denham a été inspiré par le véritable metteur en scène de King Kong, Merian C. Cooper. L'acteur Robert Armstrong, qui a joué Denham dans la version de 1933, et Cooper sont morts à 24 heures d'intervalle, les 20 et 21 avril 1973.

À l'origine, le film s'étendait sur 13 bobines, mais Cooper, superstitieux, a insisté pour tourner une scène supplémentaire afin que le film fasse finalement 14 bobines.

Lorsque King Kong a été vendu à la télévision en 1956, la chaîne WOR-TV de New York l'a diffusé deux fois par jour pendant une semaine.

Le rugissement de King Kong était la combinaison de ceux d'un lion et d'un tigre passée en marche arrière.

artiste primée

→ Laura Tyler, qui a travaillé comme artiste au service artistique de *Ripley's Believe It or Not!* à Orlando, en Floride, a gagné le premier prix de 100 000 dollars de la saison de l'émission de téléréalité *Face Off* de la chaîne SyFy, dans laquelle les concurrents rivalisaient pour le titre de meilleur maquilleur d'effets spéciaux.

Laura a réalisé des personnages pour les Odditoriums Ripley's dans le monde entier et, comme vous pouvez le voir ici, elle y montre toute l'ampleur de ses talents, appliquant habilement des prothèses et du maquillage pour créer des personnages pleins d'imagination tels que la Grande Faucheuse, un monstre au visage en lambeaux, couvert de sang et, enfin, une sorcière-cygne inspirée de la Renaissance italienne.

OREILLER AUTRUCHE

➡ L'« oreiller autruche » est un chapeau-coussin léger qui vous permet de faire une sieste n'importe quand, n'importe où... si vous ne vous souciez pas que les passants vous trouvent un air étrange. Conçu par Key Portilla-Kawamura et Ali Ganjavian, qui se sont rencontrés à l'université à Londres, ce chapeau est fait en jersey ultra-doux rembourré de microbilles de polystyrène de telle sorte que l'on puisse poser son visage sur n'importe quelle surface. Il y a même des trous de chaque côté afin que l'on puisse garder ses mains au chaud tout en dormant.

un guépard apprivoisé Dans les années 1930, la danseuse et chanteuse Joséphine Baker (1906-1975) promenait un guépard appelé Chiquita dans Paris avec une laisse incrustée de diamants.

pigeons licenciés La police de l'État indien de l'Odisha employait une flotte de 1 400 pigeons voyageurs pour livrer des messages jusqu'en 2005, jusqu'à ce que les courriels et les téléphones portables les rendent inutiles.

chanson chanceuse En 2010, Louie Sulcer, 71 ans, de Woodstock, en Géorgie, a reçu un coup de fil de Steve Jobs, le fondateur d'Apple, et un cadeau de 10 000 $ après avoir acheté la dix milliardième chanson sur iTunes.

grand travailleur En une année (1932), l'auteur américain Walter Gibson, dont le nom de plume était Maxwell Grant, a écrit 28 livres d'un total de 1 680 000 mots.

talk-show Le présentateur télé népalais Rabi Lamichhane a présenté une émission pendant 62 heures d'affilée en avril 2013, parlant si longtemps qu'il commençait à avoir la barbe vers la fin de son troisième jour.

violoniste aérienne Janice Martin, de Racine, dans le Wisconsin, est la seule violoniste aérienne du monde : elle joue acrobatiquement de son instrument, suspendue dans l'air la tête à l'envers.

mariage twitter Lorsque Cenghizan Celik a épousé Candan Canik en Turquie, ils ont échangé leurs vœux via Twitter. Mustafa Kara, le maire du district d'Uskudar à Istanbul, a célébré la cérémonie en envoyant des tweets au couple, leur demandant de répondre sur leurs iPad.

bon vieux temps En septembre 2013, Fred Stobaugh, un routier retraité de Peoria, dans l'Illinois, a eu un tube dans le Billboard Hot 100 – à l'âge de 96 ans. « *Oh Sweet Lorraine* », un poème mis en musique sur sa défunte épouse avec qui il avait été marié durant 72 ans, est entré en 42e position dans le hit-parade, devant des chansons de Bruno Mars et Avril Lavigne. L'arrière-arrière-grand-père a également atteint la 5e place dans le hit-parade iTunes américain.

MODE CRAPAUD ➡ Inspiré par le conte de fées dans lequel un crapaud est transformé en prince charmant, Monika Jarosz, une styliste polonaise installée à Paris, a transformé la peau de milliers de crapauds géants en accessoires de mode haut de gamme. Ces crapauds venimeux sont des animaux très nuisibles en Australie ; aussi, avec l'aide d'un taxidermiste, Monika recycle leurs peaux teintes en ceintures, sacs et porte-monnaie, pour un prix pouvant atteindre 1 600 $. La peau de crapaud traverse 14 étapes avant de devenir du cuir de grande qualité. Puis les yeux sont remplacés par des pierres semi-précieuses.

MODE POUBELLE →

Ripley's a organisé un « Défilé poubelle » en mars 2012 avec des participants créant des robes pleines d'imagination à partir de déchets tels que des magazines, des capsules de bouteilles, des sacs de supermarché, des gobelets en carton, des emballages de petits gâteaux et même un vieux rideau de douche. Les trois modèles gagnants ont été acquis pour être exposés au Ripley's Odditorlums de St. Augustine, en Floride.

Masha Sardari dans une robe habillée, longueur sous les genoux, réalisée à partir de pinceaux et de sacs de papier.

Analise Barnard et Amani Grant ont conçu cette robe et ce bandeau entièrement faits de filtres à café.

Kennedy Trugter portait un haut sans manches décoré de fleurs et de volants en papier journal, et une jupe à trois volants superposés en papier.

ballet d'ouvriers Lors de la Biennale industrielle de l'art contemporain de l'Oural, un théâtre russe a joué un ballet expérimental en un acte dans une usine de voitures, impliquant les ouvriers de l'usine dans leurs tenues de travail ainsi que des danseurs professionnels.

conférence au sommet En mai 2013, l'explorateur britannique Daniel Hughes a passé le premier appel vidéo au monde avec un smartphone depuis le sommet de l'Everest – c'est-à-dire d'une altitude de 8 848 mètres au-dessus de la mer.

slips couvre-chef Pour un livre signé par Dav Pilkey, l'auteur des *Aventures de Superslip*, à Napierville, dans l'Illinois, 270 personnes – adultes et enfants – ont porté leurs sous-vêtements sur leur tête.

sauts d'automne Trois amis de Logan, dans l'Utah, ont ramassé 1 462 sacs-poubelles de feuilles d'arbres pour en faire un tas de 5,2 mètres de haut et 18 mètres de circonférence. Ils se sont ensuite filmés sautant sur le tas du haut d'un toit et ont posté la vidéo sur YouTube.

étiquette de créateur Jason Hemperly, de Dennison, dans l'Ohio, a créé son costume pour le bal de fin de lycée à partir d'étiquettes de 120 bouteilles de soda Mountain Dew.

épouvantail humain Tout juste diplômé en musique, Jamie Fox, 22 ans, a décroché un boulot d'épouvantail humain, payé 250 £ par semaine, dans une ferme du Norfolk, en Angleterre, et a joué du ukulélé, de l'accordéon et de la cloche à vache pour effrayer les perdrix.

truc lumineux Une équipe de scientifiques du Massachusetts Institute of Technology ont créé un appareil photo qui peut prendre des photos dans les coins, grâce à la lumière réfléchie.

L'HOMME QUI S'EST PHOTOGRAPHIÉ TOUS LES JOURS PENDANT 12 ANS

→ Le photographe Noah Kalina, de Brooklyn, à New York, a pris un selfy chaque jour pendant 12 ans – réalisant un total de 4 514 photos. Il les a ensuite rassemblées dans une vidéo en prises de vues accélérées, qui a rapidement connu un grand succès, et dans laquelle on le voit vieillir de 19 à 31 ans en tout juste sept minutes. Qui plus est, Noah a l'intention de continuer de se photographier indéfiniment.

DÉBUT (Photo 1)

FIN (Photo 4,514)

Quelques-uns des 4 514 selfies de Noah issus de sa vidéo en accéléré sur YouTube.

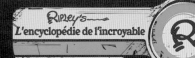

TAPIS EN PEAU HUMAINE

→ L'artiste new-yorkaise Chrissy Conant s'est transformée en tapis en peau humaine. Elle a réalisé un moulage d'elle-même en silicone, à taille humaine et couleur chair, qu'elle a appelé le Tapis en peau de Chrissy et qui ressemble à un tapis en peau d'ours – mais c'est elle l'animal.

Pour réaliser cette œuvre controversée, qui a été exposée dans des galeries d'art et des musées, Chrissy a dû se raser le corps, se couvrir de vaseline et se tenir parfaitement immobile pendant plusieurs heures tandis qu'on l'enveloppait d'une matière de moulage gélatineuse.

jeune programmeuse Zora Ball, de Philadelphie, en Pennsylvanie, a créé son propre jeu vidéo sur téléphone portable – avec des ballerines, des joyaux et des vampires – à l'âge de 7 ans. Elle a utilisé le système de programmation Bootstrap, qui est habituellement enseigné à des élèves de deux fois son âge.

mouton idole L'émission de télévision la plus populaire au Sénégal est une émission de téléréalité du genre *American Idol* où l'on cherche le plus beau mouton du pays. *Khar Bii*, ou « Ce mouton », existe depuis 4 saisons, est diffusé plusieurs fois par semaine et rassemble près de 17 000 likes sur sa page Facebook.

vidéo à l'envers L'Israélien Messe Kopp s'est filmé marchant à reculons tout en interagissant avec des passants dans les rues de Jérusalem – et a ensuite passé le film en sens inverse de telle sorte qu'il apparaisse avançant dans la bonne direction tandis que tout le reste, y compris des choses comme de l'eau versée dans un seau, est à l'envers.

style psy En avril 2013, le single « Gentleman » du chanteur sud-coréen Psy a enregistré le record incroyable de 38 millions de vues en 24 heures lorsque la vidéo a été postée sur YouTube.

lettre à 5 millions de dollars Une lettre écrite en 1953 par le scientifique Francis Crick à Michael, son fils de 12 ans, à propos de la découverte de l'ADN s'est vendue dans une vente aux enchères de New York 5,3 millions de dollars en 2013.

hobbit d'école En 2012, 70 élèves âgés de 8 à 13 ans de Tower House School, à Londres, ont joué dans leur propre version de 90 minutes du Hobbit, mis en scène par le professeur de théâtre de leur école.

première année Utilisant plus de 1 200 clips d'une seconde filmés sur son iPhone, Sam Cornwell, un fier père de Portsmouth, en Angleterre, a produit un film de sept minutes captant des instants de chaque journée de la première année de vie de son fils Indigo.

fan de photo Kong Kenk, d'Hô-Chi-Minh-Ville, au Vietnam, a mis plus de 115 000 photos sur sa page Facebook.

héros atomique Des scientifiques d'IBM ont réalisé un film en stop-motion microscopique, *Un garçon et son atome*, qui est tellement petit qu'il doit être agrandi 100 millions de fois pour être vu. Ils ont utilisé un microscope à effet tunnel pour créer une animation d'un jeune héros composé de seulement quelques atomes.

TRANSPORT

DE JUSTESSE

PASSAGE À VIDE

➜ Pamela Knox, une directrice d'école de 60 ans, roulait tranquillement dans une rue de Toledo, dans l'Ohio, lorsqu'un gouffre de 3 mètres s'est soudain ouvert sous les roues de sa voiture et l'a avalée ! Elle a eu encore plus peur quand de l'eau s'échappant d'une canalisation a commencé à inonder l'habitacle... Mais les pompiers sont venus la tirer de là avec une échelle.

MER DE GRAVATS

➜ Les démolisseurs n'ont rien épargné de ce parking de Taiyuan, en Chine... sauf un véhicule solitaire au milieu d'une mer de gravats. Cela faisait 10 jours qu'ils patientaient ! Lassés d'attendre que son propriétaire vienne le reprendre, ils ont décidé d'entamer les travaux.

HORS DE CONTRÔLE

➜ Un homme de 70 ans a perdu le contrôle de sa Toyota Camry sur un parking de San Diego, en Californie, et s'est encastré dans un mur de l'hôpital pour enfants Rady, se retrouvant suspendu au-dessus d'un escalier extérieur. Il a fallu 40 minutes aux secours pour l'extraire de son véhicule, par la porte passager.

STATION D'ALTITUDE

➡ À Kiev, en Ukraine, les passants ont cru halluciner en apercevant une Toyota Yaris garée sur le balcon d'un appartement, au 3ᵉ étage, à 18 mètres du sol. Comment et pourquoi est-elle arrivée là ? Ça reste encore un mystère...

GARDE-FOU

➡ Perchée à 15 mètres du sol sur le rebord d'un parking de Changsha, en Chine, cette Chevrolet Epica a été abandonnée là par le conducteur, un peu trop pressé, et sa femme, qui ont défoncé le garde-fou. Ils s'en sont sortis indemnes.

DANGER : RADIN

➡ Deux voitures ont traversé Zhengzhou, en Chine, en équilibre instable sur un camion surchargé, sans même un câble pour les maintenir. Tout ça parce que, voulant payer moins de taxes, le transporteur a trouvé malin d'empiler sur un seul poids lourd le maximum de véhicules à livrer...

IL PREND LE TRAIN DANS SA CAVE

■ Jason Shron a construit une réplique grandeur nature d'une voiture de la compagnie Rail Canada (modèle 1980) au sous-sol de sa maison de Vaughan, Ontario. Réaliser ce rêve lui a pris plus de 2 500 heures. Tout est exact jusque dans les moindres détails : numéros de sièges, tablettes, patères, etc. Même la moquette est d'époque. Et il a collé une photo géante au fond de la voiture pour recréer l'illusion d'un train entier.

TU AS CONSTRUIT QUOI ?

Kent Imhoff a consacré 17 ans à construire une **réplique Lamborghini** dans sa cave à Eagle, dans le Wisconsin. Il a dû louer une excavatrice pour l'en sortir, en cassant le mur.

Chris Weir, fan de Batman, a construit sa **Batcave** au sous-sol de sa maison de Middletown, dans le Delaware. Comme dans la série des années 1960, on y accède depuis la bibliothèque, par une porte dérobée qui s'ouvre grâce à un bouton caché derrière un buste de Shakespeare.

À Ängelholm, en Suède, un homme a été arrêté en 2011 pour avoir tenté de fabriquer un **réacteur nucléaire** dans sa cuisine.

Il a fallu dix ans à Larry Metz pour réaliser une **maquette du Los Angeles des années 1950** occupant 13 m² dans la cave de sa maison à Cœur d'Alène, dans l'Idaho.

Au sous-sol de sa maison de Nottingham, en Angleterre, Jack Heathcote a construit un **aquarium géant** de 2,1 m x 4 m x 4 m, qui contient 20 430 litres d'eau. Il abrite des raies et des tortues marines.

Dan Reeves a passé neuf ans à réaliser **un avion biplace** dans la cave de sa maison individuelle à Lower Allen Township, en Pennsylvanie.

---

bruno n° 1 En juillet 2013, le Français Bruno Sroka est devenu le premier kiteboarder à effectuer un France-Irlande (463 km) sur sa planche, ce qui lui a pris 16 heures et 37 minutes.

coupe longue Phil Voice, ancien paysagiste anglais, a parcouru 2 000 km sur une tondeuse à gazon, de Bergerac, en France, à John O'Groats, en Écosse. Il a mis 14 jours, à la vitesse moyenne de 12 km/h.

« grand bêta » Richie Trimble, cycliste cascadeur, domine le trafic quand il roule dans les rues de Los Angeles sur son vélo de 4,4 mètres de haut (la chaîne mesure 10 mètres !), baptisé « *Stoopid Tall* ». Il doit monter sur un mur et se faire aider par 2 copains pour grimper sur la selle de ce vélo qu'il a fabriqué lui-même, en 12 heures.

justin sous-marin Justin Beckerman, 18 ans, de Mendham, dans le New Jersey, s'est fabriqué un sous-marin monoplace à partir de matériaux de récupération, et il ne lui a coûté que 2 000 $, un centième du prix habituel. Le fuselage a été réalisé à partir de tuyaux de drainage, la trappe, du couvercle d'un puits de lumière. Les haut-parleurs d'un autoradio ont fourni la sonorisation, et une fontaine à soda, les jauges de pression. L'engin est propulsé par un moteur de bateau de pêche. Enfin, Justin n'a oublié ni le ballast pour le maintenir en plongée et assurer son équilibre, ni le système d'adduction d'oxygène. Son sous-marin pourrait rester 2 heures en plongée, à 9 mètres sous la surface...

CÉTACÉ FORT !

➜ Moitié vedette rapide, moitié sous-marin, le *Seabreacher Y* d'Innespace non seulement ressemble à une orque mais peut bondir hors de l'eau comme le grand cétacé. Avec son moteur de 260 CV, ce hors-bord biplace hi-tech est capable de se projeter en l'air à 5 mètres au-dessus des flots. Il atteint la vitesse de 88 km/h en surface et jusqu'à 32 km/h sous l'eau.

Cocci boulle

→ Ichwan Noor, sculpteur à Jakarta, en Indonésie, a compacté une « Coccinelle » Volkswagen 1953 en une sphère parfaite pour une exposition d'art à Hong Kong, en 2013.

Il a en fait utilisé des pièces provenant de cinq voitures, combinées à du polyester et de l'aluminium, pour créer cette boule haute de près de 2 mètres.

petit suisse costaud Près d'Oberengadin, en Suisse, Markus Koller, 4 ans, a été retiré indemne des débris d'une voiture qui non seulement a percuté un cerf mais est ensuite allée se faire démolir par un train. Le premier impact a jeté la voiture sur les rails, face à un convoi arrivant en sens inverse. La mère de Markus essayait de le sortir de la voiture lorsque la locomotive l'a percutée... Elle a valdingué, le train a déraillé, mais Markus, lui, n'a pas été blessé !

pub à roulettes Colin Flitter, du Hampshire, en Angleterre, a transformé en pub un ancien bus à impériale londonien. Il a payé ce superbe Routemaster rouge à étage 27 000 $ et en a dépensé 21 000 de plus pour les pompes à bière et le comptoir.

voiture du futur Mike Vetter, un carrossier de Micco, en Floride, a transformé une Chevrolet ordinaire en un véhicule surpuissant de 270 CV valant 100 000 $. Il lui a fallu six mois pour bricoler cette voiture extraterrestre, avec suspensions avant et arrière réglables, pare-brise de 1,5 mètre, portes papillons télécommandées, feux plasma, système de commandes sans fil, ainsi que trois caméras embarquées et leurs moniteurs de contrôle, pour faciliter les créneaux.

bonne ouïe Les sous-marins nucléaires britanniques de la classe « Astute » sont capables de détecter un navire quittant son port à plus de 4 800 km de distance.

police volante Le sergent Jeff Bloch patrouille dans les rues de Kershaw, en Caroline du Sud, à bord d'un avion transformé en voiture de police. Il a fabriqué son *Spirit of LeMans* (8,2 mètres de long) en combinant un vieux Cessna 310 de 1956 avec une camionnette Toyota, complétant ensuite le véhicule, qui peut atteindre les 144 km/h, en lui ajoutant phares, feux de freinage et clignotants réglementaires.

sprint sur glace En février 2013, une Bentley Continental a atteint la vitesse ultra-rapide de 330 km/h sur un tronçon gelé de la mer Baltique, au large des côtes finlandaises.

sport de glisse Matthew Riese, de San Francisco, a passé plus de quatre ans à construire un aéroglisseur aquatique à partir d'une coque de voiture de sport, une DeLorean de 1981. Son corps est fait de mousse de polystyrène enrobée de fibre de verre ; à l'avant, un moteur de tondeuse à gazon de 6 CV actionne un ventilateur de 60 cm qui fournit la portance sur l'eau. Cet engin « fait main » peut atteindre la vitesse de 32 km/h.

radeau blindé Une embarcation de sauvetage a été balancée d'une hauteur de 67 mètres près d'Arendal, en Norvège, et s'est posée à plat sans couler. Ce bateau de 15 mètres a été largué à titre de test par une grue, lesté de lourds sacs de sable attachés aux sièges. D'une capacité de 70 places, il est conçu pour résister à un violent amerrissage car il est destiné à être utilisé sur de hauts porte-conteneurs ou des plates-formes de forage.

VÉLO-FUSÉE ➜ En mai 2013, François Gissy a atteint les 263 km/h sur une piste désaffectée du Nord de la France... à vélo. Au cadre de son engin – qu'il a fabriqué lui-même à partir d'un *mountain bike* – était fixée, en guise de propulseur, une fusée au peroxyde d'hydrogène. Chauffant à près de 350 °C, ce type de feu d'artifice expulse du gaz à 1 000 mètres par seconde, ce qui assure une puissante poussée.

M'AS-TU VU ?

➜ Lorsqu'ils se promènent sur leurs scooters, chez eux à Wassenaar, aux Pays-Bas, cette mère et son fils ne prennent aucun risque : ils portent tous les deux une tenue hautement visible et ont chacun équipé leur engin d'une gamme de cloches, sirènes, klaxons et autres autocollants fluorescents. Ils forment une paire bien connue dans le voisinage... Dur de ne pas les remarquer !

zapparaissent partout ! Depuis plus de dix ans, Herman et Candelaria Zapp parcourent le monde dans une voiture vieille de 85 ans – et ils en sont à 44 pays visités. Partis en 2000 d'Argentine à bord de leur Graham Paige 1920, ils ont roulé environ 320 000 km, dormant chez plus de 2 000 personnes. Et en chemin ils ont trouvé le temps d'avoir quatre enfants, nés dans des pays différents : États-Unis, Argentine, Canada, Australie. Tout au long de leur tournée mondiale, les Zapp n'ont jamais voyagé à plus de 64 km/h, le maximum que peut atteindre leur vieille guimbarde.

enfermé dehors Au cours d'un vol Delhi-Bangalore, un avion d'Air India a été forcé d'atterrir à l'aéroport de Bhopal, le pilote s'étant retrouvé enfermé à l'extérieur de la cabine de pilotage d'où il était sorti pour une pause-pipi. La serrure était coincée : impossible de reprendre son poste ! C'est le copilote qui a dû prendre le contrôle de l'appareil et dérouter le vol.

tour de l'est Glen Burmeister, du Leicestershire, en Angleterre, a pédalé à travers 11 pays – République tchèque, Autriche, Slovaquie, Hongrie, Slovénie, Croatie, Roumanie, Serbie, Bosnie-Herzégovine, Monténégro et Albanie – en seulement 7 jours.

trafic de zèbres À La Paz, en Bolivie, dans le cadre d'une opération de sécurité routière, des bénévoles vêtus de déguisements à larges bandes sont apparus en ville. Surveillant les passages pour piétons, ils se sont mis à sauter devant le capot des voitures et des bus récalcitrants pour les obliger à stopper.

machine infernale Steve « Doc » Hopkins, de Bonduel, dans le Wisconsin, a fabriqué une moto de 7,6 mètres de long qui peut transporter 10 personnes. Baptisé « Timeline » (« La Frise du temps »), cette incroyable bécane est propulsée par 7 moteurs Harley-Davidson qui datent de 1909 à nos jours. Avec ses 1 362 kg et ses 12 mètres de chaîne, elle repose sur quatre roues – deux de moto à l'avant et deux d'avion à l'arrière – pour plus de stabilité. Et, aussi étonnant que cela puisse paraître, cette machine a effectué sans encombre un périple de 1 450 km entre le Wisconsin et le Dakota du Sud.

bicyclette volante Deux designers britanniques, Yannick Lire et John Foden, ont créé une bicyclette volante qui peut voler à 40 km/h pendant 3 heures et atteindre l'altitude de 4 000 pieds (1 200 mètres). Leur XploreAir Paravelo se compose d'un vélo pliant et de sa remorque, avec ventilateur géant, carburant et aile souple escamotable. Assez léger pour être utilisé entre la maison et le bureau, l'engin est capable de décoller depuis n'importe quel espace ouvert.

Pâte à roues

➔ À l'occasion du lancement au Royaume-Uni de la Chevrolet Orlando, 8 modélistes ont passé deux semaines à en créer une réplique grandeur nature, tout en pâte à modeler Play-Doh.

Il leur a fallu 1,6 tonne de pâte bleue (10 000 pots environ) pour produire cette étonnante réplique de 4,6 mètres, exposée dans une rue de Londres.

DANSEZ POUSSIÈRES ! ➔ Cet homme a tenté une solution originale pour nettoyer les rues de Mohe, en Chine : il a fixé à son tracteur un ingénieux système de 12 balais rotatifs. Mais les riverains se sont plaints que, loin d'aider à enlever la saleté, ça produisait un véritable nuage de poussière, et que c'était pire qu'avant !

sauce carambole Le 28 février 2013, à Reno, dans le Nevada, un camion transportant des milliers de bouteilles de ketchup s'est renversé sur l'autoroute 80, transformant la chaussée en scène de carnage au faux sang. Heureusement, personne n'a été blessé.

bébé « je gère » Dans le Michigan, pendant que ses parents dormaient, un garçon de 6 ans a pris leur Ford Taurus break pour effectuer une petite balade de près de 5 km avant d'être arrêté. Quand l'agent lui a demandé ce qu'il fabriquait, le garçon a répondu qu'il allait au garage faire réparer la voiture (il avait accroché un panneau de signalisation près de chez lui) et qu'en passant il s'arrêterait au restau chinois.

témoin desséché Un chasseur Kittyhawk P-40 monoplace de la Royal Air Force qui s'était posé en catastrophe dans le désert du Sahara occidental en 1942 a été retrouvé presque intact soixante-dix ans plus tard. Située loin, très loin de la ville la plus proche (32 km), son épave est restée longtemps inaperçue... Quant au pilote, s'il a pu survivre à son atterrissage forcé, il est sans doute mort de soif.

comme un dragon Les passagers d'un vol reliant Cairns, en Australie, à la Papouasie-Nouvelle-Guinée ont eu la surprise de découvrir par les hublots un python de 3 mètres accroché à l'aile de l'avion. Ce python améthyste, qui a probablement rampé jusque-là sur la piste d'envol, a été retrouvé mort à l'atterrissage.

avionnet D'une envergure de 1,7 mètre seulement, il pouvait tout de même emporter un pilote... Né en 1988, le Bumble Bee II de Robert H. Starr, un habitant de l'Arizona, fut alors le plus petit avion au monde.

auto-destruction Kurt Schmidt, un concessionnaire chargé de livrer une Lamborghini de 150 000 $ à Böblingen, en Allemagne, s'est débrouillé pour la transformer en épave irrécupérable... Alors qu'il roulait à 40 km/h, sa main a glissé et il a accidentellement changé de vitesse, percutant l'arrière d'un camion.

lard mécanique Pour la Journée internationale du Bacon, le 31 août 2013, Ford a offert à ses clients de commander leur nouvelle Ford Fiesta en version spéciale... entièrement enveloppée, ou presque, d'autocollants façon «poitrine fumée» ! Ces bardes de lard (ou plutôt de vinyle, en réalité) sont venues orner quatre modèles différents... Vroum vroum ? Miam miam !

nouvel envol Des Géorgiens ont transformé un Yakovlev 42 désaffecté en jardin d'enfants... C'est un directeur d'école, Gari Chapidze, qui a eu l'idée de racheter ce vieil avion à l'aéroport de Tbilissi pour le reconvertir.

air bureau Zeng Daxia, de Zhuzhou, en Chine, en avait assez de passer 3 heures par jour dans les embouteillages. Il a donc décidé d'apprendre à faire du parapente ! Survolant les embouteillages à bord de son petit paramoteur, Zeng peut maintenant rejoindre très vite son bureau... L'idée a inspiré plusieurs autres banlieusards, qui l'ont copié. D'après les contrôleurs aériens, ça reste légal tant qu'ils ne dépassent pas l'altitude de 3 300 pieds (1 000 mètres).

hyperactif ! Pour célébrer son 90e anniversaire, John Lawton, de Westfield Canton, dans l'Ohio, a franchi 90 fois la frontière américano-canadienne en l'espace de 48 heures à bord d'un petit avion, un Cessna 172.

il chauffe longtemps... Le Néozélandais Bob Edwards, qui roulait encore 80 km par semaine en 2013 à l'âge de 105 ans, fut le plus vieil automobiliste au monde. Il conduisait depuis quatre-vingt-huit ans, ayant même appris dans un vieux tacot français qui ne disposait, à l'époque, que d'un levier en guise de volant ! Et il n'a jamais eu un accident de toute sa vie. Il n'a récolté qu'un seul malheureux PV, pour excès de vitesse.

... et lui chauffe vite ! James Anthony Tan, de Kajang, en Malaisie, a effectué un tour du monde en avion à bord de son monomoteur en 48 jours... à 21 ans.

dhaka faire attention Grimace pour deux vacanciers américains, ils ont atterri sur le mauvais continent car la compagnie aérienne a mélangé les codes d'aéroport. Sandy Valdivieso et son mari Triet Vo espéraient voler grâce à Turkish Airlines de Los Angeles à Dakar. Raté : à la suite d'une erreur lors d'un changement d'avion à Istanbul, les voilà à Dhaka, au Bangladesh, à plus de 10 000 km de leur destination initiale !

modeste caravane... Le prix d'un mobile-home de luxe plaqué or qui a été proposé à la vente à Dubaï ? 3 millions de dollars ! Avantages de cet eleMMent Palazzo de 12 mètres de long : immense chambre de maître, télé 40 pouces, spa, chauffage par le sol, bar à cocktails, luminaires de marbre, et même un toit-terrasse... Ce van dernier cri peut atteindre les 160 km/h et comprend même un système autonettoyant – bien utile après une journée de conduite dans le désert.

machine à collectionner John Manners conserve 350 vieilles moissonneuses-batteuses dans sa ferme du Northumberland, en Angleterre – une collection qui occupe tant de place au sol qu'on peut la voir de l'espace.

kitt ou double Chris Palmer, de Détroit, dans le Michigan, a construit dans son garage une réplique entièrement fonctionnelle de KITT, la voiture-ordinateur de la série *K 2000*. Il lui a fallu trois ans et demi pour l'assembler, à partir de 5 Pontiac Trans Ams et en utilisant des pièces achetées sur eBay.

EN KIT !

UNE ASTON MARTIN GRANDEUR NATURE

➜ En hommage à l'Aston Martin DBR1 qui remporta en 1959 les 24 Heures du Mans auto, la Evanta Motor Company a produit une réplique grandeur nature de cette célèbre voiture de sport sous la forme d'un kit de construction Airfix. D'une valeur de 38 000 $, mesurant 6,35 mètres de long sur 3,40 mètres de haut, ce kit se composait de la coque, des phares, du tableau de bord, des 4 roues de 40 cm à rayons avec leurs pneus de course, des sièges et du volant. On y trouvait aussi une réplique du trophée et un capuchon d'Aston Martin signé par les deux pilotes victorieux de 1959, le Britannique Roy Salvadori et l'Américaine Carroll Shelby.

THE BONEYARD

➜ Le Boneyard est un immense « cimetière » d'avions situé en Arizona, qui abrite plus de 4 400 appareils hors service, stockés sur une zone de 2 600 hectares de désert incluse dans le périmètre de la base Davis-Monthan. L'US Air Force s'en sert comme réservoir de pièces de rechange pour ses modèles actuels.

Le « 309ᵉ Groupe de Maintenance et de Régénération Aéronautiques » (son nom officiel) a été créé après la Seconde Guerre mondiale pour stocker des bombardiers et des avions de transport. Il possède aujourd'hui 7 000 moteurs d'avion, et même une sonde de la Nasa. L'environnement désertique, très sec, est idéal pour conserver les pièces, et le sol naturellement plat et dur permet de déplacer facilement les avions.

La vision spectaculaire qu'offre ce « cimetière » lui a valu de figurer dans plusieurs films hollywoodiens, et certains de ses appareils ont été utilisés lors du tournage de Top Gun. Beaucoup d'avions dorment cependant ici pour toujours... Même si en 2013, ce sont plusieurs avions-cargos militaires tout neufs qui ont été expédiés là, pour cause d'économies budgétaires. En attendant de les ressusciter un jour.

DINDE AU POT

→ Tim Burton, de Londres, a trouvé une façon originale de cuire sa dinde de Noël : il l'a fait rôtir sous les flammes brûlantes sortant du pot d'échappement d'une luxueuse Lamborghini. Tenant la dinde au bout d'une pique, il s'est placé derrière cette voiture au moteur de 700 LV que le propriétaire a fait monter à 9 000 tours/minute. En 10 minutes, la dinde a été cuite à la perfection. Pour le goût, par contre...

auto-imprimée Ayant toujours voulu avoir une Aston Martin DB4 modèle 1961, voiture de sport de légende, Ivan Sentch, d'Auckland, en Nouvelle-Zélande, a décidé d'en imprimer une dans son garage. Il a utilisé une imprimante 3-D pour fabriquer les composants de base, puis les a assemblés afin de créer le « moule » de l'engin.

chambres avec hublots Les clients de l'hôtel Costa Verde, au Costa Rica, peuvent choisir de loger dans un Boeing 727 millésime 1965 récupéré à l'aéroport de San Jose. Cet ancien avion de ligne, désormais perché sur un piédestal de 15 mètres, a été transformé en suites de luxe.

margaret n'arrête pas Margaret Dunning, de Plymouth, dans le Michigan, conduit une Packard Roadster modèle 1930 depuis 1949. Elle a appris à conduire chez ses parents, à la ferme, alors qu'elle avait 8 ans. Elle en a aujourd'hui 103.

essexptionnel En 2013, un quinquagénaire de l'Essex, en Angleterre, Charlie Pitcher, a traversé l'océan Atlantique à la rame, reliant les îles Canaries à La Barbade (4 320 km) en seulement 35 jours.

on le refait ? Des bénévoles du San Diego Air and Space Museum (Californie) se sont relayés pendant 12 ans pour construire à partir de zéro la réplique d'un Boeing P-26 de 1932.

l'avventura Un Italien de Montebelluna de 13 ans a emprunté la Mercedes de son père pour une balade de plus de 960 km, jusqu'à son arrestation par la police dans le Nord de l'Allemagne.

foi aveugle Chaque jour de semaine, Chris Smith, de Dedham, dans le Massachusetts, prend son vélo pour aller au travail, soit 38 km aller-retour – alors même qu'il a été reconnu aveugle.

cafémobile Martin Bacon, du comté de Durham, en Angleterre, a créé une voiture qui roule au café et peut dépasser les 100 km/h. Au démarrage, au lieu de tourner une clé de contact, il enfourne une dose de granulés de résidus de café – un sous-produit de la torréfaction – dans une sorte de poêle à charbon greffé sur son pick-up Ford de façon à produire l'hydrogène alimentant le moteur.

caisse à savons Austin Coulson, de Phoenix, dans l'Arizona, a fabriqué une voiture parfaitement fonctionnelle ne mesurant que 63,5 cm de haut sur 65 de large et 126 de long. Elle dispose de tous les accessoires : pare-brise, phares, feux arrière, clignotants, rétroviseurs, ceinture de sécurité, klaxon.

écolo-logique Sa carrosserie ayant été mal repeinte, le propriétaire d'une Mitsubishi Magna a préféré la faire entièrement recouvrir de fausse pelouse, créant ainsi la voiture « écolo » ultime !

amendes amères À Chicago, une Chevy Monte Carlo 1999 abandonnée s'est vu infliger un total de plus de 100 000 $ d'amendes entre 2009 et 2012. Et pourtant, elle ne vaut sans doute pas plus de 600 $.

motoshopping Cal VanSant, de Lancaster, en Pennsylvanie, a dépensé 15 000 $ pour fabriquer un chariot de supermarché à moteur capable de rouler à 208 km/h. L'engin, baptisé Shopper Chopper, est propulsé par un moteur V8 Chevrolet 5,8 litres et peut accueillir 6 personnes.

VELOUTÉ SPORT → Du velours, cette Porsche Panamera : elle en a été recouverte par Raccoon, une société britannique spécialiste de ce genre de « customisation ». L'opération, d'un coût de 3 750 $, nécessite des adhésifs spéciaux et des fibres résistant aux intempéries. Ce qui n'empêche pas la couleur : certaines bandes sont orange, rose fuchsia... Leur durée de vie est de trois ans, et tout cela peut être enlevé pour rendre à la voiture son aspect initial. Enfin, le véhicule reste lavable, à la main ou au jet, mais ne doit pas passer à la station de lavage.

bling-bling Ali Hassan Gharib, de Dubaï, a fait recouvrir son Range Rover de pièces dont la valeur cumulée est de 16 000 $. Ces 57 412 dirhams, c'est une demi-tonne de monnaie mise de côté ! Un artiste a passé des semaines à polir chacune des pièces puis à les coller sur la carrosserie.

facteur individuel En 2012, Graham Eccles, des Cornouailles, en Angleterre, a lancé son propre service postal. Il utilise un antique grand-bi, bicyclette dont l'une des roues est surdimensionnée.

débouchonnage À Wuhan et Jinan, en Chine, les automobilistes coincés dans les bouchons peuvent faire appel à un remplaçant. Une moto vient les chercher pour les amener à destination, tandis que son passager prend place au volant de leur voiture.

prévoir cirage ! Un riche automobiliste de Moscou a fait entièrement recouvrir de cuir de bison canadien la carrosserie de sa voiture. À l'intérieur, le tableau de bord et les sièges sont également recouverts de cuir, ainsi que de fourrure. Le moteur lui-même est garni de cuir traité pour résister aux hautes températures. Enfin, le moteur comme le coffre sont incrustés de cristaux Swarovski. Valeur totale : 1 215 000 $.

moto d'or Le designer turc Tarhan Telli a construit une moto qui vaut au moins 1 million de dollars. Il lui a fallu plus d'un an pour fabriquer cette moto unique, pesant un tiers de tonne et qui dispose d'un châssis et d'une carrosserie plaqués à la feuille d'or blanc et d'or jaune.

jeune monocycliste Cameron Peacock, 14 ans, fait 5,6 km tous les jours pour aller à l'école à Stockton, en Angleterre... en monocycle. Il possède huit modèles de ces vélos à une seule roue. Il en fait depuis l'âge de 11 ans.

Il faut le fer !

➔ Ce sont trois artisans ferronniers croates qui ont créé cette splendide Coccinelle. En 4 mois de travail, ils ont ôté la tôle d'origine et l'ont remplacée par des grilles de fer forgé conçues pour s'adapter parfaitement à la forme de la Volkswagen. Comme touche finale, ils se sont servis de feuilles d'or 24 carats pour embellir encore cette voiture unique.

08

EXPLOITS

LE GRAND BLONDIN

➔ **Charles Blondin, né Jean-François Gravelet en France en 1824, est le plus grand funambule du XIXᵉ siècle.**

En 1859, plusieurs milliers de personnes se sont pressées au bord des gorges du Niagara, en aval des célèbres chutes, pour le voir effectuer la première traversée sur une corde raide de 396 mètres de long et 5 cm de diamètre. Blondin n'a jamais utilisé de harnais, ni même de filet ; il estimait qu'installer un dispositif de sécurité revenait à « tenter le sort ». En conséquence, les bookmakers empochaient beaucoup d'argent grâce à ceux qui pariaient contre le funambule, lequel ne se servait que d'un balancier de 8 mètres pour l'empêcher de tomber dans la rivière, une cinquantaine de mètres plus bas. Dès sa première traversée, Blondin a terrifié les spectateurs en s'arrêtant à mi-chemin pour hisser jusqu'à lui, depuis un bateau, une bouteille de vin dont il s'est désaltéré. Il a ensuite continué jusqu'à l'autre extrémité de la corde et fait demi-tour, revenant avec un gros daguerréotype (appareil photo de l'époque) pour prendre un cliché de la foule !

Lors de ses traversées suivantes, estimant que marcher sur la corde ne suffisait plus, Blondin a réalisé des exploits de plus en plus bizarres : faire le poirier, faire des culbutes, traverser à reculons, ou les yeux bandés, debout sur des échasses, lié par des chaînes…

Blondin est devenu une sensation, se produisant en Chine comme en Australie ou en Inde, pour finir par s'établir au Royaume-Uni. Il a totalisé 16 000 km de funambulisme au cours d'une carrière qui l'a vu traverser les chutes du Niagara pas moins de 300 fois. Il est mort à 72 ans, sans être jamais tombé.

Blondin lors de sa première traversée des gorges du Niagara sur une corde raide, en 1859.

—AT—
NIAGARA FALLS,

NEW AND DARING FEATS BY THE INTREPID

BLONDIN.

EXTRAORDINARY FEATS

OF

BALANCING.

—ON—

Wednesday, Aug. 1st, at 4 P. M.

L'imprésario de Blondin faisait paraître des avis dans les journaux pour ameuter les spectateurs et vanter au public les prouesses de son protégé. On payait jusqu'à 50 cents pour voir le risque-tout en action.

À plus d'une occasion, Blondin a fait rouler un poêle sur sa corde pour se préparer un petit plat au-dessus du vide. Lors de l'une de ses traversées du Niagara, il a descendu à l'aide d'un fil une portion de son plat aux spectateurs qui avaient pris place en dessous de lui, dans un bateau.

Ayant fait halte à mi-chemin, Blondin casse la croûte sur une table apportée par ses soins : il déguste une omelette accompagnée d'un verre de vin.

Blondin ne comptait que sur son sens de l'équilibre pour marcher sur la corde ; le voilà même avec un sac sur la tête, ce qui rendait la précision de chacun de ses gestes encore plus cruciale.

Non content de faire le parcours seul, Blondin montrait sa force et son agilité en emmenant une deuxième personne... sur son dos !

S'arrêter à mi-chemin pour faire le poirier : encore un autre coup de Blondin pour étonner son public...

Sur cette photo, c'est à Harry Colcord, son imprésario, que Blondin fait traverser les gorges du Niagara.

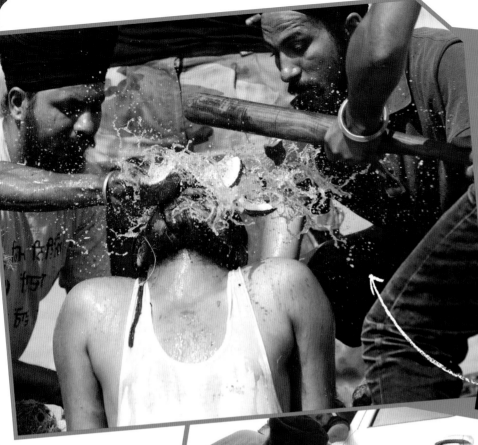

➜ Les membres d'un groupe de cascadeurs appelé « Bir Khalsa » (« Les Courageux au cœur pur ») réalisent des exploits de village en village dans la région du Pendjab, en Inde. Ils croquent des tubes au néon, jouent avec le feu, se battent avec des épées ou des massues à pointes, se laissent écraser par des voitures... Ils sont 450, depuis les jeunes enfants jusqu'aux hommes dans la trentaine, à pratiquer l'ancien art martial sikh du *ghatka*. D'après leur fondateur, Kamaljeet Singh Khalsa, les enfants se forment d'abord avec des épées de bois, mais dès qu'ils atteignent l'âge de 6 ans, ils s'initient au maniement des poignards rituels – sous la surveillance des adultes.

Cet homme casse une noix de coco placée sur le front d'un autre membre de Bir Khalsa à l'aide d'une batte de base-ball. 59 noix de coco ont récemment été brisées en 1 minute de cette façon.

nerfs d'acier L'alpiniste Jean-Michel Casanova a escaladé le Bailong Elevator (172 mètres), construit sur une falaise à Zhangjiajie, en Chine, sans le moindre harnais de sécurité, simplement chaussé d'une paire de baskets à semelle adhésive. Grimpeur depuis l'âge de 5 ans, Casanova a gravi l'énorme tour d'acier en 68 minutes 26 secondes.

Inderjeet Singh réalise une cascade à couper le souffle : couché sur du verre brisé, il se fait rouler dessus par une voiture.

serial marcheur Matt Livermanne, de Salt Lake City, dans l'Utah, dit « Le Marcheur », a parcouru 16 000 km à pied à travers les États-Unis – dont une formidable randonnée de 3 862 km sur l'ancienne Route 66, de Los Angeles à Chicago, en seulement 19 mois. Il a effectué plus de 20 millions de pas.

électrisant L'illusionniste David Blaine a passé 3 jours et 3 nuits debout, cerné par un courant électrique de 1 million de volts, juché sur un podium à 6 mètres au-dessus du sol, à New York. Il portait une cotte de mailles de 12,2 kg le protégeant du courant, émis par des bobines de Tesla. Le plus difficile ? Rester éveillé et éviter tout mouvement instinctif. Porter distraitement la main à son visage, par exemple, l'exposait à une décharge électrique équivalant à 20 Taser.

trek épique Masahito Yoshida, de Tottori, au Japon, a fait 40 000 km à pied autour du monde en quatre ans et demi. Parti de Shanghai début 2009 avec un chariot à deux roues portant 50 kg de bagages, il a traversé l'Asie, puis l'Europe jusqu'au Portugal. Il a ensuite pris l'avion pour la côte Est des États-Unis, avant de marcher d'Atlantic City à Vancouver. Après une randonnée à travers l'Australie, il a achevé son trek en marchant de la pointe sud de l'Asie au Japon.

drapeau humain 26 904 habitants de Vladivostok se sont rassemblés sur le pont Zolotoy, brandissant des bannières rouges, blanches ou bleues, pour créer une image vivante du drapeau russe.

boule géante Sur la station de ski de Vernon, en Colombie-Britannique, on a fait une boule de neige de 3,6 mètres de haut qui pesait 18 tonnes.

vachement drôle À l'occasion d'une fête parrainée par un restaurant de Fairfax, en Virginie, 470 personnes sont venues habillées comme des vaches : dans des déguisements noirs et blancs, de la tête... aux pattes !

papy muscle Mike Greenstein, de New York, était autrefois hercule dans un cirque. À l'âge de 92 ans, il est encore capable de tirer une voiture avec ses dents...

TROMPE-LA-MORT

Un jeune Ukrainien qui se fait appeler « Mustang Wanted » se tient ici suspendu par le bout des doigts d'une main à la corniche d'un gratte-ciel de Moscou, à des centaines de mètres du sol.

À 26 ans, il a abandonné son emploi de conseiller juridique dans un bureau pour devenir une sorte de funambule qui se tient en équilibre, sans aucun harnais de sécurité, à l'extrême bord de grands bâtiments ou de grues, dans des conditions où le moindre faux pas signifie la mort. Les exploits de ce Spiderman en chair et en os lui ont valu des milliers de fans sur les réseaux sociaux. Il est allé jusqu'à faire des pompes sur une poutre métallique à 90 mètres au-dessus du sol, mais dit n'avoir qu'une crainte : être arrêté par la police.

POIGNÉE DE VIN

➡ Philip Osenton, consultant en vins britannique installé en Chine, peut tenir d'une main 51 verres à vin. Il a appris à le faire alors qu'il était grand sommelier dans un hôtel de Londres.

l'année des mickey En 2012, Tonya Mickesh et Jeff Reitz, de Californie du Sud, sont allés à Disneyland tous les jours. Comme ils ont fait chacun 6,4 km à pied en moyenne par visite, cela représente, à eux deux, un parcours annuel de 4 830 km. Et ils ont publié plus de 2 000 photos de ce délire sur Instagram.

tête à surfer Doug McManaman, de l'État de Nouvelle-Écosse, au Canada, a tenu une planche de surf de 2,7 mètres de 9 kg en équilibre sur son menton pendant 51,47 secondes.

tout un sport Dougal Thorburn, de Dunedin (Nouvelle-Zélande), a couru 10 000 mètres en 32 minutes 26 secondes – tout en poussant une poussette où était assise sa fille Audrey, 2 ans et demi. C'est seulement 6 minutes de plus que le record du monde du 10 000 mètres sans poussette !

semaine chargée En mai 2012, Chhurim, alpiniste népalaise de 29 ans, a fait deux fois l'ascension de l'Everest en 1 semaine, devenant la première femme à gravir le toit du monde à deux reprises dans la même saison. Elle est d'abord montée le 12 mai, puis est revenue au camp de base pour quelques jours de repos avant de réattaquer le 19 mai.

mission domino En juillet 2013, une équipe de Sinners Domino Entertainment est allée renverser plus de 270 000 dominos en une seule pichenette dans une salle de sport à Büdingen (Allemagne).

par-dessus tête Jalyessa Walker, soldat américain, a effectué 49 backflips (saut périlleux arrière) consécutifs dans le stade de foot de l'université du Texas à El Paso, en novembre 2012.

ivresse de laliberté Alain Laliberté, de Toronto, possède une collection d'environ 160 000 étiquettes de vins du monde entier, stockée dans 120 boîtes à chaussures. La plus ancienne vient d'Allemagne et remonte à 1859. Sa fascination pour le vin ne s'arrête pas là : il goûte en moyenne 5 000 vins par an.

gonflé, le mec ! Matt Silver-Vallance est devenu la première personne à relier Robben Island à Cape Town (Afrique du Sud) en flottant dans les airs. Suspendu à 160 ballons gonflés à l'hélium, il lui a fallu une heure pour faire ces 5,9 km au-dessus de l'océan infesté de requins. Il portait des sacs remplis d'eau qu'il pouvait larguer pour remonter ; et, pour redescendre, un pistolet à air et une sorte de lance lui permettaient de crever des ballons.

NARAYAN TIMALSINA, DE PALPA, AU NÉPAL, EST CAPABLE DE TENIR 24 BALLES DE TENNIS DANS SA MAIN PENDANT 90 SECONDES.

multi-polaire Mike Comberiate, ingénieur de la NASA à la retraite adepte des voyages aux pôles, s'est amusé à verser de l'eau du pôle Nord sur le pôle Sud, et l'eau du pôle Sud sur le pôle Nord. Il a aussi fait 17 tours du monde. En souvenir de ses années de gymnaste dans une équipe universitaire au milieu des années 1960, il effectue un ATR (appui tendu renversé) sur chaque site remarquable qu'il visite.

MARCHEUR GIVRÉ

➡ Tony Phoenix-Morrison, de Tyneside, en Angleterre, a traversé la Grande-Bretagne depuis John O'Groats, en Écosse, jusqu'à l'extrémité des Cornouailles, avec un réfrigérateur de 40 kg sur le dos. Ces 1 609 km, il les a faits pour une bonne cause, et en seulement 40 jours.

bulles à craquer Le 28 janvier 2013, 336 élèves du lycée de Hawthorne, dans le New Jersey, ont fait craquer plus de 743 m² de papier à bulles en 2 minutes. Il s'agissait de célébrer son invention par Marc Chavannes et Al Fielding, en 1960, à Hawthorne justement.

fiers à un bras Olney, Texas, accueille un grand concours annuel de tir aux pigeons réservé aux amputés d'un bras ou d'une main. Ils peuvent aussi s'affronter au billard, au golf, au ball-trap et au… lancer de bouses. Avant de devenir un vrai festival, cela a commencé comme une blague, en 1972, grâce à deux habitants d'Olney, Jack Northrup et Jack Bishop (dits « Les Jack-à-un-bras »), l'un et l'autre amputés à hauteur d'épaule.

russe à ressort Dimitry Arsenyev, de Saint-Pétersbourg, a effectué, à Montpellier, 15 backflips (sauts périlleux arrière) consécutifs sur un bâton sauteur.

retournement cool En février 2013, le Français Guerlain Chicherit, au volant d'une Mini Countryman modifiée, a réalisé le premier backflip à 360 degrés en voiture. Il s'est entraîné pendant quatre ans pour réussir à monter une rampe de lancement de 7,6 mètres à la vitesse très précise de 60 km/h avant de décoller à 23 mètres de haut et de retomber pile sur ses quatre roues.

cerveau et matière grise Michael Kotch, de High Milford Township, en Pennsylvanie, a résolu un Rubik's Cube d'une main en 25 secondes, tout en faisant des pompes sur l'autre main.

CHAUDE
AMBIANCE

➔ Depuis les années 1970, les Findon Skid Kids, d'Adélaïde, en Australie, un petit club d'ados cascadeurs, sautent à travers des murs de flammes.

Sur leurs vélos de type Speedway sans freins ni vitesses, ces garçons et filles foncent à travers de grands cercles de carton aspergés d'essence pour qu'ils s'enflamment de façon spectaculaire.

c'est d'la balle ! En juin 2013, Mark Angelo, artiste de rue de Hudson, dans l'Ohio, a jonglé avec deux balles de ping-pong en n'utilisant que sa bouche, les crachant et les rattrapant 212 fois en 2 minutes 8 secondes. Mark, qui a découvert un jour son talent en jetant du pop-corn en l'air pour le rattraper dans sa bouche, peut également jongler les yeux fermés et tenir un club de golf en équilibre à la verticale sur son menton, avec une balle de golf par-dessus, et même un second club posé sur cette balle !

roue arrière Équipé de pneus à sculpture spéciale, Ryan Suchanek a réussi une roue arrière à moto... sur de la glace. Il a tenu cette position sur au moins 200 mètres, à l'incroyable vitesse de 174,6 km/h, sur le lac gelé de Koshkonong, dans le Wisconsin.

BRÛLE-GOMME

➔ Lors d'un show dans le Devon, le cascadeur britannique Terry Grant, au volant d'une réplique de Ford Sedan 1937 dotée d'un moteur de moto de 1 250 cm³, a fait virer 39 fois en 100 secondes sa voiture à 360 degrés en décrivant un 8 couché, figure que l'on appelle un « beignet ». Soit environ 2,5 secondes par « beignet ».

super-luge Les étudiants du Lakeland College de Vermilion, Alberta, au Canada, ont construit une piste de luge assez grande pour accueillir 3 voitures Smart. Plus de 40 personnes sont montées sur ce toboggan de 11 mètres de long sur 2,8 mètres de large.

chute libre Vêtus d'un wingsuit (combinaison individuelle en forme d'aile), trois membres des forces armées britanniques – Spencer Hogg, Deane Smith et Alastair Macartney – ont sauté depuis la célèbre crête Nord de l'Eiger, montagne suisse culminant à 3 048 mètres. Après quelques moments de chute libre à 209 km/h, ils ont ouvert leurs parachutes pour ralentir un peu la descente...

jeté de 06 En mars 2013, à Wellington, Nouvelle-Zélande, Ben Langton Burnell, étudiant de 20 ans à l'université Massey et champion de javelot, a jeté un téléphone portable à 120,6 mètres : record du monde !

jeunes voleuses Rose Powell et Flame Brewer, deux écolières de 9 ans, ont réalisé une incroyable cascade en se tenant, à quelques mètres seulement l'une de l'autre, sur l'aile supérieure de deux biplans volant à 160 km/h. En s'élevant dans le ciel du Gloucestershire, les deux cousines sont devenues la troisième génération d'une même famille à voler debout sur l'aile de l'un des deux biplans d'époque de leur grand-père.

23 langues Timothy Doner, de New York, 17 ans, a appris tout seul à parler 23 langues, dont l'hébreu, l'arabe, le swahili, le chinois, le japonais, l'italien, le turc, l'indonésien, le persan, le russe, le néerlandais, le croate et l'allemand.

clopin-clopant En avril 2013, Tameru Zegeye, artiste de cirque éthiopien, a marché sur 76 mètres la tête à l'envers, sur des béquilles.

BASKET-BROSSE ➔ Michael Kopp, un jeune Allemand de 18 ans, peut faire tourner un ballon de basket sur une brosse à dents serrée entre ses dents.

tirer, pas pousser ! En janvier 2013, « El Lurchio », de l'île de Wight (Royaume-Uni), a tiré un van de 1 702 kg sur 6 mètres par la poignée d'une épée enfoncée dans sa gorge.

au frais En février 2013, 6 concurrents – 4 hommes et 2 femmes – sont restés perchés 48 heures sur des blocs de glace de 2,5 mètres, par des températures chutant jusqu'à – 28 °C. Ils ont ainsi remporté le concours national de cette discipline bien particulière, qui se déroule à Vilhelmina, en Suède.

29 diplômes À 72 ans, Michael Nicholson, de Kalamazoo, Michigan, détenait 29 diplômes de l'enseignement supérieur, dans des matières aussi diverses que l'économie domestique, la bibliothéconomie et l'éducation sanitaire.

fort en jambe Après la rupture du tendon d'Achille lors d'un match de foot en 2009, Joseph Scavone Jr., chauffeur routier de Hamburg, dans le New Jersey, s'est mis au saut à cloche-pied. Trois ans plus tard, c'est dans le *Livre des records* qu'il sautait, battant celui du mile (1 609,33 mètres) à cloche-pied, en 23 minutes 15 secondes.

scotchant Le Portland Promise Center de Louisville, dans le Kentucky, a fabriqué une grosse boule à partir de divers rubans adhésifs (masquage, gainage électrique, toilé...), pesant 908 kg pour une circonférence de 3,9 mètres – plus de 5 fois la taille d'un ballon de basket.

saut d'anniversaire Dorothy Custer, de Twin Falls (Idaho), a célébré son 102ᵉ anniversaire par un base-jump de 148 mètres depuis le Perrine Bridge. L'année d'avant, elle avait fêté son 101ᵉ anniversaire en descendant en tyrolienne les gorges de la Snake River.

hommage sportif Entre 1982 et 2013, Mike Bowen, de Flushing, dans le Michigan, a couru 58 282 miles (93 796 km) : un pour chaque Américain qui n'est pas revenu de la guerre du Vietnam. Il a ainsi participé à plus de 50 marathons et 26 courses sur route, outre les distances qu'il courait régulièrement dans un parc près de chez lui.

diplômée retardée Plus de 80 ans après avoir abandonné le lycée alors qu'il ne lui manquait que quelques points pour avoir son bac, Audrey Crabtree, de Cedar Falls, dans l'Iowa, a finalement reçu un diplôme honoraire à 99 ans. Elle avait quitté la Waterloo East High School en 1932, à cause d'un accident qui lui avait fait manquer les cours, et pour s'occuper de sa grand-mère malade.

tir au jugé Tirant à une demi-seconde d'intervalle, Jim Miekka, pistolero de Homosassa, en Floride, touche la cible dans 80 % des cas – alors même qu'il est complètement aveugle.

par porteur spécial Morris Wilkinson livrait encore le courrier à Birmingham, en Alabama, à l'âge de 93 ans. Quand il a finalement pris sa retraite, en novembre 2012, cela faisait 65 ans qu'il était facteur, même s'il avait été renversé par une voiture en 2009 et subi une grave opération chirurgicale au genou à 80 ans.

chaudes lèvres Carissa Hendrix, cracheuse de feu de Calgary, en Alberta, au Canada, peut tenir une torche enflammée dans sa bouche pendant plus de 2 minutes.

Lonnie saute d'une hauteur de 330 mètres depuis un pont dans le Hunan, en Chine.

FAUTEUIL VOLANT

→ Lonnie Bissonnette, base-jumper canadien, est resté paralysé sous la ceinture après un accident de base-jump en 2004.

Les médecins lui ont affirmé qu'il ne pourrait jamais plus sauter, mais 12 mois plus tard, il parcourait de nouveau le monde pour s'adonner à sa passion. Bien qu'incapable de marcher, il a assez de force dans le bras droit pour tirer la cordelette de son parachute, ce qui lui assure une descente en toute sécurité. Lonnie est le premier et le seul base-jumper paraplégique à avoir sauté depuis les quatre types d'«objets sautables» : bâtiment, antenne, pont et falaise.

grimpeur vétéran Le 23 mai 2013, l'alpiniste japonais Yuichiro Miura a atteint le sommet de l'Everest à l'âge vénérable de 80 ans et 223 jours.

un an de pompes Enrique Treviño, sergent dans les Marines à Dallas, au Texas, a effectué un million de pompes en 2012 – soit une moyenne de près de 2 740 par jour.

chad nettoie Depuis 1997, Chad Pregracke, de East Moline, dans l'Illinois, a contribué à retirer 3,2 millions de kilos de déchets des cours d'eau américains – dont 67 000 pneus, 1 000 réfrigérateurs et 4 pianos. Il a trouvé 64 messages dans des bouteilles, qu'il a gardés comme collection.

haute tension Le funambule chinois Aisikaier Wubulikasimu a traversé une poutre d'acier de 18 mètres de long pour 5 cm de large reliant deux montgolfières à 33 mètres au-dessus du sol en 38,35 secondes seulement.

longue tournée Depuis 1947, Newt Wallace (93 ans) fait le même chemin chaque semaine à Winters, Californie, pour livrer le journal local, le Winters Express. Au total, ça fait 80 ans qu'il livre des journaux !

mickey elle adore Janet Esteves, de Celebration (Floride), a rassemblé plus de 6 200 objets ayant trait à l'univers de Mickey, dont des porte-clés, figurines, boules à neige et poupées en peluche...

grosse bulle Fan Yang, artiste « bulleuse » canadienne, a encapsulé 181 personnes dans une seule grosse bulle mesurant 50 mètres de long et 4 mètres de haut à Vancouver, en Colombie-Britannique.

folle gentillesse En 1989, Craig Shergold, un petit Anglais de 9 ans, s'est vu diagnostiquer une tumeur au cerveau. Au cours des vingt-quatre années qui se sont écoulées depuis, il a reçu plus de 350 millions de cartes de vœux de bonne santé ! Au début, s'étant fait connaître, il a reçu des cartes signées Bill Clinton, Kylie Minogue, Madonna, Arnold Schwarzenegger, etc. Mais ensuite, en 1997, lorsque leur total a atteint 140 millions, Craig a supplié qu'on arrête de lui en envoyer. Cependant elles continuent d'arriver, toujours à la même adresse – alors qu'il est aujourd'hui en bonne santé et qu'il a déménagé depuis plus de dix-huit ans.

miracle ! En mai 2013, le funambule autrichien Christian Waldner est devenu le premier homme à marcher sur une corde raide de 50 mètres tendue entre les deux tours de la cathédrale Saint-Étienne de Vienne. Il a effectué pas moins de quatre fois cette périlleuse traversée à 60 mètres du sol.

marathon de plage Depuis 2008, Charles Wilson, de St. Augustine, en Floride, septuagénaire en super-forme, n'a manqué qu'une poignée de fois son jogging quotidien de 12,8 km pieds nus le long de la plage. Il en est à 16 000 km courus sur le sable.

crâne d'œuf Scott Damerow, étudiant à l'Institut de technologie de Géorgie, aux États-Unis, a brisé 142 œufs en 1 minute avec son seul front.

ouvre-lettres William L. Brown, de Gainesville, en Floride, a rassemblé plus de 5 000 ouvre-lettres. Il a acheté son premier coupe-papier à Rome, à la fin des années 1950, et il est devenu accro.

sur le fil

→ En juin 2013, Nik Wallenda a traversé sur une corde raide la Little Colorado River Gorge, près du Grand Canyon, défiant les vents violents à 457 mètres au-dessus de la rivière, sans harnais ni filet de sécurité. Il lui a fallu 22 minutes 54 secondes pour parcourir ces 427 mètres sur un câble d'acier de 5 cm de large. Nik, funambule depuis l'âge de 2 ans et qui vient d'une famille de sept générations de cascadeurs, a dû aussi composer avec la poussière du désert, qui l'a gêné en se déposant sur ses lentilles de contact, et aussi sur le câble, rendu glissant. Par deux fois, il a dû s'arrêter et s'accroupir – la première fois sous une rafale de vent et la seconde pour obtenir une meilleure adhérence en crachant dans ses mains et en frottant de salive ses semelles. « J'ai réalisé mon rêve, a-t-il dit ensuite. Ma famille fait ce genre de trucs depuis deux cents ans, ça fait partie de mon héritage. » En 2012, il est devenu la première personne depuis plus de cent ans à traverser sur une corde raide les chutes du Niagara.

l'anti-vampire Edward Kisslack, de Waynesboro, en Pennsylvanie, a fait don de 114 litres de son sang ces cinquante dernières années, soit assez pour remplacer vingt fois tout le sang de son corps.

et la motte ? Claes Blixt, un instituteur de Skene, en Suède, a fabriqué un couteau à beurre en bois géant qui mesure 2,48 mètres et pèse 28,5 kg.

patience affichée Amanda Warrington a passé plus de 1 000 heures à résoudre un puzzle de 24 000 pièces. Après ça, elle l'a collé sur un support de 4,3 x 1,5 m fixé au mur, dans sa maison du Gloucestershire, en Angleterre.

rose, sa vie ? Rose Syracuse Richardone, 92 ans, a travaillé 73 ans chez Macy's, le grand magasin de New York, de 1939 à 2012.

tone l'intenable Le 27 juillet 2013, à New York, Tone Staubs de Danville, dans l'Ohio, a fait 266 rebonds sur un bâton sauteur en 1 minute.

kapil poil-de-fer Kapil Gehlot, de Jodhpur, en Inde, peut tirer une voiture de 1 046 kg avec sa barbe tout en se tenant sur des patins à roulettes.

spider-mamie Doris Long, une grand-mère du Hampshire, en Angleterre, a fêté son 99e anniversaire en mai 2013 par la descente en rappel d'un bâtiment de 34 mètres.

ouvrez grand Dinesh Upadhyaya Shivnath, de Mumbai, en Inde, peut tenir 800 pailles dans sa bouche en même temps.

bravo bryan Bryan Bednarek, de Chicago, peut taper 800 fois dans ses mains en 1 minute, soit 13 fois par seconde.

tour de tour Sans jamais poser les pieds au sol, l'Italien Vittorio Brumotti a grimpé à vélo les 3 700 marches menant au sommet de l'immeuble le plus haut du monde, la tour Burj Khalifa (828 mètres), à Dubaï. Il lui a fallu 2 heures 20 minutes pour monter les 160 étages.

semelles de vent Depuis 1971, George Walter, de Pittsburgh, a parcouru le monde à pied, visitant plus de 40 pays en portant toujours des sandales qu'il fabrique lui-même, à l'aide de morceaux de pneus, de clous et de sangles en nylon.

château canettes À la Maison des Jeunes de Toyohashi, au Japon, on a recréé une tour d'angle du château de Yoshida à partir de 104 840 canettes d'aluminium. Collées ensemble, ces simples boîtes ont permis de former une tour de 5 mètres de haut, 6,6 mètres de large et 5,5 mètres de long.

dame grenouille Thayer Cueter, dite « Dame Grenouille », de Edmonds, dans l'État de Washington, s'est constitué une collection de plus de 10 000 objets sur ce thème, dont 400 Kermit la Grenouille, 490 grenouilles en peluche et 20 pyjamas à motifs grenouille.

En 1924, Al Wilson est devenu le premier homme à taper dans une balle de golf depuis l'aile d'un avion.

Barnstormers

➔ **Les Barnstormers, aviateurs risque-tout, réalisèrent les premières acrobaties aériennes. Se produisant dans des spectacles de foire, ainsi que dans les films hollywoodiens des années 1920, ils stupéfièrent leur époque.**

Leur surnom d'«ouragans des granges» fait référence aux saltimbanques et autres acrobates qui venaient étonner un public de paysans à l'occasion de spectacles donnés dans des granges, au début du XIXᵉ siècle. Mais beaucoup de Barnstormers attrapèrent le virus de la cascade en servant comme pilotes sur des biplans Curtiss durant la Première Guerre mondiale. Les Barnstormers se rendirent surtout célèbres en se promenant sur les ailes de leurs avions. Ils y grimpaient depuis le cockpit, en général sans aucun équipement de sécurité, alors que leurs avions pouvaient atteindre les 145 km/h. C'était spectaculairement dangereux et ça pouvait se révéler réellement mortel: beaucoup de Barnstormers perdirent la vie en inventant des cascades toujours plus originales pour faire vibrer les foules des champs de foire ou le public des films tournés à Hollywood. À la fin des années 1920, les accidents se multiplièrent et le gouvernement s'en mêla, interdisant en particulier aux pilotes de voler à moins de 90 mètres les uns des autres.

Al Wilson a fait ici en 1927 un dangereux bond pour monter sur un avion depuis une voiture lancée à 129 km/h.

Le légendaire Charles Lindbergh, premier homme à voler sans escale en solitaire à travers l'Atlantique en 1927, fut un Barnstormer au début de sa carrière d'aviateur.

PLUS...

177

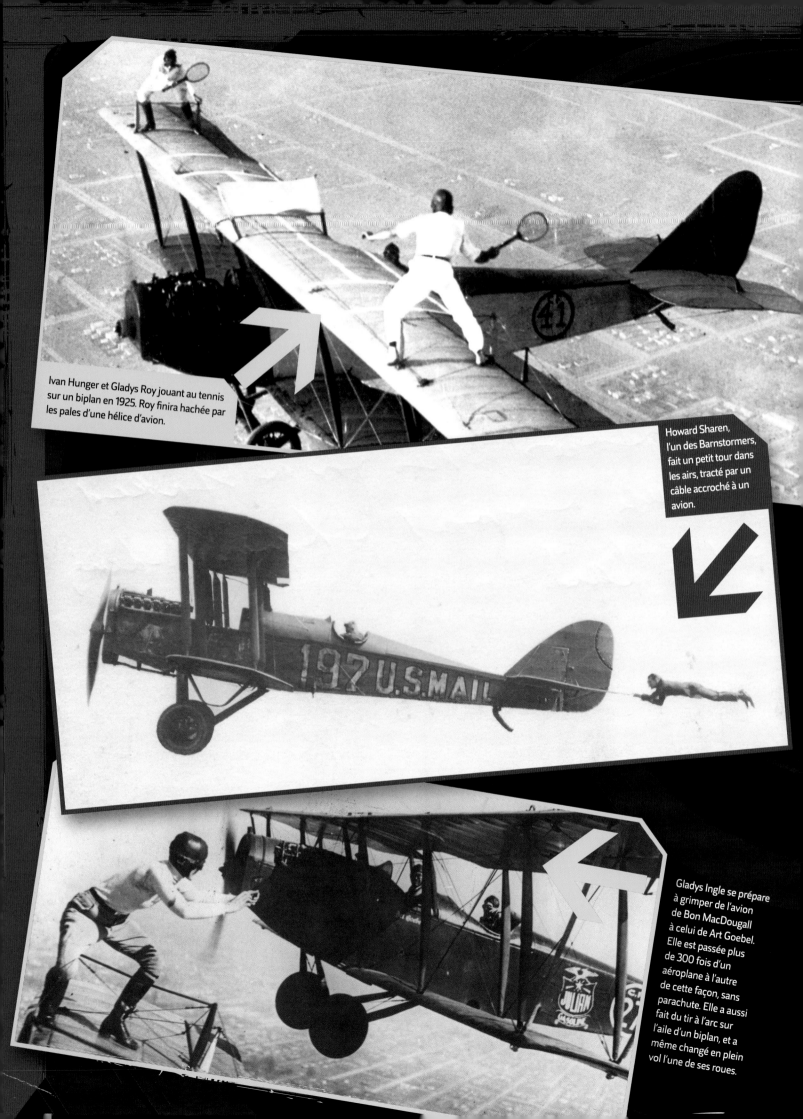

Ivan Hunger et Gladys Roy jouant au tennis sur un biplan en 1925. Roy finira hachée par les pales d'une hélice d'avion.

Howard Sharen, l'un des Barnstormers, fait un petit tour dans les airs, tracté par un câble accroché à un avion.

Gladys Ingle se prépare à grimper de l'avion de Bon MacDougall à celui de Art Goebel. Elle est passée plus de 300 fois d'un aéroplane à l'autre de cette façon, sans parachute. Elle a aussi fait du tir à l'arc sur l'aile d'un biplan, et a même changé en plein vol l'une de ses roues.

PRÊTS À FAIRE N'IMPORTE QUOI ! – LES 13 BLACK CATS

➜ Un homme accroché par les cheveux à un avion volant à pleine vitesse, une femme qui passe d'un biplan à un autre, un pilote qui fait volontairement s'écraser son avion... Les 13 Black Cats formaient une troupe spécialisée dans les acrobaties aériennes et les cascades automobiles qui multiplia les exploits les plus loufoques au cours des années 1920. Ils se produisaient en public, quand ils ne tournaient pas à Hollywood, toujours fidèles à leur devise : « Prêts à faire n'importe quoi ! » Avec à leur tête Bon MacDougall, ils comptaient dans leurs rangs quelques-uns des pilotes et des cascadeurs les plus célèbres des États-Unis. En 1928, MacDougall déclara à un journaliste qu'il avait vu cinquante de ses collègues aviateurs partir en piqué, mais que lui-même ne s'était jamais écrasé, « sauf volontairement, bien sûr ». Tous n'eurent pas sa chance ; cinq des membres fondateurs des Black Cats périrent en pleine action.

The 13 Flying Black Cats

WILL DO ANYTHING
AIRPLANE · MOTORCYCLE · AUTOMOBILE

STUNTS

Parachute Jumps, Ship Changes
Upside Down Flying
Delayed Opening Jumps, Ocean Landings
Rope Ladder and Wing Walking

Fast Racing Automobiles, Powerful Airplanes
Experienced Cavers and Stunt Men

Phones | ART GOEBEL
DAY OR | BON MacDougall
NIGHT | REARD McLELLAN
CROSS AERIAL PHOTO SERVICE

IF A BLACK CAT CAN'T DO IT – IT CAN'T BE DONE

La carte de visite des Cats.

Photo de groupe des Black Cats. Ils n'ont jamais vraiment été treize. Ce nombre, comme le choix de leur nom (les « Chats noirs ») représentait en fait un pari : ils voulaient défier superstitions et malchance... en leur volant dans les plumes !

LES TARIFS DES BLACK CATS

Les Cats fournissaient une grille de tarifs aux producteurs de Hollywood qui voulaient louer leurs services.

Tarif horaire de base d'un cascadeur — **35 $**

S'écraser sur une automobile — **250 $**

Feu d'avion — **50 $**

Passer d'un avion à l'autre, verticalement — **500 $**

Passer d'un avion à l'autre, horizontalement — **100 $**

Crash sur un bâtiment ou dans les arbres — **1 200 $**

Looping avec un cascadeur debout sur l'aile — **150 $**

Explosion d'un avion en vol — **1 500 $**

Chief White Eagle se faisait suspendre par les cheveux depuis un avion volant à 5 000 pieds (1 525 mètres), ce qui causera un jour sa mort : le pilote effectuant un looping, l'attache se défera...

« Spider » Matlock, Al Johnson et « Fronty » Nichols prennent la pose sur un avion piloté par Bon MacDougall. Nichols mourra dans un accident de parachute et Matlock se tuera lors d'une course automobile.

dent dure Le Hongrois Zsolt Sinka a tiré un Airbus A320 de 55 tonnes sur près de 40 mètres en utilisant ses dents. Sinka, qui s'en était déjà servi pour tracter des camions de pompiers et des trains, a réalisé cet exploit en seulement 52 secondes à l'aéroport Liszt Ferenc de Budapest.

vieux pots à soupe Les Melis, neuf frères et sœurs d'Ogliastra, en Sardaigne, totalisaient 818 ans à eux neuf en 2012, soit une moyenne d'âge de 91 ans, ce qui en faisait la plus vieille fratrie complète au monde. Les Melis, dont l'âge variait alors de 78 à 105 ans, attribuent leur longévité à la consommation de soupe minestrone.

tordant ! Skye Broberg, contorsionniste néo-zélandais, a calé son corps dans une boîte de 52 x 45 x 45 cm en seulement 4,78 secondes.

plongée éléphantesque Karin Sinniger, à la fois suissesse, américaine et britannique, et qui réside en Angola, a fait de la plongée sous-marine dans plus de 122 pays différents, soit plus de 1 000 fois. Elle a plongé sous la glace, dans des cratères volcaniques, et même en compagnie d'un éléphant, aux îles Andaman !

savoir capital À l'âge de 18 mois, Aanav Jayakar, de Cleveland, dans l'Ohio, était capable d'identifier 21 pays sur un planisphère, et il avait mémorisé 61 capitales.

THÉRAPIE EXTRÊME → Debout sur des clous, ce Russe a choisi d'affronter ses plus grandes terreurs. Cela fait partie d'un stage de deux jours baptisé « Vivre sans peurs », qui aide les participants à surmonter leurs phobies à travers une série d'activités extrêmes. Il faut, entre autres, arrêter des couteaux qu'on vous laisse tomber sur le ventre, marcher sur des braises, casser des barres de bois avec le cou, s'asseoir sur du verre brisé, laisser des insectes géants ramper sur son visage, marcher sur des lames, manger des morceaux de coton en feu, nager dans de l'eau glacée, se laisser enterrer vivant...

craqueur de cocos Keshab Swain, d'Orissa, en Inde, peut briser 85 noix de coco vertes avec son coude en seulement 60 secondes. Il peut aussi casser 18 noix de coco en une minute avec son front.

abrège, alex ! En juin 2013, Alex Cequea, conférencier et rédacteur en chef du magazine *iPhone Life*, a prononcé un discours de 34 heures à Fairfield, dans l'Iowa, concernant essentiellement lui-même et son émigration aux États-Unis avec sa famille depuis le Venezuela.

boyaux d'acier Mike Gillette, de Des Moines, dans l'Iowa, a survécu au lâcher d'une boule de bowling de 6,4 kg sur son estomac depuis une hauteur de 2,5 mètres, couché sur un lit de verre brisé ! L'assiette en porcelaine placée sur son estomac pour servir de cible l'a garni en se brisant d'une deuxième couche de débris coupants, cette fois sur le ventre. Dépassant les 24 km/h à son point le plus bas, la boule l'a impacté avec une force équivalant à 3 tonnes.

eaux mortelles Le 2 septembre 2013, la nageuse américaine Diana Nyad, 64 ans, est devenue la première personne à traverser les eaux dangereuses qui séparent Cuba de la Floride sans cage antirequin. Elle n'était même pas équipée d'une combinaison de plongée, ni de palmes, ne portant qu'un masque en silicone pour protéger son visage des piqûres de méduses – elles avaient fait échouer deux de ses quatre précédentes tentatives. Diana a achevé ces 176 km en un peu moins de 53 heures. Sa première tentative remontait à 1978.

tour de l'île En 2013, Anna Wardley, du Hampshire, est devenue la première personne depuis près de trente ans à faire d'une traite à la nage le tour de l'île anglaise de Wight. Elle a parcouru ces 97 km en un peu plus de 26 heures, lançant 87 500 fois les bras en avant.

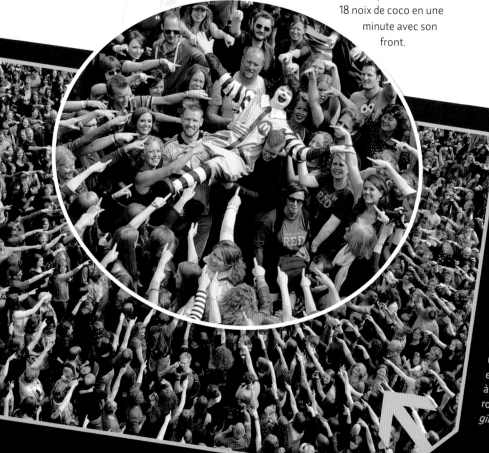

POILS DE CAROTTE

→ Plus de 5 000 roux et rousses venant de 80 pays se sont retrouvés à Breda, aux Pays-Bas, pour l'édition 2013 du Festival des Roux – en présence de l'illustre clown aux cheveux rouges Ronald McDonald. Pour accentuer encore leur couleur de cheveux, les participants étaient invités à porter des vêtements bleus... Certains sont arrivés depuis Inverness en Écosse par un vol réservé aux roux, à bord duquel on servait de la bière rousse aromatisée au gingembre – *ginger* en anglais, le surnom des roux.

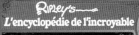
Il a nagé dans un sac

Le Bulgare Jane Petkov a nagé 2 km dans le lac d'Ohrid, en Macédoine, ligoté à l'intérieur d'un sac. Bras et jambes attachés au corps, cet homme de 59 ans a nagé sur le dos, «comme un dauphin», pendant près de 3 heures, à une moyenne de 0,7 km/h.

technique de pointe Aerial Manx, un avaleur de sabres australien, peut faire la roue avec une épée dans la gorge.

kung fous Le 9 juin 2012, 10 000 pratiquants du kung-fu se sont retrouvés dans le Henan pour une démonstration d'arts martiaux à l'occasion de la Journée du patrimoine culturel chinois.

bien lesté Jim Dreyer, dit « Le Requin », de Grand Rapids, dans le Michigan, a nagé 35 km en 51 heures sur le lac St. Clair, près de la frontière entre le Canada et les États-Unis, en tirant 1 tonne de briques.

poilkistan Saddi Muhammad a tiré sur 60 mètres un camion de 1,9 tonne attaché à ses moustaches, dans sa ville natale de Lahore, au Pakistan, en octobre 2012.

ils sont « jetée » Jay et Hazel Preller, du Somerset, ont fait 11 265 km en deux ans pour visiter les 60 jetées du Royaume-Uni et s'embrasser au bout de chacune d'elles. S'étant rencontrés sur la Grande Jetée de Weston-super-Mare, ils se sont mariés sur celle de Brighton.

saute, ma puce ! Phoebe Asquith, 24 ans, du Yorkshire, en Angleterre, a fait 6,6 km sur une sorte de bâton-sauteur jouet, un Hippity Hop. Cela lui a pris quatre heures et demie, à une vitesse d'un peu moins de 1,6 km/h.

bonsall suffit Depuis 1990, Herbert Langerman, de Wilmington (Delaware), a parcouru plus de 40 000 km – l'équivalent d'un tour du monde complet. Mais cet exploit, il l'a entièrement réalisé en multipliant les petites promenades au parc Bonsall, près de chez lui...

coureur farceur En juin 2013, David Smith, du Derbyshire, a couru 110 km le long du mur d'Hadrien, dans le Nord de l'Angleterre, en 14 heures 24 minutes, vêtu d'une panoplie complète de centurion romain. Ce n'était pas son premier marathon déguisé ou avec accessoires : menottes, camisole de force, tongs, et même un costume de bonhomme en pain d'épices...

mémoire du défilé En 2013, John Casey, du Connecticut, ex-Marine américain de 99 ans, a défilé pour la 67e fois consécutive lors de la Shelton-Derby Memorial Day Parade.

il est fort, hein ? En mai 2013, Clinton Shepherd a passé plus de 48 heures à califourchon sur la grande roue du Navy Pier, à Chicago. Il a réussi à rester éveillé en jouant à des jeux vidéo et en visionnant des films de James Bond ou des Batman.

énergie propre Dans le cadre d'une campagne de recyclage, la région de Durham, dans l'État de l'Ontario (Canada), a recueilli 5 120 kg de piles en 24 heures.

enveloppe géante À l'aide de simples feuilles collées entre elles, Garima Ange, étudiant de l'Uttar Pradesh, en Inde, a fabriqué une énorme enveloppe mesurant 14,5 x 9,0 m (plus de la moitié d'un court de tennis) et pesant 50 kg.

tête à crânes Alan Dudley, de Coventry, en Angleterre, possède plus de 2 000 crânes d'animaux. Il a récolté son premier crâne en 1975, celui d'un renard, et en reçoit aujourd'hui du monde entier : rats, hippopotames, girafes, crocodiles... Parmi les plus insolites, celui d'une vache à deux têtes. Seul hic : son hobby n'était pas du goût de son ex-épouse. Elle a menacé de tout détruire à cause de l'odeur puante d'une tête d'iguane pourrie.

folle de kitty Asako Kanda, réceptionniste japonaise de 40 ans, a rassemblé une collection de plus de 4 500 articles estampillés « Hello Kitty ! » : oreillers, rideaux, chapeaux, grille-pain, ventilateur électrique et même une poêle à frire. Quand elle s'est mariée, en 2000, elle a demandé à sa mère de fabriquer des figurines de mariés façon « Hello Kitty ! ».

l'australien de l'espace Fan de *Star Wars*, Jacob French a recueilli plus de 100 000 $ pour une bonne cause en faisant 4 960 km à pied entre Perth et Sydney, vêtu d'un costume de *stormtrooper* (soldat de l'Empire galactique). Cela lui a pris 9 mois, il a perdu plus de 12 kg et usé 7 paires de chaussures.

memory man

→ Aurelien Hayman, étudiant de 21 ans originaire du Pays de Galles, peut se rappeler ce qu'il a mangé, ce qu'il a fait, ce qu'il portait, l'actualité et même le temps qu'il faisait un jour donné – n'importe lequel – de ces dix dernières années au moins. Il est l'une des vingt personnes au monde à souffrir d'hypermnésie, le fait de se souvenir de tout ce que l'on a vécu.

LE + DE RIPLEY'S

Nous nous souvenons de certaines informations telles les dates grâce à notre mémoire à long terme, stockée dans le lobe frontal droit du cerveau. Mais Aurelien est également en mesure d'utiliser pour cela son lobe frontal gauche, et son lobe occipital, à l'arrière du cerveau, ce qui augmente considérablement ses capacités de mémorisation à long terme.

allumé Shourabh Modi, du Madhya Pradesh, en Inde, a écrit 11 111 fois le nom du Premier ministre de son État, Shivraj Singh Chauhan, sur 2 778 allumettes (4 par bâton), en 30 jours.

multitâches Ravi Fernando, étudiant de premier cycle en mathématiques à l'université de Stanford, en Californie, peut résoudre un Rubik's Cube en une minute et demie tout en jonglant avec deux petites balles.

forts en carton Une équipe de près de 400 étudiants et membres du personnel a bâti, avec 3 500 boîtes de carton recyclées, un fort de 5 mètres de haut sur le campus de l'université Duke, à Durham, en Caroline du Nord.

la langue aux doigts La traductrice chinoise Chen Siyuan peut non seulement écrire des deux mains en même temps, mais cela en deux langues : chinois d'une main et anglais de l'autre. Elle a découvert son incroyable talent par hasard, au lycée, alors qu'elle essayait de rattraper plusieurs devoirs d'anglais en retard...

méga coin-coin Mark et Damen Hillery, de Danville, dans l'Illinois, qui sont père et fils, ont fabriqué ensemble un appeau de bois de 1,4 mètre de long. Lorsqu'on souffle dedans, il imite le cri du canard... géant !

lanternes magiques Plus de 15 000 grandes lanternes ont été suspendues simultanément à Iloilo City, aux Philippines, le 24 mai 2013. Chacune de ces lanternes, composées d'un cadre en bambou et de papier de riz, mesurait pas moins de 150 cm de hauteur pour un diamètre de 50 cm.

flocon y participe ! 5 834 personnes ont pris part le 12 janvier 2013 à une bataille de boules de neige à Seattle, dans l'État de Washington, pour marquer la Journée de la Neige. Plus de 30 camions de neige ont été acheminés à cette occasion.

grille à petit feu Roger Squires, du Shropshire, en Angleterre, a inventé des grilles de mots croisés pour les journaux anglais pendant plus de 50 ans. À l'âge de 81 ans, il comptait près de 75 000 grilles à son actif, soit 2,25 millions de définitions !

CHAÎNE DU LIVRE →

La bibliothèque municipale de Seattle, dans l'État de Washington, a lancé son programme d'été 2013 en renversant comme des dominos 2 131 livres déclassés, disposés debout en file indienne.

STYLE STAR TREK

➔ En quatre ans, Steve Nighteagle Doman a converti une pièce de sa maison de Guffey, dans le Colorado, en salle de contrôle de vaisseau intersidéral façon *Star Trek*..

Avec ses 14 ordinateurs, elle lui a coûté 25 000 $. Mais Steve s'est surtout servi de petits ustensiles ou appareils domestiques recyclés, récupérant ici ou là des pièces de vieilles imprimantes, sèche-cheveux, filtres à air, ustensiles de plomberie et tuyaux divers, capsules de bouteilles, guirlandes de Noël, vieux magnétos à cassettes, fers à friser, tuyaux d'aspirateur... Ce charpentier fan de science-fiction envisage maintenant de «rénover» tout le reste de sa maison – dans le style XXIIIe siècle.

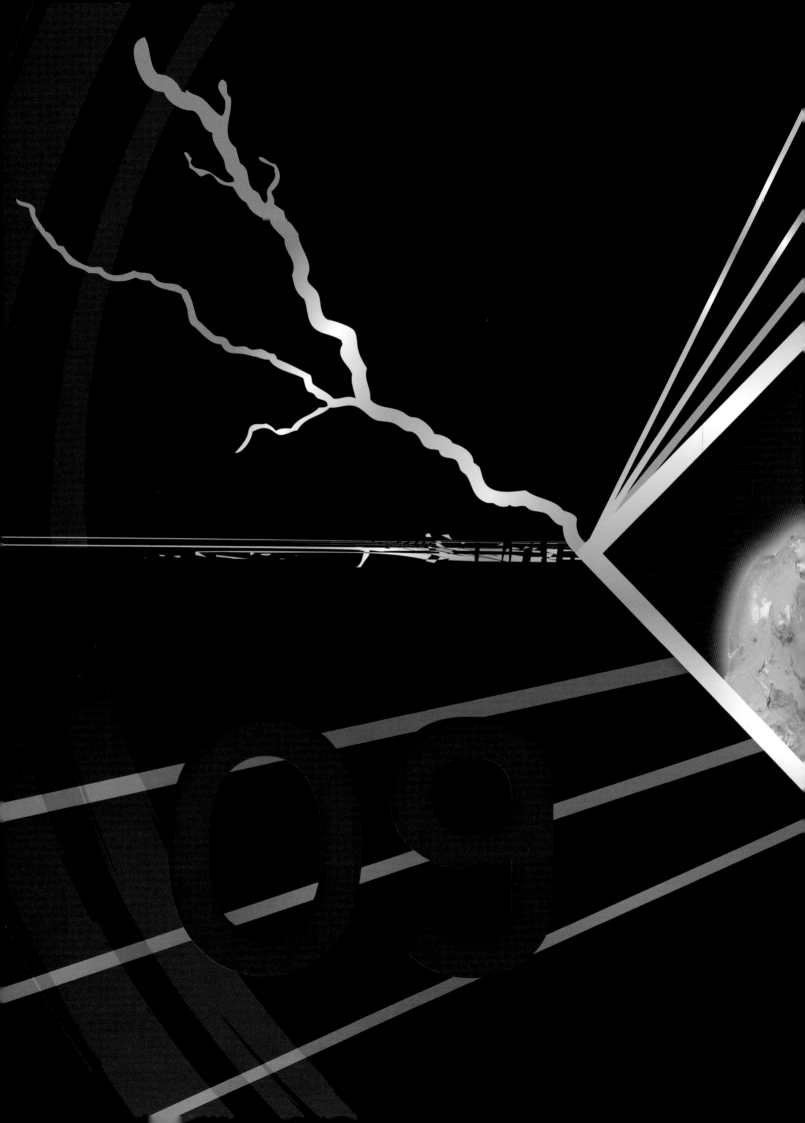

ART

Graffiti

BLOC

→ Promis à la démolition début 2014, un banal immeuble moderne d'habitation a livré pour un mois ses 10 étages à une incroyable installation artistique.

Cent des meilleurs artistes de rue au monde sont venus le décorer, invités par le galeriste Mehdi Ben Cheikh à créer ce qu'ils voulaient sur chaque surface disponible de la Tour 13, située à proximité de la Seine, dans le 13e arrondissement de Paris. Le résultat ? Une mosaïque de visages, d'animaux, de créatures mythiques, de motifs abstraits et de calligraphies. Des œuvres joyeuses, ou plus graves, voire provocatrices ont orné les 36 appartements ainsi que les cages d'escalier et jusqu'à la maçonnerie extérieure.

Certains artistes ont ajouté leurs propres accessoires, tandis que d'autres créaient des illusions d'optique : boîtes paraissant flotter, murs qui semblaient ployer...

PEAU
dessin !

➜ **Une étudiante de Boston, Jody Steel, dessine d'incroyables portraits de personnes ou d'animaux sur ses cuisses. Ils sont tellement réussis qu'on les prend pour des tatouages !**

C'est pendant les cours qu'elle a commencé à griffonner sur ses jambes. Son professeur, quand il s'en est aperçu, a été très impressionné et plutôt que de la réprimander, il l'a aidée à trouver un job d'illustratrice de livres.

histoire d'ivoire David Warther II, de Sugarcreek, dans l'Ohio, représente la cinquième génération d'une famille de sculpteurs d'ivoire. Il a minutieusement sculpté plus de 80 navires, illustrant ainsi l'histoire de la navigation depuis le IIIᵉ millénaire avant J.-C. David a commencé à sculpter alors qu'il avait 6 ans à peine, et son habileté est si grande qu'il sculpte même le gréement, en fils d'ivoire de 0,18 mm de diamètre.

painorama Lennie Payne, un artiste de Londres, sculpte dans du pain les monuments les plus célèbres de sa ville : Tower Bridge, cathédrale Saint-Paul, Big Ben... À partir de muffins, crumpets et sandwiches, il a aussi créé une réplique de la ligne d'horizon des gratte-ciel de Londres.

chaise élastique Preston Moeller, de Cleveland, en Caroline du Nord, a réalisé ce qui doit être la chaise de bureau la plus élastique au monde, constituée de 65 000 bandes de caoutchouc. Elle pèse 15,8 kg et il lui a fallu 300 heures pour créer cet assemblage unique.

icniv ed dranoél Pour ses notes les plus secrètes, Léonard de Vinci écrivait toujours à l'envers, partant du côté droit de la page et se déplaçant vers la gauche, la technique d'« écriture en miroir » : un lecteur indiscret n'aurait pu déchiffrer ce que contenaient ses notes que s'il avait eu l'idée de les lire dans un miroir.

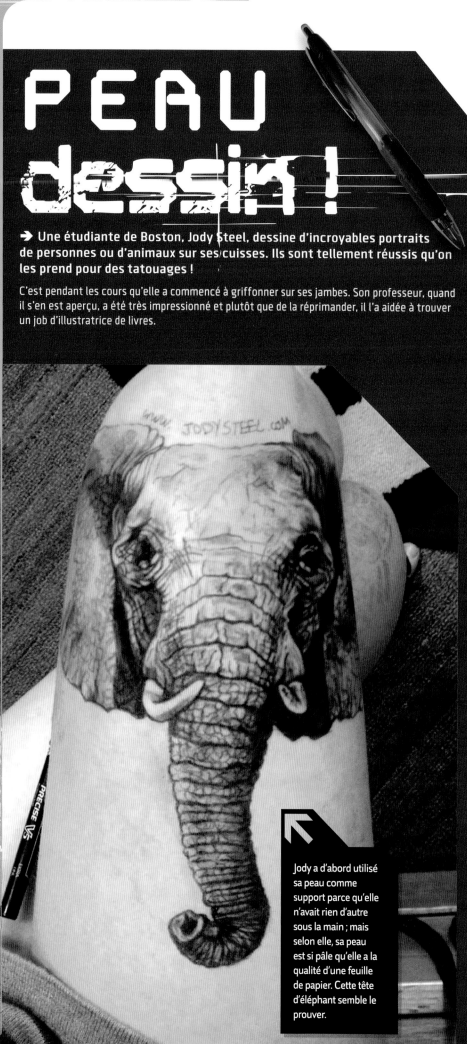

Jody a d'abord utilisé sa peau comme support parce qu'elle n'avait rien d'autre sous la main ; mais selon elle, sa peau est si pâle qu'elle a la qualité d'une feuille de papier. Cette tête d'éléphant semble le prouver.

Argh ! Jody s'est-elle écorchée jusqu'à l'os ? Pas de panique ! C'est juste l'un de ses dessins...

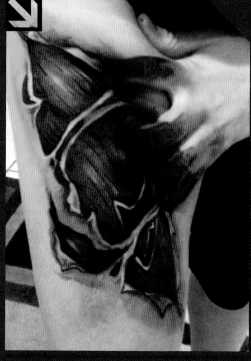

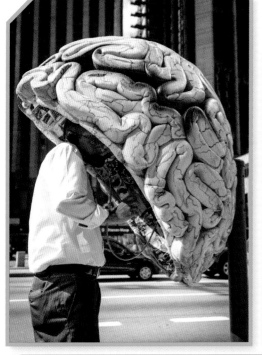

FIL D'ARTISTES

➔ Au Brésil, cent artistes de rue ont été invités à transformer cent cabines téléphoniques publiques de São Paulo en œuvres d'art colorées, pour dissuader les graffitis sauvages. Grâce à la Call Parade, soutenue par la compagnie de télécommunications Vivo, l'un de ces box a pris l'aspect d'un cerveau humain, un autre une allure gothique, un autre encore celle d'un casque de chantier transpercé par un crayon...

souris, c'est une farce Shannon Marie Harmon, taxidermiste à Londres, donne des cours pour apprendre à naturaliser une souris morte, l'habiller de vêtements de poupée et la figer dans une pose originale. Au bout de 4 heures, chacun repart avec sa souris empaillée.

île manquante Is Land, sculpture de 7 mètres gonflée à l'hélium représentant une île déserte, réalisée en 2011 pour un festival de musique dans le Cambridgeshire, a disparu en plein ciel quand des petits malins ont coupé les amarres. Sarah Cockings et Laurence Symonds, ses créatrices, ont lancé des appels dans le monde entier pour la retrouver ; mais même si sa présence a été signalée au Canada aussi bien qu'en Suisse, Is Land n'a jamais pu être retrouvée.

austin ose l'eau Dans une piscine de Weymouth, en Angleterre, Sue Austin, artiste handicapée, a réalisé une performance en fauteuil roulant. Son projet, « Créons le spectacle ! », consistait à présenter d'étonnantes figures de plongée sous-marine, mais en fauteuil. Le sien avait été modifié, recevant des flotteurs de nage, des palmes et deux systèmes de propulsion actionnés par des pédales.

dalek géant Pour le 50e anniversaire de la série de science-fiction britannique *Doctor Who*, des habitants du Cheshire ont fabriqué un Dalek (extraterrestre) de 10,6 mètres de haut, en utilisant 6 tonnes de paille et 5 d'acier.

l'art du thé Armén Rotch, un artiste arménien, arrange des centaines de sachets de thé usagés pour créer de complexes mosaïques pixelisées. Avec des sacs plus ou moins longtemps infusés, il obtient ainsi toutes les nuances d'or et de brun.

source intarissable Pablo Picasso (1881-1973) reste l'un des artistes les plus célèbres... et le plus prolifique. En 75 ans de carrière, il a créé environ 150 000 œuvres – une moyenne de 2 000 par an. Soit 13 500 tableaux et dessins, 100 000 estampes, 34 000 illustrations de livres, 300 sculptures et céramiques ! Ses œuvres ont été évaluées à 788 millions de dollars. Chaque année, quelque 3 000 œuvres de Picasso sont achetées et vendues, pour un montant de 200 millions de dollars de chiffre d'affaires.

coup de bol Un bol chinois de 1 000 ans, chiné pour 3 $ dans un vide-greniers, s'est vendu 2,2 millions de dollars en 2013 aux enchères.

renaissance Durant les guerres napoléoniennes, des Français prisonniers ont construit des répliques de navires de guerre à partir d'ossements humains.

ART À EFFACER ➔ Charlie Layton, un artiste de Philadelphie, a créé une série de dessins au crayon et à la plume – représentant entre autres Dark Vador, Godzilla et un squelette – sur la porte de son réfrigérateur. S'étant aperçu qu'elle était recouverte de la même matière que les tableaux effaçables, il a décidé de s'en servir pour travailler. Chaque vendredi, il crée un nouveau dessin.

petits Soldats

→ Joe Black, un artiste londonien, a réalisé cet incroyable portrait de l'ancien dirigeant chinois Mao Tsé-toung à partir de 15 000 petits soldats de plastique peints à la main.

Joe, qui s'est spécialisé dans les mosaïques constituées d'objets banals, tels que des roulements à billes ou des pins, a aussi créé un portrait du président Obama à partir de 11 000 soldats de plomb noir et blanc, un autre de l'ancien dirigeant soviétique Joseph Staline à partir de 10 000 pions de jeu d'échecs, et un autre encore de l'ancien Premier ministre britannique Margaret Thatcher, « la Dame de fer », à partir de boulons métalliques.

FER DE L'ART

➡ Édouard Martinet crée de délicates sculptures d'insectes, de poissons ou d'oiseaux à partir de bouts de ferraille : pièces de vélos, ustensiles de cuisine, touches de machine à écrire, etc. Comme pour cette guêpe, les pièces sont vissées plutôt que soudées. Ses œuvres peuvent lui demander aussi bien un mois que dix-sept ans de travail… Il parcourt inlassablement marchés aux puces ou vide-greniers, à la recherche des débris exacts qui lui conviennent.

précieux déchets Un groupe de 15 artistes népalais a ramassé plusieurs tonnes d'ordures abandonnées sur les pentes de l'Everest et en a tiré plus de 70 sculptures différentes. Dans ces œuvres, on retrouve des restes de bouteilles d'oxygène, de canettes, d'outils d'escalade, et même ceux d'un hélicoptère qui s'est écrasé là dans les années 1970.

tableau inachevé Le président américain Franklin D. Roosevelt posait pour un portrait quand il s'est effondré et qu'il est mort, en 1945. Ce tableau n'a jamais été achevé.

beauté réfléchie Simon Hennessey, de Birmingham, peint des représentations très réalistes de monuments célèbres, dont Tower Bridge, la Tour Eiffel ou les gratte-ciel de New York, sur les verres de banales lunettes de soleil. Chaque œuvre lui prend plusieurs mois et coûtera à son acheteur environ 30 000 €.

mince c'est bien vincent ! Un tableau considéré depuis plus d'un siècle comme sans valeur a été rendu à Vincent van Gogh et il est désormais estimé à environ 50 millions de dollars. Peint en 1888, ce *Coucher de soleil à Montmajour* avait été déclaré faux et remisé dans un grenier, jusqu'à son authentification en 2013. C'est la première grande œuvre de Van Gogh à resurgir en 85 ans.

sillon d'artiste Dario Gambarin s'est servi de sa charrue comme d'un pinceau pour créer dans un champ, sur la ferme de ses parents, près de Vérone, un portrait du pape François de 100 mètres de long. On lui doit aussi celui de Barack Obama et une copie du *Cri* de Munch. Les grandes dimensions de ses créations font qu'elles ne peuvent être admirées que du ciel, et il les efface au bout de quelques jours, rendant au champ sa fonction d'origine.

bois flotté Jeffro Uitto, sculpteur à Tokeland, dans l'État de Washington, hante la côte pour ramasser du bois flotté, qu'il transforme en éléments de mobilier ou en créatures grand format – cheval cabré, aigle plongeant… Chaque pièce peut lui demander des années : il cherche un à un les bons morceaux de bois.

grosse maquette Ken Larry Richardson, de Mulvane, dans le Kansas, a consacré onze ans et près de 5 000 $ à la construction sur les terres de sa ferme, au-dessus d'un ruisseau, d'une réplique de 46 mètres du Golden Gate Bridge de San Francisco. Il a utilisé 98 tonnes de béton et beaucoup de matériaux recyclés, dont les câbles d'une plate-forme pétrolière et ceux d'un vieux Boeing.

lustres radioactifs Ken et Julia Yonetani, de Sydney, recréent des lustres à partir d'ouraline, verre auquel a été ajouté de l'uranium radioactif. Ils remplacent les perles traditionnelles par des cristaux d'ouraline et ajoutent des ampoules à ultraviolets pour faire briller leurs créations d'un vert phosphorescent. Un compteur Geiger leur permet de vérifier qu'ils restent sous les niveaux de radiation autorisés.

tour de dominos Tom Holmes, un ingénieur de Bristol, en Angleterre, a réalisé en 7 heures et demie une impressionnante tour de 2 688 dominos, haute de 5,2 mètres.

tonton yo-yo Beth Johnson, de LaRue dans l'Ohio, a fabriqué un énorme yo-yo en bois de 2 096 kg et 3,6 mètres de diamètre. Il faut une grue pour s'en servir !

gargouille d'honneur Nora Sly, fidèle brebis de la paroisse Sainte-Marie, à Cowley, en Angleterre, a eu pendant plus de soixante ans l'honneur de prêter ses traits souriants à une gargouille installée sur le toit de l'église.

art tif Cheryl Capezzuti, de Pittsburgh, sculpte à partir de peluches récupérées dans des sèche-cheveux. Elle en reçoit de partout dans le monde, les agglutinant ensuite avec de la colle pour former de floconneuses sculptures d'animaux, d'anges ou même d'êtres humains.

PASSION PQ ➡ En général, les cylindres en carton des rouleaux de papier-toilette finissent à la poubelle. L'artiste française Anastassia Elias, elle, les transforme en drôles de scènes miniatures. Munie d'un scalpel, de ciseaux de manucure et de papier de même couleur que les tubes, elle passe des heures à découper de minuscules silhouettes – ouvriers, artistes de cirque, dinosaures ou ballerines – qu'elle dispose patiemment, à la pince à épiler dans chaque rouleau.

L'écriture du corps

➔ **La beauté, parfois, se cache sous la peau… C'est particulièrement vrai pour Ariana Page Russell – elle souffre d'une malformation appelée « dermographisme », et la moindre éraflure sur son épiderme se traduit par une boursouflure rosâtre. Mais au lieu de cacher cela, elle a décidé de s'en servir. Elle transforme son corps en une « toile » sur laquelle elle peut tracer, à l'aide de la pointe émoussée d'une aiguille à tricoter, d'élégantes calligraphies, ou bien elle invente de complexes motifs qu'elle répète sur ses jambes, ses bras, sa poitrine.**

Lorsque cette artiste de 34 ans, basée à Brooklyn, un quartier de New York, gratte sa chair hypersensible, apparaissent des lésions légèrement saillantes qui durent environ 30 minutes avant de s'effacer d'elles-mêmes. Ce qui lui laisse suffisamment de temps pour les photographier. Et parfois, elle intègre ses taches de rousseur à ses dessins. Ces marques semblent douloureuses, mais elle assure qu'elles ne lui font pas mal: elles ne lui laissent qu'une légère sensation de chaleur.

Ariana a exposé ses étonnantes photographies de *body art* partout à travers les États-Unis et jusqu'en Irlande, en Bolivie ou en Australie. Elle se sert aussi des images de sa peau constellée de motifs décoratifs pour créer papiers peints, collages et tatouages éphémères.

C'est il y a une dizaine d'années seulement qu'Ariana a appris qu'elle était atteinte de dermographisme, mais dès lors, elle a cherché à transformer sa peau en support artistique.

Pour aider les personnes atteintes de malformations similaires, elle a créé un blog, Skin Tome. D'autres peuvent à leur tour y exprimer ce que leur peau a d'exceptionnel. Enfin, Ariana affirme que même s'il existait un moyen de la guérir, elle n'en voudrait pas. « Je trouve, dit-elle, que c'est drôle de pouvoir écrire sur soi… J'aime bien ça. »

Index est une création d'Ariana dans laquelle elle décrit l'un de ses rêves, calligraphié sur ses jambes avec une aiguille à tricoter.

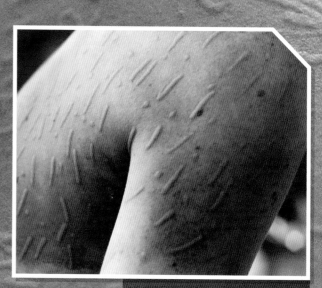

Sur cette autre photographie d'Ariana, intitulée *!!!!!*, une nuée de points d'exclamation couvrent son dos, ses épaules et ses bras.

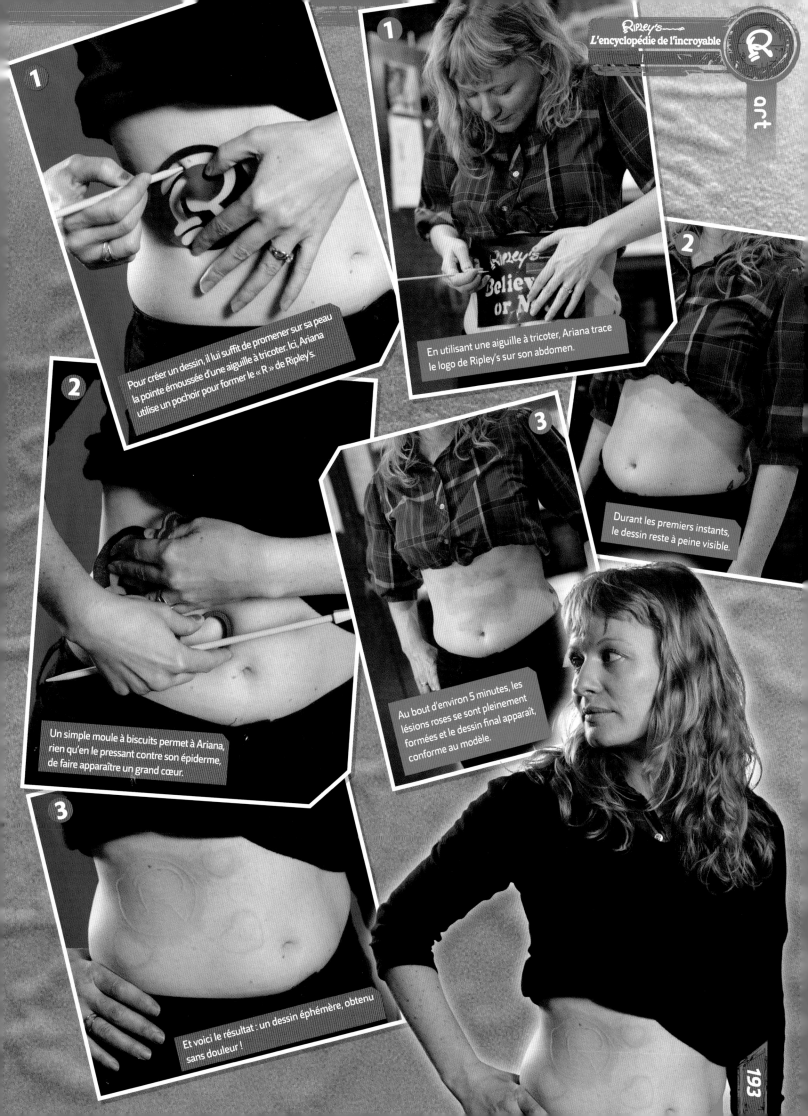

1 Pour créer un dessin, il lui suffit de promener sur sa peau la pointe émoussée d'une aiguille à tricoter. Ici, Ariana utilise un pochoir pour former le « R » de Ripley's.

2 Un simple moule à biscuits permet à Ariana, rien qu'en le pressant contre son épiderme, de faire apparaître un grand cœur.

3 Et voici le résultat : un dessin éphémère, obtenu sans douleur !

1 En utilisant une aiguille à tricoter, Ariana trace le logo de Ripley's sur son abdomen.

2

3 Durant les premiers instants, le dessin reste à peine visible.

Au bout d'environ 5 minutes, les lésions roses sont pleinement formées et le dessin final apparaît, conforme au modèle.

Tronc d'arbre

→ Zheng Chunhui, artiste chinois, a passé quatre ans à sculpter une complexe œuvre d'art dans un tronc d'arbre de 12 mètres.

Cette sculpture de 3 mètres en son point le plus haut et 2,4 mètres de large s'inspire d'une célèbre peinture chinoise du XIIe siècle, avec ses bateaux, ponts, animaux, constructions et ses 550 personnages fabriqués un par un.

titanesque Travaillant 12 heures par jour pendant 10 jours, Vivek Kumar, de l'Uttar Pradesh (Inde), a réalisé une maquette du *Titanic* de 1,8 mètre de long et 0,9 mètre de haut... à partir de 8 000 bâtons de crème glacée.

docteur crochet Pour réaliser un cadeau de Noël original, Allison Hoffman, d'Austin au Texas, a reproduit au crochet sous forme de mini-poupées les 11 premiers Doctor Who, de la série télévisée du même nom.

bois trompeur Tom Eckert, de l'Arizona, réalise des sculptures qui paraissent faites de soie, verre, papier, pierre, plastique, métal ou même de fruits, alors qu'elles sont en bois. Travaillant à partir de différentes essences de tilleul, il sculpte, transforme, taille, plie, stratifie... Puis il applique de fines couches de laque à base d'eau, au pistolet et au pinceau, pour intégrer au bois de subtiles rides ou des reflets illusionnistes, ce qui le rend presque impossible à distinguer du matériau qu'il imite.

au poil !
Mukesh Thapa, du Himachal Pradesh, en Inde, a peint un autoportrait à l'huile en n'utilisant en tout et pour tout qu'un seul poil de sa barbe. Il lui a fallu un an.

beau lait
Vivi Mac, artiste française, crée des portraits de célébrités à partir de produits alimentaires, dont la crème brûlée et le lait. Elle utilise une paille pour disposer le liquide sur les plateaux en plastique qui lui servent de toiles.

star du cuir
L'artiste gallois Mark Evans utilise le cuir comme toile et un couteau comme pinceau. Il incise soigneusement les peaux sur lesquelles il travaille pour créer d'étonnantes « gravures » qui se vendent jusqu'à 630 000 €.

art de ma boule
Lacy Knudson, de San Diego, en Californie, crée des mosaïques colorées à partir de milliers de minuscules boules de pâte à modeler Play-Doh. Elle peint d'abord une image, puis dispose les boules sur la toile en fonction de leur couleur. L'une de ses œuvres a nécessité 6 mois, 152 pots de Play-Doh et 12 000 boules.

mot à mot
Michael Volpicelli, de Stillwater, dans l'Oklahoma, réalise des portraits de célébrités en se servant de mots évoquant leur vie. Avec un simple stylo et de l'encre, il réalise le portrait de personnalités inspirantes, tels le Pape Jean-Paul II ou Malala Yousafzai, la jeune Pakistanaise de 16 ans blessée par les talibans pour avoir voulu aller à l'école.

surdimensionné
Le sculpteur anglais Rob Higgs a construit le plus grand et le plus complexe tire-bouchon au monde, un engin de 1,6 mètre, en laiton, qui pèse plus des trois quarts d'une tonne et compte 382 pièces mobiles, engrenages, poulies, leviers et ressorts compris.

portrait collant
Malcolm West, un autre Anglais, s'est servi de 5 000 bonbons de 20 saveurs différentes pour créer un portrait de 1,2 mètre de la duchesse de Cambridge. Réglisse et saveur pudding au chocolat pour les cheveux, goût barbe à papa et pamplemousse rose pour le teint... Chaque bonbon a été minutieusement collé sur une toile.

LAMES DE L'ARTISTE

➜ On dirait des animaux à fourrure ou des oiseaux, mais ce sont des sculptures grandeur nature, faites de tout petits éclats et de copeaux de bois. Sergeï Bobkov, artiste russe, utilise des bâtons de 7,5 cm de cèdre de Sibérie qu'il découpe en 150 fines tranches environ. Il les fait ensuite tremper plusieurs jours pour ne pas qu'elles s'effritent, puis les taille selon la forme désirée avec une grande précision.

art en carton
Giles Oldershaw, d'Oxford, s'empare de vieux morceaux de carton ondulé et, en n'utilisant rien de plus que des pinces, des scalpels et des ciseaux, il les transforme en portraits de stars – Marilyn Monroe, Marlon Brando, Bette Davis... Il n'emploie ni peinture, ni encre, ni fusain, variant les couches de carton pour mettre en évidence les traits du visage.

précieux fragments
Fondée par Keith et Stephanie Duffy, de Salt Lake City, dans l'Utah, Little Cord Art crée des œuvres d'art sur mesure à partir de cordons ombilicaux. Le client envoie un échantillon de cordon du bébé aux artistes, qui le place sur une lame de microscope et le découpe jusqu'au niveau cellulaire. Le résultat est ensuite coloré, magnifié 400 fois, photographié et encadré pour créer une image numérique des cellules du bébé.

puzzle royal
Dave Evans, du Dorset, en Angleterre, a passé trente-cinq jours à découper à la main un puzzle en bois de 40 000 pièces évoquant le jubilé de diamant de la reine Elizabeth II. Mais alors qu'il procédait aux derniers ajustements de ce puzzle de 6,45 mètres par 2,41 mètres, sur sa planche de travail, elle s'est effondrée et il lui a fallu 4 jours pour tout remonter.

MOTO EN BOIS
➜ Istvan Puskas, de Tizaors, en Hongrie, a passé deux ans à fabriquer une moto en bois entièrement fonctionnelle. Il s'est surtout servi de bois de robinier, résistant aux intempéries, et l'a embellie en incorporant des bois de cerf au guidon. Les tuyaux d'échappement sont en cornes de vache et le réservoir est un tonneau de bois, où puise un petit moteur Fiat, seul élément métallique, qui permet à cette moto d'atteindre les 28 km/h maximum.

OS DE PAPIER

➡ L'artiste canadien Maskull Lasserre a finement sculpté une colonne vertébrale humaine et une cage thoracique dans une pile de journaux compactés. Pour conserver le niveau de concentration dont il a besoin, il travaille par tranches de temps ne dépassant pas une heure. « Le papier, dit-il, est un matériau très difficile à tailler en raison de son grain et du fait que les feuilles ne sont pas reliées entre elles latéralement. » Maskull travaille également sur différents autres médias : livres, branches d'arbres et même cintres.

mi-hommes mi-bêtes Brandon Vickerd, un sculpteur de Toronto, a créé une série de statues à têtes animales : ce sont des statues d'humains portant des vêtements à capuche sous lesquels se cachent des têtes d'animaux empaillés – ratons laveurs, mouffettes, écureuils, canards... Il les a installées en pleine ville pour observer la réaction des passants.

vaches et castors Anthony Butch a créé à Seale, en Alabama, un Musée des Merveilles plein de bizarreries, comme un lustre fait d'os de vache ou une série de bols tissés à partir de fibres végétales rongées par les castors – un matériau qu'il semble apprécier, puisque les fenêtres des toilettes sont elles aussi en fibres de bois rongées par les castors.

rognures Mike Drake, de New York, recueille chaque année depuis dix ans une grande quantité de rognures d'ongles. Il les transforme en presse-papiers.

peinture au jet Au lieu des brosses traditionnelles, Tarinan von Anhalt, d'Aventura, en Floride, princesse et artiste, peint à l'aide d'un turboréacteur d'avion. Elle crée des œuvres abstraites en lançant de la peinture dans la turbine d'un moteur de Learjet, éclaboussant de couleurs une toile de 2,4 mètres de côté disposée à une dizaine de mètres. La technique a été inventée par son défunt mari, Jürgen, il y a trente ans, et certains de ses clients vont jusqu'à payer 50 000 $ uniquement pour la voir à l'œuvre !

pot familial Tamsin van Essen, de Londres, a créé une série de pots de faïence volontairement imparfaits, pour représenter différentes maladies ou malformations. Inspiré par les pots des apothicaires des XVIIe et XVIIIe siècles, ses « Bijoux de famille médicaux » évoquent l'acné, l'ostéoporose, le psoriasis, ou même des cicatrices. Un « héritage » qui peut se transmettre de génération en génération, comme les maladies héréditaires.

monde miniature Nichola Battilana, de Brighton, en Ontario, fabrique des paysages miniatures qui tiennent dans un dé à coudre. Elle modèle de minuscules maisons dans de l'argile-cellulose, utilise des touffes de mousse pour représenter les arbres et dispose ensuite soigneusement tout cela dans un dé.

vitraux de papier Eric Standley, maître de conférences en arts à Virginia Tech, crée des images 3-D de vitraux gothiques à partir de centaines de morceaux de papier de couleur. Il découpe le papier au laser, avec une précision mathématique, puis empile les morceaux pour former des couches, souvent plus de cent, et enfin joint les feuilles les unes aux autres.

mini-marx Pour célébrer le 195e anniversaire de la naissance de Karl Marx, Ottmar Hörl a semé 500 statues miniatures du philosophe dans sa ville natale, Trèves, en Allemagne. De petits bonshommes tous de la même taille et de la même forme, mais dans différentes nuances de rouge.

incoulable À Djeddah, en Arabie saoudite, un collectif d'artistes a construit un navire en polystyrène de 13,6 mètres de haut, 18,4 mètres de long et 4,5 mètres de large.

passeport peint Fredrik Saker, artiste suédois, a réussi à coller son autoportrait sur son passeport ! Une photo étant obligatoire, il a décidé de photographier un autoportrait très réaliste qu'il avait mis 100 heures à peindre. L'administration a accepté cette image sans faire de difficulté.

lourde rose *La Rose*, tableau peint en 1966 par Jay DeFeo, de San Francisco, a demandé une telle quantité de peinture qu'il a fallu 8 ans à l'artiste pour l'achever. Elle pèse plus de 908 kg.

allégé en matière grasse Vipular Athukorale, de Leicester, en Angleterre, réalise des sculptures très détaillées, dont l'une représente une Rolls-Royce, l'autre une scène du Petit Chaperon rouge... en margarine. Il fabrique une armature, puis la recouvre d'une motte de margarine, qu'il façonne au scalpel. Ses sculptures ne font que 6 cm et chacune nécessite plusieurs mois, mais tant qu'elles sont conservées au froid, elles peuvent durer des années.

TROUS PEINTS ➡ Wang Yue, étudiante en art, utilise comme support à peindre le tronc des arbres de sa ville, Shijiazhuang, en Chine. Elle sélectionne les troncs les plus pollués au monde, relève les dimensions d'une plaie, puis compose une esquisse numérique, avant de peindre l'image voulue directement sur le bois. Wang Yue a ainsi créé plus d'une dizaine de tableaux vivants, représentant souvent des animaux – ratons laveurs, pandas, oiseaux – ou encore des paysages arborés.

Camouflage

➔ Johannes Stoetter, du Trentin-Haut-Adige, en Italie, est l'auteur de cette étonnante représentation d'une grenouille tropicale derrière laquelle se cachent les corps de 5 femmes, entièrement peints, qui forment le torse, les jambes, les bras et la tête de la créature.

Une œuvre de ce type nécessite jusqu'à cinq mois de travail: il faut la planifier dans les moindres détails, concevoir la répartition des couleurs et le positionnement précis des modèles, tous humains. Johannes passe ensuite huit heures à appliquer une peinture spéciale sur ses modèles, transformés en animaux, en fruits, en paysages, qui trompent l'œil du spectateur. C'est en 2000 qu'il a commencé à peindre sur des corps, avec succès puisqu'en 2012, il est devenu champion du monde dans sa discipline. « Le *body painting*, explique-t-il, c'est quelque chose de très spécial, parce que l'œuvre est vivante et ne peut se déplacer. Une huile sur toile dure éternellement, tandis qu'une œuvre peinte sur des corps n'existe que pour quelques heures. »

Délicieuse Piggy

→ Laura Benjamin, d'East Hampton, dans l'État de New York, a découpé des dizaines de papiers de bonbons pour réaliser ce collage de Piggy la cochonne, célèbre héroïne du *Muppet Show*.

monsieur allumettes Djordje Balac, de Gospic, en Croatie, a réalisé une maquette entièrement articulée de la plus grande grue au monde, la Liebherr LTM-11200, au moyen de 175 518 allumettes, 20 kg de colle et 8 kg de vernis. En travaillant tous les jours de 8 heures à minuit, il lui a fallu trois mois pour faire cette grue qui, tout comme sa grande sœur, a un bras extensible. Djordje réalise également des modèles réduits de camions, toujours en allumettes.

NUAGES COLORÉS

➔ Irby Pace, de Denton, au Texas, a sillonné les États-Unis pour disperser de petits nuages de fumée colorée qu'il a photographiés afin de composer une série intitulée *Pop!* Des ballons gonflés à l'hélium ou de simples ficelles lui ont permis de faire exploser ses bombes de fumée colorée là où le résultat s'annonçait le plus esthétique. Il a cherché à varier la forme des nuages, leur teinte et l'intensité de leurs couleurs.

clichés explosifs Jon Smith, de Fishers, dans l'Indiana, chimiste et photographe, crée des œuvres explosives... en prenant des instantanés d'ampoules électriques qu'il remplit, avant de les faire éclater, de matériaux de couleurs vives – aussi bien bonbons que paillettes, poussière de craie, capsules... Il tire dessus avec un fusil à plombs et capture l'instant de l'impact grâce à un appareil photo.

toast princier Nathan Wyburn, de Cardiff, au Pays de Galles, a réalisé un portrait de la duchesse de Cambridge à partir de 35 tranches de pain blanc grillées et d'un pot de Marmite – la fameuse pâte à tartiner à base de levure de bière.

savon humain Orestes de La Paz, artiste plasticien de Miami, en Floride, a fabriqué vingt savons avec sa propre graisse, après une liposuccion en 2012. Prix de l'œuvre à la pièce : 1 000 $.

quel souffle ! Tim Thurmond, de Brighton, dans le Michigan, a gonflé plus de 8 000 ballons en 24 heures, soit près de 6 ballons par minute, et les a transformés en sculptures.

royal air poulet Avec 6 500 boîtes à œufs, Charlotte Austen et Jack Munro ont créé une réplique grandeur nature d'un Spitfire, célèbre avion de chasse de la Deuxième Guerre mondiale, au Duxford Imperial War Museum, dans le Cambridgeshire, en Angleterre. Ces boîtes d'œufs ont été fixées à une armature de bois et de fer, divisée en 12 sections pour être plus facilement transportables.

dessin géant En huit jours, à raison de cinq heures par jour, Edmund Chen, de Singapour, a créé seul un dessin représentant une carpe koï et des fleurs de lotus sur un rouleau de papier de 600 mètres, soit cinq fois la longueur d'un terrain de foot.

CORPS INVISIBLES

➔ Les passants se grattent la tête en découvrant ces sculptures en bronze sur le front de mer de Marseille : un gros morceau de leur corps semble manquer. Elles font partie d'une série de 10 statues d'hommes du même type, grandeur nature, créées par le sculpteur français Bruno Catalano. Ces morceaux de corps invisibles représentent la partie absente de nous-mêmes, dit l'artiste. Chacune de ces statues, d'abord modelée dans l'argile, a demandé 15 jours de travail.

TOUT EN LÉGÈRETÉ → Chris
Maynard, d'Olympia, dans l'État de Washington, crée de superbes images de groupes d'oiseaux à partir de plumes véritables. Il s'approvisionne auprès de volières privées ou de zoos, attendant patiemment que la bonne forme et le coloris dont il rêve soient disponibles. Les plumes qu'il utilise proviennent d'espèces variées : perroquets, pigeons, corneilles, faisans, dindes... Il les renforce pour ne pas qu'elles se tordent, et utilise ensuite une lentille grossissante pour les façonner : grâce à de minuscules ciseaux de chirurgien, des scalpels et des pinces, il les découpe avec soin, avant de les monter sur des cadres appelés « shadowboxes », pour créer un effet 3-D.

pas plagiaire, plagiste ! Svetlana Ivanchenko, artiste ukrainienne, crée des œuvres complexes à partir d'éléments ramassés sur la plage : coquillages, cailloux, racines, écorce... Il lui faut huit heures de tri pour obtenir 50 grammes de matériau utile, mais elle a tout de même réalisé 80 œuvres en douze ans, dont un lion sortant d'un sous-bois et un chérubin endormi. Elle n'utilise aucun colorant et passe beaucoup de temps à tout assembler à la main.

photos savonneuses Jane Thomas, photographe amateur de Kilmarnock, en Écosse, prend en gros plan de l'eau savonneuse et en tire des œuvres évoquant l'art psychédélique des années 1960. L'idée lui est venue en découvrant des « motifs étranges et fantastiques » dans l'eau alors qu'elle faisait la vaisselle.

doigts de fée Alice Bartlett, une photographe et artiste de Londres, crée des scènes miniatures sur ses propres ongles. Elle commence par les recouvrir d'un vernis vert texturé, pour que cela ressemble à de l'herbe, puis y place de minuscules personnages qui ont l'air de pique-niquer ou de se promener.

sujet chatouilleux Au lieu de peinture à l'huile ou d'aquarelle, Dinh Thong, un artiste vivant à Hoi An, au Vietnam, se sert de plumes de poulet. Il les récolte sur les marchés aux volailles, les stocke dans des sacs en plastique et passe ensuite des heures à les trier pour trouver celles qu'il lui faut. Après avoir esquissé les grandes lignes de son œuvre sur une feuille, il colle des plumes dessus, en variant les nuances. Ses œuvres les plus grandes peuvent incorporer des centaines de plumes.

toile mouchetée John Knuth, de Los Angeles, nourrit des mouches domestiques avec de l'eau additionnée de sucre et de pigments pour l'aquarelle. Il attend ensuite qu'elles régurgitent... et ça fait de l'art ! John commence par acheter en ligne des milliers d'asticots qui, une fois devenus mouches, sont nourris au mélange. Ensuite, il laisse la nature faire son œuvre... En quelques semaines, sa toile est entièrement recouverte de millions de petits points colorés : leur vomi.

JEU AVEC LE FEU
→ Rob Prideaux, un photographe de San Francisco, joue littéralement avec le feu pour ses photos. Utilisant un chalumeau au propane et un flacon pulvérisateur, il met le feu à de petites quantités d'essence, dans un coin de son atelier et, avec un capteur d'ondes pour déclencher la caméra, qui réagit au son de l'explosion, il réussit à capturer l'infime instant où naît la flamme. Il crée également des volutes artistiques en brûlant de l'encens dans la pénombre, et photographie le résultat.

expos de l'extrême Edgy, artiste australien, a exposé ses peintures en plein désert du Qatar, par des températures de plus de 50 °C, et sur le camp de base de l'Everest, à 5 365 mètres d'altitude..

il montre son talent Willard Wigan, micro-artiste de Birmingham, en Angleterre, a créé une montre de luxe contenant une minuscule réplique de navire, moitié moins grosse que le point qui clôt cette phrase. Il a passé 672 heures à la fabriquer, et elle vaut 1,5 million de dollars – le bateau et ses voiles sont en or 24 carats.

À tes souhaits

→ Le photographe suédois Ulf Lundin invite à passer devant l'objectif... pour des photos aussi insolites que peu flatteuses : il demande à ses modèles d'éternuer et capture cet instant (en studio) pour un projet artistique baptisé « À tes souhaits ».

Il se dit inspiré par le côté spectaculaire de ce moment où tout le monde semble perdre le contrôle...

auto-robot L'artiste français Guillaume Reymond a créé une installation baptisée « Transformers », comprenant plus d'une douzaine de véhicules – voitures, camionnettes, camions. Il les a positionnés de sorte que, vu du dessus, ça ressemble à un robot de la série d'animation *Transformer*, en version géante.

mieux qu'une photo Craig Wylie, artiste né au Zimbabwe, dessine et peint d'immenses portraits si précis qu'on les prend souvent pour des photos. Il travaille à partir d'images sur son ordinateur portable, ce qui lui permet de zoomer sur les moindres détails du visage, et passe jusqu'à trois mois sur chaque œuvre. La plus grande à ce jour fait 2 mètres x 3 mètres.

portrait mâché Anna-Sofia Matveeva, artiste ukrainienne, crée des portraits de célébrités, dont Elton John ou Steve Jobs, à partir de centaines de morceaux de chewing-gums mâchés par ses amis. Elle les trie suivant leurs couleurs, ou nuances, puis réchauffe la « gomme » au micro-ondes. Chacune de ces œuvres peut peser 5 kg.

couette c'est que ça ? John Lefelhocz, artiste et cycliste d'Athens, dans l'Ohio, a fabriqué une couette entièrement en chaînes de vélo (des centaines), peintes à la main.

BELLES HORREURS ➜ Créé en 1994 par l'antiquaire Scott Wilson et son ami Jerry Reilly, le Museum of Bad Art de Boston, Massachusetts, s'honore de présenter plus de 600 œuvres tellement mauvaises… que c'est trop bon ! Des milliers de visiteurs se pressent chaque année dans ses salles pour contempler des pièces uniques, telle *Mana Lisa*, reprise anonyme du chef-d'œuvre de Léonard de Vinci – version transgenre.

mini lisa Des scientifiques de l'Institut de technologie de Géorgie ont créé une copie de la Joconde qui ne fait que le tiers de la largeur d'un cheveu. Ils se sont servis d'un microscope à force atomique et d'une nanotechnologie basée sur la chaleur. En faisant varier la température appliquée à chaque pixel, ils ont réussi à contrôler les nuances de leur image pour reproduire fidèlement celles de l'original.

un artiste en vue Tyler Ramsey a passé une semaine dans la vitrine d'un magasin de chaussures de Venice Beach, à Los Angeles. Manger, dormir, discuter avec les badauds… Il se chargeait aussi de personnaliser les chaussures achetées par les clients, en les peignant avec ses doigts.

corps à cork À Cork, en Irlande, une équipe d'artistes a peint en cinq heures le corps de 316 personnes. Les modèles se sont déshabillés (en gardant leurs sous-vêtements), pour offrir aux pinceaux toutes les parties libres de leur corps, sauf la plante des pieds.

➘ **LÉONARD DE VINCI ÉTAIT CAPABLE D'ÉCRIRE D'UNE MAIN TOUT EN PEIGNANT DE L'AUTRE.**

un graffeur se venge On a envoyé un technicien nettoyer un tag huit heures seulement après sa réalisation, sur un mur de Londres, par l'artiste DS. Frustré, DS a discrètement photographié l'homme en train de travailler et, après son départ, il est revenu bomber le mur avec une œuvre inspirée de cette scène !

stars du roc Le photographe français Léo Caillard a fait subir à plusieurs statues antiques célèbres une cure de jouvence, les habillant de pantalons *chinos*, Ray Ban et chemises à carreaux. Dans l'impossibilité d'utiliser les vraies statues, conservées au Louvre, il a cherché des gens qui aient à peu près la même morphologie qu'elles et les a pris en photos, habillés en *hipsters*. Puis il a mélangé les deux types d'images, grâce à Photoshop.

cadres orphelins Le Gardner Museum de Boston conserve 13 cadres tristement vides : ceux de tableaux, d'une valeur de 500 millions de dollars, qui lui ont été volés en 1990.

elton cacahuète Steve Casino, de Fort Thomas, dans le Kentucky, transforme des coques d'arachide en mini-statuettes de célébrités vendues 500 $: Elton John, Sean Connery, Joey Ramone... Une fois trouvée une coque ayant la forme adéquate, il l'ouvre, retire les cacahuètes et recolle les morceaux, puis il lisse la surface. À l'aide d'un petit pinceau, il la peint ensuite à l'acrylique, avant de créer les bras, les jambes et tous les accessoires du personnage, en bois, bambou ou encore en mousse solidifiée.

ressemblance génétique Heather Dewey-Hagborg, une étudiante de New York, sculpte le portrait d'anonymes à partir de leur ADN, récupéré sur des chewing-gums, des poils ou encore des mégots. Elle extrait en laboratoire le matériel génétique, puis se sert d'un logiciel pour se faire une idée des possibles caractéristiques physiques de l'inconnu, avant de sculpter son portrait.

grave fragile ! Avec une petite fraise de dentiste, le Vietnamien Ben Tre est capable de graver sur un œuf portraits ou paysages. Et comme il ne fait subir aucun traitement aux coquilles pour les durcir, ses œufs restent extrêmement fragiles. Il les protège en les vendant dans un globe de verre.

cuisine d'artiste Pour donner un effet profondeur à ses œuvres, Ken Delmar, un artiste de Stamford, dans le Connecticut, utilise en guise de toile du papier absorbant de cuisine – et ses peintures à l'huile se vendent jusqu'à 10 000 $. Un improbable support qu'il a découvert par accident : il nettoyait ses pinceaux avec du papier absorbant, quand il s'est aperçu que les couleurs y vibraient davantage que sur ses toiles.

peinture au cousteau
Vêtu d'un équipement de plongée, l'artiste ukrainien Alexandre Belozor peint des paysages sous l'eau, à des profondeurs allant jusqu'à 26 mètres.

FAUX ROCKY

→ Cela pourrait n'être qu'une effigie de Sylvester Stallone, mais ça n'est pas cela : il y a une vraie personne là-dessous !

La faute à Marie-Lou Desmeules, artiste québécoise qui utilise peinture, cheveux et matière plastique pour transformer ses modèles en imitations outrancières de personnages emblématiques, tels Michael Jackson, Pamela Anderson, Barbie ou Stallone.

Ripley's Interview

Qu'est-ce qui vous a donné l'idée de ces sculptures humaines ? J'étais dans mon atelier, à Berlin, en 2008, quand j'ai décidé de réaliser un moulage de mon copain pour le « mélanger » ensuite au mur derrière lui. Puis ma technique a évolué, j'ai fait des choses plus artistiques, de la sculpture. J'ai commencé à faire des sculptures de célébrités en 2012.

Pourquoi des célébrités ? Je voulais m'attaquer aux stéréotypes. Mes sculptures de célébrités m'ont été inspirées par cette obsession pour la chirurgie esthétique – l'image, l'identité, la société de consommation...

Pourquoi avoir choisi Rambo, par exemple ? Rambo est un personnage très complexe et controversé. Je pense que son corps musclé représente une coquille qui cache en réalité un intérieur triste. Mon prochain modèle sera David Bowie.

Combien de temps nécessitent vos œuvres ? Je fais d'abord des recherches préparatoires, puis je rassemble des idées et des matériaux. Un processus qui peut prendre aussi bien une journée qu'une vie ! La création elle-même (ou « chirurgie », comme je l'appelle) demande trois heures : transformation, éclairage et photographie. Le modèle porte la sculpture pendant un quart d'heure, le temps que je puisse le photographier.

Quels matériaux utilisez-vous ? Surtout de l'acrylique, des feuilles de plastique, des mèches de cheveux, du ruban adhésif, du papier et des vêtements.

Enfin, si vous deviez être l'une de ces sculptures humaines, qui choisiriez-vous ? La femme invisible !

portraits SUCRÉ

→ Kristen Cumings, une artiste de Martinez, en Californie, fait d'incroyables portraits à partir de milliers de bonbons colorés.

Elle recrée ainsi des œuvres emblématiques, telle *La Nuit étoilée* de Van Gogh, mais elle a aussi immortalisé son fils (ci-dessous, à gauche) et son jeune voisin (ci-dessous) en Jelly Belly Beans – des bonbons américains. À partir d'une photo de son modèle, elle peint d'abord une version à l'acrylique sur une toile vierge. Quand c'est sec, elle applique les bonbons, en faisant correspondre les couleurs à l'original. Elle utilise de la colle en spray pour s'assurer que les bonbons tiennent.

mini-monet Kieron Williamson, jeune et talentueux paysagiste anglais du Norfolk, avait déjà gagné à 10 ans, grâce à ses toiles, l'équivalent de près de 2 millions d'euros. Ses œuvres sont si recherchées que la vente en 2013 de vingt-trois de ses tableaux a rapporté l'équivalent de 320 000 € en seulement 20 minutes.

œuvre à la gomme Inspiré par les empilements d'allumettes ou de cartes à jouer, Jeremy Laffon a construit en près de trois mois, à partir de 4 000 plaquettes de chewing-gum, une réplique des buildings de Marseille qui fait 2 mètres de haut et 3 mètres de long. Il a empilé les chewing-gums pour former des bâtiments et des tours, les faisant d'abord tenir juste avec sa salive, avant d'utiliser de la colle, au bout du compte. Enfin, il a fait fondre certains chewing-gums de façon à ce qu'une partie des immeubles ait l'air de s'effondrer, comme si la ville tombait en ruines.

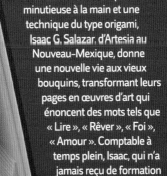

TÊTES DE L'ART

➜ Croyez-le ou non, cette chemise froissée est faite d'environ 6 500 têtes de vis de métal. Elle est l'œuvre d'Andrew Myers, de Laguna Beach, en Californie, qui en a d'abord dessiné les contours sur du bois, avant de planter des milliers de vis à diverses profondeurs pour créer un étonnant effet 3-D. Il a ensuite peint individuellement chaque vis pour former ce qui est à la fois un dessin, une peinture et une sculpture.

bestiaire en tongs Ocean Sole, une société kényane, a confectionné cent sculptures d'animaux à partir de vieilles tongs ramassées sur les plages : éléphants, phacochères, et même une girafe en caoutchouc de 5,5 mètres de haut !

rhinocirrhose Les Californiens Jim et Mary Lambert, de Carmichael, et Bob et Di Nelson, de Fair Oaks, ont passé trois ans à fabriquer un rhinocéros grandeur nature (3,6 mètres de long) à partir de contreplaqué, de mousse et, surtout, de 12 000 bouchons de bouteilles de vin collectés depuis vingt ans par Jim, qui a baptisé cette sculpture « Rhinocirrhose », d'après la maladie du foie causée par l'abus d'alcool.

canards géants Depuis 2007, des canards en plastique jaune géants créés par l'artiste néerlandais Florentijn Hofman ont fait une entrée spectaculaire dans certains ports, surgissant au Japon, en Australie, en Nouvelle-Zélande, au Brésil, aux Pays-Bas, en Chine...

saeri en riz Saeri Kiritani, qui vit à New York, a réalisé une statue d'elle-même grandeur nature en collant ensemble 1 million de grains de riz. Cheveux compris, fabriqués à partir de vermicelles de riz.

attaque de gnomes En 2012, à Oakland, en Californie, plus de 2 300 mini-tableaux représentant un gnome – petit bonnet rouge, barbe blanche et chaussures marron – sont apparus en ville, vissés aux poteaux téléphoniques. Peints à la main sur des plaquettes de bois de 15 cm, ils se sont révélés si populaires que la compagnie du téléphone a décidé de les laisser en place.

besoin de remplir Le Suédois Michael Johansson crée de grandes installations inspirées par Tetris en mélangeant des objets de tous les jours : penderies, armoires à classeurs, appareils ménagers, valises et même véhicules. Ces œuvres rectangulaires, compartimentées et colorées, viennent occuper des vitrines abandonnées, s'insérer entre deux bâtiments ou s'intercaler dans des piles de conteneurs.

pas bête, beth ! Un tableau de l'artiste russe Ilya Bolotowsky (1907–1981), *Diamant vertical*, vendu aux enchères 34 375 $, avait été acheté cinq mois plus tôt dans une boutique d'occasions pour 10 $ par Beth Feeback, de Caroline du Nord.

fresque de maïs Un ensemble de peintures murales constitué de 275 000 épis de maïs de différentes couleurs, dont bleu, orange et noir, décore l'extérieur et l'intérieur du Corn Palace de Mitchell, au Dakota du Sud. Renouvelées chaque année, ces fresques représentent des images emblématiques de l'Amérique, comme le mont Rushmore ou des cow-boys à cheval.

patience de shah Manjit Kumar Shah, de l'Assam, en Inde, a dessiné avec un feutre très fin 1615 portraits du Mahatma Gandhi sur la coquille d'un œuf.

fièvre acheteuse Trois études de Lucian Freud, un tableau peint par Francis Bacon, s'est vendu 142 400 000 $ aux enchères à New York en 2013, au bout de six minutes seulement. Et par rapport à son estimation initiale, le tableau a gagné 395 500 $ à la seconde.

peinture au pétrole L'artiste biélorusse Ludmila Zhizhenko peint avec du pétrole. Il ne lui en faut que 10 grammes pour réaliser l'une de ses peintures, lesquelles ressemblent à des photos vintage, jaunies. À cause des émanations dangereuses, elle doit peindre à l'extérieur, et ne pas poser ses tableaux trop près du feu !

UN PLI À PRENDRE

➜ Grâce à une découpe minutieuse à la main et une technique du type origami, Isaac G. Salazar, d'Artesia au Nouveau-Mexique, donne une nouvelle vie aux vieux bouquins, transformant leurs pages en œuvres d'art qui énoncent des mots tels que « Lire », « Rêver », « Foi », « Amour ». Comptable à temps plein, Isaac, qui n'a jamais reçu de formation artistique, crée pendant ses heures de loisir. Chaque œuvre lui prend entre 2 jours et 2 semaines.

MiaMi

DRÔLE D'ART

→ Pour son spécial Halloween, qui durait un mois, le parc à thème Ocean, de Hong Kong, a exposé la plus grande collection au monde de citrouilles sculptées – plus de 400 êtres fantasmagoriques créés par les maîtres sculpteurs Ray Villafane et Andy Bergholtz.

La pièce maîtresse était un Gremlin sculpté dans une citrouille géante (à droite) pesant plus de 454 kg qui avait été spécialement choisie par Ray aux États-Unis. N'utilisant que des cuillères et des scalpels, Ray et son équipe passent des heures sur chaque sculpture, avant que le résultat final ne soit mis à mariner dans un bain de vinaigre, pour que le public puisse en profiter plus longtemps.

Ray sélectionne les citrouilles les plus charnues, les meilleures pour faire l'objet de ce travail. « Je veux aussi des citrouilles qui aient du caractère, dit-il, avec des côtes noueuses, par exemple, pour que je puisse en tirer parti dans le processus de sculpture, au moment où je fais en particulier le nez. » Cependant, la nature étant imprévisible, Ray ne peut jamais être sûr que la texture ou la couleur de la chair sera idéale jusqu'à ce qu'il commence réellement à sculpter.

Ses précédentes sculptures de citrouille ? Des gorilles, des clowns, des oiseaux, ou encore un Johnny Depp ! Il a commencé un jour à sculpter des citrouilles pour amuser ses élèves, quand il était prof d'arts plastiques à Bellaire, dans le Michigan. « Sculpter a toujours été ma passion, dit-il, mais surtout, les enfants les adoraient, ces citrouilles sculptées. Pendant des jours, il y en avait une dizaine sur mon bureau, qui attendait que je m'en occupe. »

Le résultat final est mis à tremper dans du vinaigre pour qu'il se conserve.

Andy pèle une citrouille au coupe–choux avant de la sculpter, n'ayant alors plus besoin que d'un scalpel et d'une cuillère.

Ray se sert de la texture naturelle de la chair des citrouilles pour le relief du visage.

OIGNONS AU CHOCOLAT

Pour les amateurs de doux-amer, la boutique Chocolate by Mueller, à Philadelphie, vend des oignons enrobés de chocolat au lait. L'idée est née dès 1981, quand les responsables d'une émission de télé humoristique ont demandé à Mueller d'inventer quelque chose de fou pour la Saint-Valentin. Outre ses oignons de chocolat (5 $), Mueller vend aussi des chocolats en forme de cœur, poumons, reins, oreilles ou dents, grandeur nature.

maxicake Trois cents enfants de Managua, au Nicaragua, ont réalisé un cake aux fruits géant d'un poids de 14 454 kg s'étirant sur 500 mètres. Plus de 60 000 œufs leur ont été nécessaires pour le préparer.

sauces épicées Vic Clinco, de Phoenix, en Arizona, possède une collection de plus de 6 000 bouteilles de sauces pimentées. Il les collectionne depuis près de vingt ans et sa bouteille la plus chère vaut environ 1 500 $.

il fait suer Toxique, le « champignon sueur » pousse en Europe et en Amérique du Nord. Il entraîne une transpiration incontrôlée et fait pleurer.

dur à avaler En 2012, à Londres, le vendeur d'ustensiles de cuisine De'Longhi a fait fabriquer une tasse à café de 2,9 mètres de hauteur et 2,6 mètres de diamètre, d'une capacité de 13 000 litres. Pleine, elle pèse 14 tonnes – le poids d'un autobus à impériale bien garni.

chaud devant ! En y incorporant du piment Bhut Jolokia, le plus fort au monde, Paul Brayshaw, Anglais de l'East Sussex, a créé la Saltdean Sizzler, une pizza 3 fois plus forte que les bombes lacrymogènes utilisées par la police contre les manifestants.

frankenburger Le Dr Mark Post, de l'université de Maastricht, aux Pays-Bas, a « cultivé » en laboratoire un steak haché pour hamburger à partir des cellules-souches d'une vache. Coût de l'expérience : 325 000 $.

Gâteau gore

David et Natalie visionnaient un film d'horreur quand cette idée de gâteau de mariage en forme de têtes coupées lui est venue.

→ Natalie Sideserf, artiste pâtissière, s'est unie à David, fan de films d'horreur, et pour leur mariage elle a conçu un gâteau particulièrement horrible prenant la forme de deux têtes coupées : les leurs.

Du chocolat moulé et un glaçage à la crème sont venus parfaire son étonnante ressemblance avec Natalie et son mari, représentés les yeux vides, les cheveux emmêlés et le cou dégoulinant de rouge. La cérémonie s'est déroulée au moment d'Halloween, et il paraît que la grand-mère de Natalie n'a pas trop aimé le côté gore du gâteau.

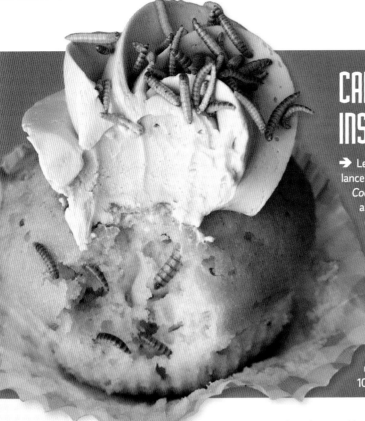

CAKE AUX INSECTES

➜ Les hôtes de la soirée de lancement du livre *The Insect Cookbook*, à Wageningen, aux Pays-Bas, se sont vus offrir de petits cakes aux asticots ou aux sauterelles. Henk van Gurp, coauteur de l'ouvrage, qui milite pour la consommation d'insectes, riches en protéines, avait également préparé une tarte géante aux 100 sauterelles.

silence, on dîne !
Le restaurant Eat, à Brooklyn, New York City, organise des soirées spéciales où les clients doivent manger leurs repas dans un silence complet. L'idée vient du chef cuisinier, Nicolas Nauman. Si un client fait le moindre bruit, on l'envoie finir son repas dehors, sur un banc.

à quand le guide ?
Depuis 1955, David Chan, avocat à Los Angeles, a mangé dans plus de 6 300 restaurants chinois, et il a pris des notes à chaque fois.

vieux food-truck
Les propriétaires du Franks Diner, à Kenosha, dans le Wisconsin, prétendent qu'il s'agit du plus ancien food-truck des États-Unis. Il a commencé à vendre des hamburgers dès 1926, sur la 58e Rue. C'était alors une roulotte tirée par des chevaux.

soupe aux vers
La soupe aux vers de terre est un plat populaire dans la province de Guandong, en Chine. On dit qu'elle guérit de la fièvre.

grillé au soleil
Les habitants de Villaseca, au Chili, n'utilisent pour cuire leurs aliments que les rayons du soleil – leurs fours solaires peuvent monter à la température de 180 °C. La région, qui enregistre plus de 300 jours de soleil par an, s'est tournée vers l'énergie solaire quand le bois a commencé à manquer.

brie de dessous de bras
La scientifique américaine Christina Agapakis et l'experte en parfums norvégienne Sissel Tolaas ont élaboré une gamme de onze fromages à partir de bactéries colonisant la peau de nos pieds, nos aisselles et notre nombril. Prélevées sur des volontaires, grâce à de simples écouvillons, elles ont été cultivées dans des boîtes de Petri pour produire du fromage.

régime de rêve
Evo Terro, un Américain qui participe à la grande Fête de la bière, en Allemagne, boit six bières par jour et ne mange que des saucisses pendant tout le mois d'octobre – soit environ 15 000 calories par semaine. Étonnamment, il perd du poids (jusqu'à 6 kg) et son taux de cholestérol chute d'un tiers.

miel de grotte
Le « miel des elfes » se récolte dans les grottes et, à 6 000 € le kilo, il coûte autant qu'une petite voiture. Ce miel sauvage, riche en minéraux, est très rare car il ne se trouve que sur les parois d'un réseau de cavernes profond de 1 800 mètres dans la vallée de Saricayir, en Turquie.

piscine de fruits
Pour fêter le début de l'année universitaire 2013-2014, 500 étudiants et le personnel de l'université du Massachusetts ont concocté une salade de fruits de 6 800 kg qu'il a fallu préparer dans une piscine vide. Elle contenait 150 variétés de fruits, dont 20 de pommes et 19 de melons.

chez benne
Pour sensibiliser le public au gaspillage alimentaire, Rob Greenfield, de San Diego, en Californie, ne s'est nourri pendant une semaine que de restes trouvés dans les poubelles. Il a réussi à remplir son frigo avec des fruits frais, des légumes et des bagels qui lui auraient coûté 200 $ en magasin.

saucisse en chocolat
À Cavalese, en Italie, une équipe de chefs a préparé une saucisse au chocolat de 76 mètres, sur une longue file de tables mises bout à bout en centre-ville.

BRAVO, MAESTRO !
➜ Domenico Crolla, qui tient une pizzeria à Glasgow, en Écosse, a créé une pizza ornée d'un portrait du duc et de la duchesse de Cambridge tenant George, leur nouveau-né. Il a sculpté la garniture (tomates-fromage) au scalpel puis a recouvert le tout de résine pour la préserver. L'artiste a également réalisé des pizzas-portraits de Barack Obama, Marilyn Monroe et Marlon Brando.

BIÈRE FORTE → La Rocky Mountain Oyster Stout, brassée par Wynkoop, à Denver dans le Colorado, comporte un ingrédient-clé : des testicules de taureau rôtis ! Cette bière foncée a, dit-on, une saveur profonde de chocolat et de noix... Tout ça n'était qu'un poisson d'avril, présenté dans une vidéo en 2012, mais il a eu tant de succès que Wynkoop a décidé d'incorporer réellement à sa bière cet ingrédient très spécial !

le seigneur des anneaux Au premier Championnat national des Mangeurs de rondelles d'oignon, qui s'est tenu à Coshocton, dans l'Ohio, en 2013, c'est Jamie McDonald, de Granby, Connecticut, dit « l'Ours », qui en a mangé le plus : 3,1 kg en 8 minutes.

fromage monstre Au 9ᵉ Festival annuel des Fromages frais de Lowville, la société Philadelphia Cream Cheese a dévoilé un cheesecake (gâteau au fromage blanc) de 3 130 kg, qui était assez gros pour régaler 24 533 personnes ! Préparé dans une casserole de 2,25 mètres de diamètre, il faisait 75 cm d'épaisseur.

YEUX DE THONS

→ Cela ne vous dérangerait pas, que votre assiette vous retourne votre regard ? Non ? Alors essayez les yeux de thons, on en trouve pour pas cher (1 $) dans les magasins au Japon, où ils sont vendus enrobés de leur graisse et de muscles. Une fois cuits et assaisonnés, ils ont paraît-il un goût de calamars.

mariage burger Après une série de dîners d'amoureux dans les petits fast-foods, Steven et Emily Asher ont vu grand pour leur réception de mariage : le McDonald de Bristol, en Angleterre. Arrivés en limousine, ils ont déboursé l'équivalent d'un peu plus de 200 € pour offrir à leurs 33 invités nuggets et milk-shakes.

talent aiguisé En utilisant un couteau bien aiguisé, Matt Jones, qui tient une épicerie à Orlando, en Floride, est capable en 21 secondes de détailler une pastèque en rondelles.

t'aimes les bananes ? Damu Gupta, arrêté pour avoir volé dans un train, sur la ligne Mumbai-Gondia, une chaîne en or qu'il a avalée, a été forcé par la police indienne à manger 96 bananes en 3 jours, afin que l'on puisse récupérer le bijou dans son caca.

revanche des sans-dents Les vaches laitières munies de prothèses dentaires peuvent mâcher plus longtemps que les vaches aux dents naturelles, ce qui leur permet de produire plus de lait.

TAILLE RÉELLE !

glaçons d'acier Pour ceux qui aiment boire leur verre avec de la glace mais n'apprécient pas que les glaçons fondent et rajoutent de l'eau, Dave Laituri a conçu des cubes d'acier inoxydable. Il s'est inspiré du designer Raymond Loewy (1893-1986), qui rafraîchissait son whisky en y ajoutant des roulements à billes.

sang cru Le Tiet Canh, une soupe à base de sang de canard cru infusée avec des herbes et servie froide, est très populaire au Vietnam.

ce melon a la grosse tête Le melon japonais Yubari est le fruit le plus cher au monde. En 2008, deux de ces fruits se sont vendus l'équivalent de 26 000 €.

rhum radioactif Des scientifiques brésiliens auraient trouvé une alternative au long processus de maturation de la *cachaça* (sorte de rhum) en bombardant le breuvage de rayons gamma pendant quelques minutes. Son vieillissement serait ainsi beaucoup plus rapide qu'en fût. Et ce serait sans danger : on pourrait la consommer tout de suite après son irradiation.

dieu citrouille En 2013, des habitants de Bokaro, en Inde, se sont mis à adorer une énorme citrouille ovale de 86 kg et à lui présenter des offrandes, y voyant une réincarnation du dieu hindou Shiva. Elle ressemblait à un *Shiva Lingam* – objet symbolique utilisé pour le culte de Shiva.

mangez tout ! Hachikyo, un restaurant de fruits de mer à Sapporo, au Japon, colle une amende aux clients qui ne finissent pas l'une de ses spécialités – et il faut manger jusqu'au dernier grain de riz !

pipi recyclé Des scientifiques de la NASA ont conçu des sacs spéciaux permettant aux astronautes de se soulager. Autre avantage : leur urine s'y transforme en une boisson saine et agréable au goût sucré.

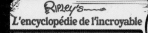

miam !

Cerveau fruité

➔ Qian Weicheng, un étudiant de Beijing, en Chine, a créé cette réplique réaliste d'un cerveau humain en creusant l'intérieur d'une pastèque avec une cuillère.

Qian en est au moins à sa quarantième pastèque sculptée. Il a déjà sculpté une rose, une main de squelette et même une Tour Eiffel miniature en pastèque. Chacune de ses réalisations lui prend une heure et, après l'avoir photographiée, il la dévore.

délit de saucisse Aucune charge n'a finalement été retenue contre Bradley Davidson, de Perth en Écosse, qu'un plaignant accusait en 2012 de l'avoir menacé avec un boudin noir.

police à la noix À Guraidhoo, aux Maldives, lors de l'élection présidentielle de 2013, la police a saisi dans un bureau de vote une noix de coco portant de mystérieuses inscriptions – de crainte qu'il s'agisse d'une opération de magie noire pour troubler le vote.

c'est professionnel PAR Research, une société d'études de marché, dispose à son siège d'Evansville, Indiana, d'une salle de tests de plus de 1 000 m² où sont entreposées 17 300 bouteilles de bière de près de 12 000 marques différentes.

juste une petite bière Depuis 153 ans, la brasserie pakistanaise Murree produit à l'année des millions de fûts de bière, dans un pays où boire de l'alcool est censé être interdit à 97 % de la population...

gros chien chaud Chez Big Hot Dog, à Chicago, on sert un hot-dog de 3,1 kg qui fait 40 cm de long et 10 cm d'épaisseur. Pour 40 personnes.

repas en conserve Chris Godfrey, un étudiant britannique, a créé un repas en douze plats qui tient dans une boîte de conserve, avec une soupe à l'oignon, des raviolis, du flétan, des champignons shiitaké, de la poitrine fumée, un faux-filet, un crumble et de la crème glacée, une pâtisserie et du café.

sacré légume Lorsque Praful Visram, traiteur à Leicester, en Angleterre, est tombé sur une aubergine ressemblant à Ganesh, le dieu-éléphant hindou, il l'a placée dans le petit temple de sa boutique, où les clients ont pu la vénérer. Le légume sacré, une fois pourri, s'est vu accorder des funérailles hindoues.

restau rapide Le plus grand McDo au monde (1 500 places) a ouvert au village olympique de Londres en 2012. Pour 6 semaines seulement.

sachets de pieds Dans les supermarchés chinois, les paquets de pattes de poulet frits sont vendus au rayon snacks. Ils sont souvent assaisonnés avec du vinaigre de riz et du piment.

loco choco Andrew Farrugia, artisan chocolatier de Malte, a passé plus de 700 heures à créer un train en chocolat de 34 mètres de long pesant 1 250 kg.

pour les truffes Paul Philips, propriétaire d'un café à Cheltenham, en Angleterre, a créé un sandwich au bacon qui coûte l'équivalent de 206 €. Il comprend sept tranches de bacon de porc d'une race rare, de la pâte de truffes, un œuf de poule élevée en plein air, des lamelles de truffes, du safran et de la poussière d'or comestible. Il est frit dans de l'huile de truffe.

gain de temps Pour les amateurs de café, un fabricant de dentifrices a mis au point une brosse à dents spéciale qui libère une dose de caféine dans la bouche.

matt le gourmand Matt Stonie, de San José, en Californie, a dévoré pour ses 21 ans un gâteau d'anniversaire de 2,5 kg en moins de 9 minutes.

sauce explosive L'explosion d'un pot de chutney a soufflé la porte du réfrigérateur de Margaret Goodwin, une retraitée de l'Oxfordshire, causant de gros dommages aux murs et au plafond. Cette sauce à la rhubarbe, cadeau d'un ami, avait un peu trop fermenté à l'intérieur de son bocal.

papadums Tipu Rahman, le chef d'un restaurant indien de Northampton, en Angleterre, a passé deux heures à créer une pile de 1 280 papadums (galettes de farine de haricots) haute de 1,7 mètre.

reptile et sa proie À Hudson, dans le Wisconsin, Speciality Meats & Gourmet vend des saucisses faites à parts égales de viande de lapin et de serpent à sonnette, relevées au piment jalapeño.

POULET À LA COQUE → Kyle Bean, designer londonien, a réalisé cette ingénieuse sculpture de poulet baptisé « Qui vint en premier ? » – l'œuf ou la poule ? – en collant patiemment des dizaines de coquilles d'œufs de différentes couleurs, récoltées chez son boulanger.

dernier burger Après la mort de David Kime Jr., en janvier 2013, à 88 ans, le cortège funèbre s'est arrêté à son restau préféré, le Burger King de York, en Pennsylvanie, où ses proches ont commandé un burger, pour la route. Kime en a eu droit à un, lui aussi, son dernier, déposé sur le cercueil avant de le descendre dans la fosse.

bye-bye ! Lorsque Chris Holmes, un boulanger à temps partiel du Cambridgeshire, a décidé de quitter son autre job – le jour, il était agent de l'immigration à l'aéroport de Stansted –, il a préparé un gâteau pour ses patrons et a écrit sa lettre de démission sur le glaçage.

ŒUF POURRI

→ L'« oeuf de cent ans », mets chinois, est un œuf conservé plusieurs mois dans un mélange d'argile, de cendre et de chaux. Le jaune devient vert foncé et l'œuf prend une odeur putride de soufre.

super-tarte En juillet 2013, à Key West, en Floride, des boulangers ont préparé une tarte au citron vert de 2,5 mètres de diamètre, régalant 1 000 personnes. Elle a nécessité 5 760 citrons verts, 91 kg de biscuits Graham et 208 litres de lait concentré.

pas comme chez nous Les présidents américains doivent payer la nourriture qu'ils consomment à la Maison Blanche. Ils reçoivent chaque mois la facture.

grande cruche Le personnel du Ceviche Tapas Bar & Restaurant de Tampa, en Floride, a servi 1 022 litres de sangria, fabriquée à partir de 758 litres de vin rouge, 63 litres de brandy, 63 litres de triple sec, 126 litres de sirop et 229 kg de fruits, dans une cruche de 2,7 mètres de haut.

grosse patate Kim Medford, de Waynesville, en Caroline du Nord, était en train de manger chez Arby, un fast-food, quand elle a découvert dans son assiette une frite courbe de 95 cm de long.

château choco Un château de chocolat de 3 mètres de haut fait de 90 000 rochers de chocolat enrobés de sucre a été construit sur la plage de Brighton, en Angleterre. Les chocolats ont été collés sur une armature avec un quart de tonne de glaçage fondant et 20 kg de sucre glace.

table pour 2 Un restaurant à Vacone, en Italie, ne comporte en tout et pour tout qu'une table pour 2. Le Solo Per Due (« Juste pour deux ») est très sélect... Le prix aussi, d'ailleurs : 292 €. Menu unique, par personne, vin non compris.

adieu doigt de pied ! En 2013, à l'Hôtel Downtown de Dawson City, Yukon, un Américain plutôt bravache a avalé un orteil humain. Cet orteil, mariné dans un bocal, était l'attraction du cocktail Sourtoe, un rituel vieux de quarante ans qui voulait simplement que les clients touchent l'orteil de leurs lèvres en avalant leur boisson. L'homme, lui, l'a pris dans sa bouche, l'a fait passer avec une bonne rasade de bière et a écrasé sur le comptoir un billet de 500 $ – l'amende prévue pour celui qui l'avalerait. La tradition avait commencé en 1973, quand on avait retrouvé près d'une cabane en rondins l'orteil gelé de l'ancien propriétaire.

cake au dino Suppliée par son fils Logan de lui préparer un « gâteau de dinosaure » pour la fête de ses 8 ans, Maria Young, de Portsmouth, en Angleterre, a réalisé un tricératops de 1,4 mètre. Elle n'avait fait que trois gâteaux dans sa vie : ça ne l'a pas empêchée de passer cinq jours à battre 130 œufs pour le corps et d'utiliser 12 boîtes de riz soufflé pour les jambes et la tête.

ZOMBIE CAKE

→ On a tous vu des gâteaux trop beaux pour qu'on les mange... Eh bien pour celui-ci, c'est plutôt l'inverse !

Cette création terrifiante est l'œuvre d'Elizabeth Marek, de Portland, dans l'Oregon, qui a commencé par disposer des couches de gâteau sur une armature utilisée pour rigidifier le torse, la tête et le bras droit. Elle s'est ensuite servie de Rice Krispies Treats pour modeler la cage thoracique et le visage. Quant à l'œil unique et la chemise déchirée, ils sont en fondant, et le globe oculaire a été peint avec du colorant alimentaire. De la guimauve fondue a également été ajoutée pour donner un côté pourri au visage. L'ensemble a pris trois jours de travail.

Le cerveau de ce zombie ? De la gélatine aux fraises.

Elizabeth a donné de la texture à la colonne vertébrale, ainsi qu'à la peau, décorée à l'aide de colorants alimentaires, de chocolat moulé et de paillettes comestibles.

GLACE À LA SAUCISSE → À Munich, Matthias Muenz, dit « le Glacier fou », propose toute une variété de sorbets aux saveurs inhabituelles : bière, saucisse, œufs au bacon, poulet grillé, et même oie au chou rouge... Son sorbet « saucisse blanche » est servi avec bretzels et moutarde.

vin de m... En Corée du Sud, il existe une boisson traditionnelle réputée très saine faite à partir de matières fécales. Le *ttongsul*, ou « vin de fèces », se prépare en versant de l'alcool de grain dans une fosse remplie de déjections de poulet, de chien, ou de matières fécales humaines. Laissez fermenter trois mois, puis ajoutez divers ingrédients : herbes, extrait de frêne et même des os de chat ! Ensuite, il n'y a plus qu'à extraire le breuvage et le boire... cul sec.

choco chaud India Dining, un restaurant du Surrey, en Angleterre, a créé un œuf de Pâques en chocolat épicé aussi fort que 400 bouteilles de Tabasco. Baptisé « Pas pour les lapins » et composé de chocolat belge ainsi que de piments Bhut Jolokia, bonnet écossais et *habanero*, il est si fort qu'on ne le sert qu'aux majeurs – encore faut-il signer une décharge.

aïe que c'est bon ! Chez Stinking Rose, un restau de San Francisco, on sert plus de 1 360 kg d'ail par mois, et on vend des dizaines de déclinaisons de l'ail, dont une tresse de 2 635 têtes d'ail.

ça roule ! Le Varsity, à Atlanta, en Géorgie, est le plus grand drive-in du monde. On y sert jusqu'à 40 000 personnes chaque jour.

bien noir À l'Hôtel Anantara, en Thaïlande, on peut payer 50 $ pour une tasse de café torréfié à partir de fèves ramassées dans la bouse des éléphants.

trompes de grenouille Le *hasma*, un dessert chinois populaire, est fait à partir des trompes de Fallope de la grenouille rousse asiatique. Il se vend sous forme séchée, et une fois trempé, il se dilate pour former une masse gélatineuse. Sucré au sucre candi, le *hasma* est servi avec du lait au dessert, ou sur de la crème glacée. Il est bon pour la peau, et renforce la fertilité.

calmar alcoolisé Dans la préfecture de Fukui, au Japon, on utilise les corps de calmars séchés comme récipients à liqueurs.

thé pour tous La société Planet Organic, du Queensland en Australie, a fait fabriquer un sachet de thé de 3 mètres de haut pesant 151 kg, assez gros pour préparer 100 000 tasses de thé.

calmar explosif Alors qu'il vidait un calmar, le couteau de M. Huang, poissonnier dans le Guangdong, en Chine, a rencontré un obus de 20 cm. L'engin, que le calmar avait confondu avec ce qu'il mange d'habitude, n'a heureusement pas explosé. Des démineurs s'en sont occupés.

super-sundae Un sundae a été préparé à partir de 803 litres de crème glacée, sur 335 mètres de tables alignées à travers la ville de White Bear Lake, au Minnesota.

méprise pâtissière Pour Laura Gambrel, de Zionsville, dans l'Indiana, 22 ans et fraîchement diplômée, Carol, sa fière maman, a commandé un gâteau la représentant coiffée de la traditionnelle toque universitaire – *cap* en anglais. Mais le pâtissier a entendu *cat*, et Carol s'est retrouvée avec un gâteau représentant sa fille, un chat perché sur la tête !

⤆ PLEINES LUNES ⤇

→ Ces gâteaux en forme de popotins – et leurs strings de sucre glace – ont été cuits par une entreprise de Hong Kong pour le Festival de la Pleine lune à Singapour, en référence au 8ᵉ mois lunaire, dont le nom en cantonais est aussi un terme d'argot désignant les fesses.

la guerre du sandwich Une dispute à propos d'un sandwich au fromage a déclenché dans la prison de Rikers Island, à New York, une bagarre de 45 minutes impliquant 60 détenus. 11 prisonniers ont été blessés, certains par arme blanche, quand des membres des Trinitaires dominicains sont devenus fous parce qu'un gang rival refusait de les laisser poser leur sandwich sur l'une des plaques chauffantes de la cuisine.

repas musclé Une société britannique a inventé un service de table-haltères comprenant une fourchette de 1 kg et une cuillère de 2 kg. On peut ainsi soulever de la fonte tout en mangeant.

grosse douceur Cabot Creamery, à New York, a créé un smoothie de 1 515 litres, à partir de plus de 3 200 bananes, 1 tonne de glace et près de 454 kg de yaourt.

piqué de scorpions Ismail Jasim Mohammed, éleveur de scorpions à Samarra, en Irak, mange chaque jour depuis plus de quinze ans des scorpions vivants, au venin pourtant mortel. Il prétend que se faire piquer plusieurs fois l'a immunisé.

mega-steak Le Duck Inn, de Redditch, en Angleterre, propose un steak de 4,2 kg coûtant l'équivalent de 150 €, mais gratuit si vous êtes capable de le terminer en moins d'une heure. Plus lourd qu'un nouveau-né, ce steak fait 30 cm de long, 30 de large et 10 d'épaisseur, et sa cuisson ne serait-ce que saignant prend deux heures.

timbres en chocolat La Poste belge a édité un total de 538 000 timbres chocolatés pour Pâques 2013. Au recto, il y avait des photos de chocolats, et de l'huile essentielle de cacao imprégnait la colle au verso, pour donner un goût chocolaté quand on les léchait. L'encre avec laquelle ils avaient été imprimés avait également infusé avec de l'huile essentielle de cacao, afin que les timbres sentent le chocolat.

burger king Dennis Rosinlof, de Salt Lake City, Utah, a mangé 12 000 Big Mac ces trente dernières années, soit au moins 10 par semaine. Seul jour de pause : le dimanche, quand Lauri, sa femme, lui prépare un repas. En dépit de ce régime, ce vendeur de 64 ans est en pleine forme. Mesurant 1,80 mètre, il ne pèse que 75 kg et a un bon taux de cholestérol.

poulpe
vivant

➜ À l'occasion d'un festival gastronomique qui se tient à Séoul, en Corée du Sud, cet homme est en train de manger un poulpe encore bien vivant.

Les festivaliers peuvent pêcher dans des seaux l'une de ces créatures, puis se l'enfourner, tentacules compris – pas une mince affaire, parce que les ventouses de ses 8 bras s'accrochent à vos doigts, vos lèvres, vos joues ou même l'intérieur de votre bouche! Il est vivement conseillé de bien mâcher, sinon le poulpe peut vous étouffer en remontant dans votre gorge.

CES CRÉATURES QUE L'ON MANGE VIVANTES

Pour l'*ikizukuri*, plat japonais, le **poisson** est découpé en filets sans être tué, puis il est servi le cœur encore battant, la bouche haletante.

En Chine, les **crevettes** vivantes sont souvent arrosées de liqueur, non seulement pour le goût, mais aussi parce que ça les soûle et les empêche de frétiller dans votre estomac.

Dans certains restaurants vietnamiens, on mange du **cobra** vivant - on vous le décapite sur la table, le venin et le sang sont recueillis dans un flacon pour être bus, et le cœur encore battant est placé sur une soucoupe, prêt à être découpé.

Le **scorpion** vivant est un régal en Chine. Oui, on se fait parfois piquer dans la bouche en l'avalant, mais le gonflement qui s'ensuit retombe assez vite, et ce n'est qu'un petit prix à payer pour ce délice !

Sashimis de **grenouille** c'est l'une des dix préparations que l'on sert au Japon à côté de la grenouille elle-même, dont le cœur bat encore.

ça se recrache Le *masato*, boisson traditionnelle du Pérou amazonien, contient de la salive. Elle est brassée « maison », à partir de racines de manioc que les femmes mâchent avant d'en recracher le jus dans une cuve. Ce sont les protéines de leur salive qui déclenchent la fermentation. Le résultat ? Une boisson d'un blanc trouble au goût aigre-doux.

peine partagée À la cafétéria de la prison Abashirishi, au Japon, les visiteurs se voient servir la même nourriture que celle des détenus.

coupe-faim Un passager de 22 ans en provenance du Burkina Faso a été arrêté en 2013 à l'aéroport de Gatwick, à Londres, avec 94 kg de chenilles séchées dans ses bagages. Il a déclaré aux agents des douanes qu'elles n'étaient destinées qu'à sa consommation personnelle.

vodka-frelon Au Japon, il existe une vodka fabriquée à partir de frelons, insectes venimeux dotés de dards d'un demi-centimètre qui causent plus de quarante décès annuels. Ces frelons sont mis à fermenter dans de l'alcool pendant trois ans. Cela produit une liqueur d'un brun boueux qui sent la charogne et a un arrière-goût salé – dû au poison de leur dard.

mosaïque en choco À Bendigo, dans l'État de Victoria, en Australie, en mars 2013, plus de 1 000 barres de chocolat ont été disposées pour former une mosaïque de 21,6 m^2 qui disait « Joyeuses Pâques ».

champion du chili Tim Janus, de New York, dit « Eater X », a avalé 8 litres de chili con carne en 6 minutes, remportant le Concours mondial 2012 des Mangeurs de chili, organisé par Ben's Chili Bowl.

bellissima et cherissima Nino's Bellissima Pizzeria, à Manhattan (New York), sert une pizza de 30 cm pour 8 personnes, très belle mais qui coûte aussi très cher : 1 000 $, soit 125 $ la part ! Elle est garnie de six sortes de caviar et parsemée de homard du Maine.

attention les yeux ! Le Scorpion Moruga, de Trinidad, est le poivre le plus fort au monde : 800 fois plus fort que le *jalapeño* et aussi puissant que du gaz lacrymogène militaire.

chinois tout vert Dans la province du Guizhou, en Chine, un homme de 24 ans devenu tout vert a dû être hospitalisé. Il se régalait tous les jours d'escargots de rivière, mais des vers parasites vivant dans ces escargots s'étaient installés en lui et avaient provoqué une infection dans son foie, responsable de la couleur verte de sa peau...

DÎNERS

→ Julie Green a décidé de représenter sur des assiettes peintes les derniers repas des condamnés à mort ; elle en est à plus de 600.

Son projet, « The Last Supper » (« Le Dernier repas » ou « La Cène »), a vu le jour en 2000, lors de son installation à Norman, Oklahoma. C'est l'État qui totalise le plus grand nombre d'exécutions par habitant et, chaque semaine, le journal local publie plusieurs avis d'exécution, avec les derniers souhaits des condamnés – qui vont de la crème glacée à la cigarette, mais consistent surtout en burgers et KFC. Green crée des œuvres poignantes en peignant au bleu de cobalt des assiettes de faïence d'occasion, cuites ensuite au four. Elle prévoit d'en ajouter 50 par an à sa collection, jusqu'à ce que la peine capitale soit abolie dans tous les États américains.

INDIANA, 14 MARS 2001
Ravioles *Maultaschen* et boulettes au poulet : ce fut le dernier repas d'un condamné, préparé à sa demande par sa mère et le personnel pénitentiaire.

TEXAS, 21 SEPTEMBRE 2011
Un condamné à mort a demandé 2 steaks de poulet frit, 1 triple cheeseburger au bacon, 450 grammes de viande grillée, 1 pizza *meatlover*, 3 *fajitas* (tortillas mexicaines à la viande), 1 omelette, 1 bol de gombo, 1 pinte de crème glacée Blue Bell, des caramels au beurre de cacahuète et 3 *root beers* (boissons gazeuses à base d'extraits végétaux)... mais il n'a rien avalé. Depuis, le Texas n'accorde plus aux condamnés la possibilité de composer leur dernier repas.

tant de flétan 5 chefs ont préparé une portion géante de *fish and chips* (poisson-frites) à Poole, en Angleterre, avec 30 kg de flétan et 59 kg de frites : de quoi nourrir 180 personnes.

roi des pommes Paul Barnett, du West Sussex, en Angleterre, cultive 250 variétés différentes de pommes – sur un seul arbre. Chaque hiver depuis 25 ans, il greffe de nouvelles variétés sur son arbre de 6 mètres, pour produire toute une gamme de pommes : à cuire, à croquer, à cidre...

MONTANA, 16 FÉVRIER 1917
La veille d'une exécution, il y a près de cent ans, un condamné à mort a demandé une pomme parce qu'il avait un mauvais goût dans la bouche.

INDIANA, 5 MAI 2007
Après 22 années dans le couloir de la mort, un condamné qui n'avait jamais eu de gâteau d'anniversaire de toute sa vie en a réclamé un pour son dernier repas.

TEXAS, 22 OCTOBRE 2001
Un condamné gourmand a demandé un sac de bonbons assortis Jolly Rancher.

mousse maousse Pour le Festival du Chocolat 2013, le centre commercial Aventura Mall, en Floride, a invité des chefs à créer une gigantesque mousse au chocolat pesant 225 kg, soit 2,5 fois le poids moyen d'un homme. Elle a nécessité 49 kg de chocolat, 30 kg de beurre, 11 kg de jaunes d'œufs, 9 kg de sucre, 47 litres de crème fraîche épaisse et 19 litres de lait.

gâteaux fous Lara Clarke, pâtissière à Walsall, en Angleterre, a créé une réplique grandeur nature de Jack Sparrow, le personnage joué par Johnny Depp dans *Pirates des Caraïbes*. Ce gâteau de 1,7 mètre a été préparé à partir de chocolat, de guimauve, de Rice Krispies, de glaçage et de colorants alimentaires, le tout monté sur une armature en acier inoxydable, tubes de PVC et bois. Il a fallu 20 heures à Lara pour concevoir cette folie, et 70 heures de plus pour la réaliser. On lui doit également un Grinch en gâteau de 1,2 mètre de haut, assez gros pour régaler 500 personnes.

chouette restau Dans certains cafés japonais, les clients peuvent prendre un petit noir pendant que des hiboux vivants veillent sur eux. Mais les gens doivent faire la queue un à un à l'extérieur avant de rentrer : trop nombreux, ils effraieraient les oiseaux.

nouillivore Victime d'une intoxication alimentaire dans son enfance, Georgi Readman, de l'île de Wight, en Angleterre, n'a plus mangé que des nouilles pendant dix ans. Elle consommait l'équivalent de 48 km de nouilles chaque année – sèches et même pas cuites, en plus.

liste d'attente Il y a une liste d'attente de cinq ans pour manger chez Damon Baehrel, qui a ouvert un restaurant dans la cave de sa maison à Earlton (New York). Il ne compte que douze tables mais attire des clients du monde entier.

curry de ciboulot La cervelle de vache aux épices est un mets populaire chez les Minangkabau d'Indonésie.

mortellement bon
Plusieurs personnes sont mortes après avoir mangé un *sannakji*, mets coréen constitué de poulpes frétillants. Il se prépare en démembrant un petit poulpe, mais on peut aussi avaler l'animal entier. Attention, si ses ventouses se mettent à coller à votre langue ou votre bouche, vous pouvez mourir étouffé...

trop gourmand Le cambrioleur d'une maison de Birmingham, en Angleterre, s'est fait prendre à cause de sa gourmandise : il n'a pas pu résister à une boîte de biscuits au chocolat, posant un doigt dessus. Il a été condamné à sept ans et demi de prison, la police ayant relevé ses empreintes.

ils ont été gâtés En 2013, pour le 75ᵉ anniversaire de Myrtle Beach, en Caroline du Sud, une tour de 6,5 mètres a été construite en deux heures à partir de 7 860 petits gâteaux.

salamandre frite Un restaurant d'Osaka, au Japon, sert des salamandres axolotl frites sur un lit de nouilles, avec poivrons rouges et verts. Enduites de pâte mince laissant les yeux apparents, elles ressemblent à des dragons miniatures, et ont, paraît-il, un goût de poulet.

glaces exotiques Snow King, glacier à Taipei, Taiwan, propose plus de 70 parfums exotiques : poulet à l'huile de sésame, jarret de porc, bière, curry…

s'il lui plaît La Petite Syrah, un café à Nice, fait une ristourne aux clients s'ils disent « bonjour » et « s'il vous plaît ». Le gérant, Fabrice Pepino, annonce « 7 € » si vous lui dites juste « un café », mais seulement « 1,40 € » pour « bonjour, un café, s'il vous plaît ».

cocktail hommage Un cocktail au martini a été créé en 2013 à partir de moisissures récoltées sur les murs du bunker de Winston Churchill. La saleté, le stress et la sueur sont censés avoir imprégné les Cabinet War Rooms, pièces situées sous Whitehall, à Londres, depuis lesquelles le Premier ministre menait la guerre. Un cocktail au goût amer…

JAMES HUTCHEON, 17 ANS, DU HAMPSHIRE (ANGLETERRE), A MANGÉ ENVIRON 50 000 CHOUX DE BRUXELLES DEPUIS QU'IL EST NÉ. IL EN CONSOMME À CHAQUE REPAS.

vieille douceur Leslie Canady, de Wichita, au Kansas, conserve depuis vingt-huit ans un cookie de Noël dans une boîte à bijoux en velours bleu. Ce cookie, qui a gardé un air appétissant, a été préparé pour elle par sa mère quand Leslie n'avait que 5 mois.

roi du cocktail Erik Mora, barman à Las Vegas, dans le Nevada, peut confectionner 1 559 cocktails différents en une heure.

super-nugget Pour célébrer son 75ᵉ anniversaire, Empire Kosher Poultry, de Secaucus dans le New Jersey, a préparé un nugget de poulet géant, d'un poids de 23 kg, mesurant 1 mètre de long et 0,6 mètre de large. Cet énorme nugget a été recouvert de plus de 1 kg de chapelure. Il a fallu 6 personnes et plus de 3 heures pour le cuire. Le résultat était 720 fois plus volumineux qu'un nugget de taille courante.

cuit ou cru

→ Le lézard Uromastyx est un mets très apprécié dans la péninsule Arabique. Également connu sous le nom de « poisson du désert », il peut atteindre 0,9 mètre de long. On le grille, pour un plat traditionnel au riz kebsa, ou le consomme cru, son sang étant réputé guérir certaines maladies. Il vit dans des terriers de sable, et se chasse au printemps, grâce à des chiens renifleurs.

TROP BON LE CROCO ! ➔ Le restaurant Frontier, à Chicago, a
ajouté à sa carte une créature qui pourrait ne pas plaire à tout le monde :
l'alligator fumé, servi entier. Il est assez gros pour nourrir 12 personnes affamées
et coûte l'équivalent de 530 €. Ces alligators, qui viennent de Louisiane, sont
farcis de poulets entiers puis fumés pendant six heures. Le chef, Brian Jupiter, décrit
leur viande comme « d'un goût délicieux et tendre, similaire à celui des cuisses de
grenouilles », et recommande une bière pour faire passer.

gros buveur Jack Burton, le propriétaire
du plus petit pub de Grande-Bretagne
(4,5 m x 2,1 m), le Nutshell, à Bury Saint
Edmunds (Suffolk) a banni Adam Thurkettle
aux heures de pointe, car, une fois qu'il a baissé
la tête pour passer sous la porte, l'homme
prend trop de place au comptoir. Avec ses
2 mètres et ses 133 kg, la présence de cet
arboriculteur obligerait Jack Burton à
refuser 4 clients de corpulence
normale les soirs d'affluence, par
manque de place.

vin d'hippocampe Les Chinois mangent
250 tonnes d'hippocampes séchés par an,
soit des dizaines de millions d'hippocampes.
En Chine, le vin d'hippocampe est un tonique
traditionnel.

citrouille primée Tim Mathison, de
Napa Valley, en Californie, a fait pousser une
citrouille qui a atteint 922 kg sur la balance – le
poids d'une petite voiture – lors d'un concours
à Morgan Hill en octobre 2013. Cette citrouille
colossale, qui a mis 105 jours à grandir dans
son jardin, lui a rapporté plus de 15 000 $.

pouding de luxe Le chef Martin Chiffers,
de Londres, a créé un pouding de Noël vendu
l'équivalent de 31 600 €. Il contenait du cognac
de prix, des liqueurs rares, des amandes
venues d'Iran, et même, en guise de fève, un
« salut d'or » du règne de Henri VI, pièce de
collection valant à elle seule 15 100 €.

chili pour tout le monde Plus de
170 bénévoles ont servi 1 098 kg de chili con
carne pour 4 000 personnes, cuisinés dans
une cuve à lait de 1 317 litres, à Minto, dans le
Dakota du Nord.

escalope mon amour Micha Hentschel,
propriétaire du Haus Falkenstein Restaurant
à Lougheed (Alberta, Canada), propose
347 variétés différentes d'escalope poêlée, soit
bien plus que dans n'importe quel restaurant
d'Allemagne. La préférence personnelle de
Hentschel va à l'escalope à la crème et au
poivre vert.

SANGSUE

➔ Dégoûtantes, les créations
de Chris Verraes ? Elles
sont en fait délicieuses.
Ce Londonien fabrique
de drôles de bonbons,
dont cette sangsue
se régalant sur une
plaie... Elle est en
réalité composée
de beurre de cacao
coloré. Chris en
a sculpté la forme
dans de l'argile, pour
faire un moule qui lui
a permis de couler sa
« sangsue ».

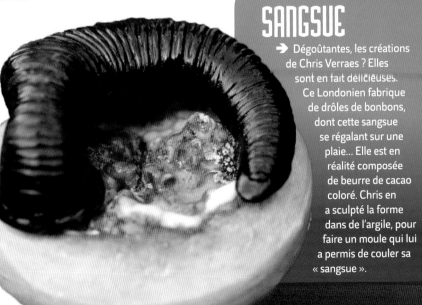

Soif de sang

➔ Pour Halloween, ces jeunes Chinois ont la chance de pouvoir jouer les vampires en buvant du sang. Bon, d'accord, ce n'est pas du vrai sang, mais une boisson rouge servie dans des sacs en plastique qui ressemblent à des poches de sang, comme à l'hôpital.

SPÉCIAL HALLOWEEN

Larves De vraies larves à croquer, séchées et aromatisées. Attention, drôles de saveurs, dont sauce barbecue, cheddar et épices mexicaines…

Yeux horribles Des bonbons en forme d'yeux humains injectés de sang, avec de petites veines et des taches rouges pour les faire paraître encore plus réalistes.

Scorpions à sucer De vrais scorpions morts enrobés de sucre candi aromatisé à la pomme, à la banane, à la fraise ou à la myrtille. Après avoir bien léché, on peut grignoter le scorpion.

WC remplis de bonbons Une cuvette de WC en plastique remplie de poudre de bonbon, avec deux ventouses en sucettes pour la déboucher. On lèche les ventouses, puis on les plonge dans la cuvette pour que la poudre y adhère.

Cafards façon Harry Potter Inspirée des Nids de Cafards vendus à la Confiserie Honeydukes dans *Harry Potter*, cette sucrerie inquiétante ressemble à un cafard géant, alors que c'est en fait un bonbon collant enveloppé de sucre croquant.

Bonbons boutons-pression Mûrs, gonflés et prêts à péter, ces bonbons transparents contiennent un liquide rouge pour ressembler à des boutons sanglants. Ils éclatent lorsqu'on mord dedans ou qu'on les presse.

changement de carrière Ben Cohen et Jerry Greenfield, les fondateurs de Ben & Jerry's, voulaient à l'origine fabriquer des bagels, mais le matériel était trop coûteux. Ils ont donc décidé d'investir 5 $ dans un cours par correspondance pour apprendre à fabriquer de la crème glacée.

punaises en boîtes Vendu en ligne, l'Edible Bug Gift Pack est un pack cadeau comportant 7 boîtes de diverses petites bestioles cuites et aromatisées : vers de bambou au barbecue, sauterelles bacon-fromage, scorpions dorés au *nori* (algue japonaise), reine de fourmis tisserandes au sel, bousier à la crème fermentée et aux oignons, grillons domestiques au wasabi (moutarde japonaise) et punaise d'eau géante à la purée de piments.

pas de tomates Le ketchup, si emblématique de la cuisine américaine, remonte à la Chine du XVIIe siècle – fait à partir de poisson mariné et d'épices, il ne contenait pas de tomates.

trottoir-gril Dans certaines villes du Sud de la Chine où les températures ont dépassé les 42 °C à l'été 2013, les gens ont réussi à faire cuire des œufs ou des côtes de porc en les posant simplement sur le trottoir.

plateau volant Les clients de la chaîne de restaurants japonaise YO! Sushi peuvent se faire servir leur repas à table sur un plateau volant qui plane à 40 km/h. Ce plateau en fibre de carbone a une portée de 50 mètres et est guidé par des serveurs qui utilisent une appli iPad.

collection de menus La bibliothèque de l'université Cornell à Ithaca (New York) possède une collection de plus de 10 000 menus de restaurants ou de banquets datant des années 1850 à nos jours.

bon sang de cochon ! À Burgos, en Espagne, des chefs ont préparé un boudin mesurant 187,2 mètres – il était aussi long que les tours de la cathédrale de la ville sont hautes. Ingrédients principaux : 220 mètres de tripe de porc et 40 litres de sang de porc.

croustillant Corkers Crisps, du Cambridgeshire, en Angleterre, a fabriqué un « sachet » de 1 tonne de chips au sel de mer. Il a fallu une grue pour verser les chips dans ce « sachet » de 5,5 mètres presque aussi haut qu'une maison.

milk-shake miracle Rob Rhinehart, de San Francisco, ne se nourrit que de milk-shakes riches en éléments nutritifs qu'il fait lui-même. Non seulement il réalise des économies, mais il a résolu son problème de pellicules !

overdose de soja Jean-Paul Boldrick, étudiant à l'université de Virginie, a eu une attaque, est tombé dans le coma et a failli mourir d'un excès de sel, après avoir bu 1 litre de sauce soja en 2011, à la suite d'un pari. La consommation de grandes quantités de sel était une méthode traditionnelle de suicide dans la Chine ancienne.

salut maurice ! Ann et Jim McFarlane ont trouvé une grenouille des arbres vivante à l'intérieur d'un paquet de pointes d'asperges péruviennes qu'ils venaient d'acheter dans un supermarché de Portsmouth, en Angleterre. Baptisée Maurice, cette grenouille a poursuivi son existence dans un aquarium local où travaillait justement la fille des McFarlane.

robot ménager Des scientifiques de l'université Cornell ont construit un robot qui sait quand vous verser une bière. Ils l'ont équipé d'une caméra et d'une base de données de vidéos 3-D décrivant les activités domestiques les plus élémentaires afin qu'il puisse répondre de manière appropriée. Alimenté par 16 batteries d'ordinateurs portables, il peut aussi faire le petit-déjeuner, remplir le frigo et ranger.

régime insectivore David Gracer, professeur d'anglais de Providence (Rhode Island), est si accro aux insectes qu'en onze ans, il en a dévoré 5 000 spécimens, dont des blattes et des scorpions. Sautés, cuits, grillés... Il garde une provision de plus de 12 000 petites bestioles dans son congélateur, à la cave.

DANSES ROBOTIQUES

➜ Le Robot Restaurant, à Tokyo, possède une troupe de danseuses-robots. Chacune de ses danseuses grandeur nature, de style « dessin animé », dispose d'articulations métalliques motorisées. Avec l'aide d'opérateurs, ces filles-robots peuvent bouger la tête, les bras, les doigts, la bouche et les jambes, en suivant le rythme de la musique, dans le cadre d'un show coloré qui inclut aussi lumières stroboscopiques, écrans LED géants et ptérodactyles animatroniques.

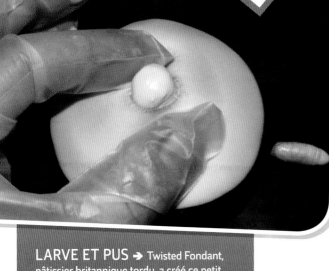

LARVE ET PUS ➜ Twisted Fondant, pâtissier britannique tordu, a créé ce petit gâteau qui paraît infecté par une larve d'œstre (mouche parasite). Il est servi avec des pincettes et un gant chirurgical. On utilise les pincettes pour extraire la « larve » comestible et, les doigts gantés, on presse ensuite la crème pour en faire sortir le délicieux « pus », saveur mangue.

idée en or La société allemande The Deli Garage a inventé une peinture en spray comestible et sans goût, la Food Finish (« Finition alimentaire »), qui permet de donner à n'importe quel mets une belle couleur or, argent, rouge, bleue...

bonus ! Lorsque Linda Hebditch, du Dorset, en Angleterre, a ouvert le paquet de feuilles de sauge d'Israël qu'elle venait d'acheter, une mante religieuse de 7,6 cm lui a sauté dessus.

champignon atomique Un énorme champignon découvert dans la province du Yunnan, en Chine, comprenait 100 chapeaux reliés par le pied à la même base. Il pesait plus de 15 kg et mesurait 90 cm de diamètre.

steak de mouches Près du lac Victoria, en Afrique de l'Est, les villageois enduisent leurs casseroles de miel pour attraper les milliers de milliards de mouches qui pullulent dans la zone. Avec ça, ils se font des steaks très nourrissants qu'ils mangent grillés.

Cette image d'une pomme présentant sur sa peau l'empreinte parfaite (et naturelle) d'une autre pomme nous a été envoyée par Angela Feo-Gilberti, du New Jersey. C'est Isabella, la fille d'Angela, qui a trouvé ce fruit dans une cagette en allant faire les courses avec sa maman.

vodka de lait Jason Barber, éleveur dans le Dorset, en Angleterre, produit à partir du lait de ses vaches et presque rien d'autre une vodka, la Black Cow (« Vache Noire »). Il fait fermenter le lactosérum en utilisant une levure spéciale qui transforme le sucre du lait en alcool. Il lui a fallu trois ans pour parfaire sa recette.

robe comestible Donna Millington-Day, une pâtissière du Staffordshire, en Angleterre, a créé un magnifique gâteau de noces de couleur ivoire en forme de robe de mariée. Avec ses 17 couches de génoise, il atteignait 1,8 mètre et pesait 25 kg. Le dessus a nécessité 22 kg de pâte de sucre à glacer, 0,9 kg de glaçage royal, plusieurs centaines de perles de sucre et des fleurs comestibles faites main. Fourré de 7,7 kg de crème au beurre parfumée à la vanille et de 3 kg de confiture de framboises, il était assez gros pour 2 000 invités.

maxi-spaghetti Le Lawson's Pasta Restaurant de Tokyo a créé une pâte d'un seul brin mesurant 3 776 mètres. Avis aux gros mangeurs.

œufs de cobra Chez Huang Kuo-nan, éleveur de serpents à Tainan (Taïwan), on peut acheter des œufs de cobra bouillis, bons pour la santé.

pizza monstre À Rome, une brigade de chefs dirigée par Dovilio Nardi a préparé une pizza de 40 mètres de diamètre dont la circonférence dépassait la longueur d'un terrain de football. Pesant plus de 25 tonnes, soit quatre fois le poids d'un éléphant adulte, elle a nécessité 10 tonnes de farine, 5 tonnes de sauce tomate, 4,5 tonnes de mozzarella, 675 kg de margarine, 250 kg de sel, 100 kg de laitue et 1 128 litres de levure. Il a fallu 48 heures pour la cuire.

thaï qu'à l'écrire toi-même Quand Fred Bennett, gérant d'un restaurant à Nelson en Nouvelle-Zélande, s'est mis à servir des spécialités thaïlandaises, il a voulu ajouter un écriteau de bienvenue en thaï. Ce n'est que quelques mois après qu'on lui a traduit ce qu'il y avait réellement dessus : « Allez-vous-en et ne revenez jamais ! »

chat dans la gorge Lors du Festival gastronomique du Chat de La Quebrada, au Pérou, on se régale de centaines de chats domestiques élevés spécialement pour l'occasion. Selon les Péruviens, manger des hamburgers au chat, des pattes ou encore des queues de chat frites est excellent pour les bronches.

tarte de feu À Dallas, lors de la Foire de l'État, des cuisiniers texans ont préparé une tourte aux épices en utilisant 635 sachets de chips de maïs Fritos, 660 boîtes de piments et 580 sachets de fromage râpé.

chiens chauds En 2013, Joey Chestnut, de San José, en Californie, dit « Jaws », a mangé 69 hot-dogs en 10 minutes, remportant pour la 7e fois consécutive le concours annuel organisé le 4 juillet – jour de la fête nationale américaine – au Nathan's de Coney Island, dans l'État de New York.

SUR LE POUCE

➜ Ce jeune Cambodgien tient sans crainte ce qui sera bientôt son festin : une tarentule venimeuse encore vivante... Dès l'âge de 5 ans, les enfants apprennent à chasser les tarentules, se servant d'un bâton pour chatouiller leur toile et les faire sortir de leur tanière souterraine. Lorsque l'araignée émerge – une tarentule adulte est grande comme la paume de la main –, ils l'attrapent en pinçant d'un geste vif son abdomen, veillant à ne pas se faire mordre. Ils la glissent ensuite dans une bouteille d'eau pour la noyer et la nettoyer, avant de la faire rissoler au beurre ou à l'huile. Tout ça ne prend que 10 minutes : plus vite qu'au fast-food !

tortue kfc Un Chinois a essayé de faire passer sa tortue de compagnie sous le nez des agents de sécurité en la glissant dans un burger KFC avant d'embarquer sur un vol Guangzhou-Pékin. Toutefois, lorsqu'aux rayons X on a détecté les « protubérances bizarres » de son burger, il a été obligé de laisser sa tortue derrière lui, la confiant à une amie.

salade de fruits Shawn Feeney est l'un des créateurs d'un arbre fruitier de 3 mètres composé de 1 200 morceaux d'ananas, d'orange, de fraise, de pêche et de mangue, dressé à l'angle d'une rue de Calgary, en Alberta (Canada).

banquet planétaire Carrie Hollis et Simon Day, du Surrey, en Angleterre, ont festoyé en 2013 pendant 24 heures, prenant une bouchée de 193 mets venus du monde entier, dont des sauterelles du Congo, du gutab, pain plat farci à la viande d'Azerbaïdjan, ou encore du « lait d'oiseau », spécialité roumaine.

de la piquette, ce vin ! Une Chinoise du Shuangcheng a été transportée à l'hôpital après avoir été mordue par un serpent venimeux qui avait pourtant mariné dans du vin pendant 3 mois, décoction recommandée par la médecine chinoise populaire. Liu s'était vue conseiller ce vin de serpent pour traiter ses rhumatismes. Elle a bu un verre de vin tous les jours jusqu'à ce que le flacon se vide, mais quand elle a voulu le remplir à nouveau et ajuster avec des baguettes la position du serpent, celui-ci s'est réveillé et a jailli pour la mordre. Selon un expert, il aurait survécu en entrant en hibernation.

requins dangereux La chair du requin du Groenland, très appréciée en Islande, est cependant toxique quand elle est fraîche et ne peut-être mangée qu'après plusieurs mois de fermentation et de séchage.

brownie mastodonte Something Sweet, une pâtisserie située à Daphne, en Alabama, a fabriqué un brownie de 106 kg qui mesurait 3,3 mètres de long et 1,8 mètre de large. Ce brownie colossal a dû être cuit dans une casserole spécialement conçue de 120 kg, et il était assez grand pour qu'on le découpe en près de 1 200 parts.

serpent de choix

➜ Ce serpent mort sèche sur un étal dans le « Village des Serpents », Zisiqiao, en Chine. 3 millions de serpents y sont élevés chaque année, pour l'alimentation ou à des fins médicinales.

Parmi les espèces les plus prisées, on compte les vipères au nez pointu, dont on extrait d'abord le venin ; elles sont ensuite soit hachées pour être consommées en soupe, soit conservées entières dans de l'alcool, comme remède. Les villageois élèvent aussi le crotale ou « tueur en cinq pas », ainsi nommé parce qu'après une morsure, il ne serait possible de faire que 5 pas avant de succomber.

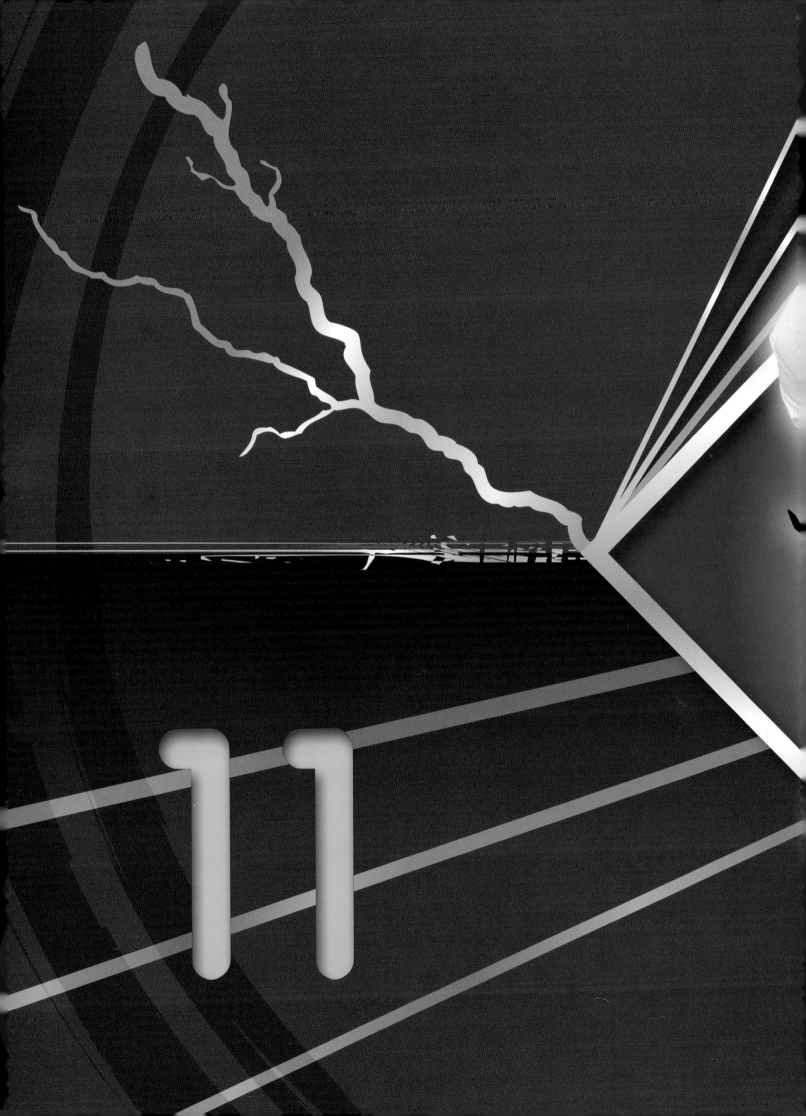

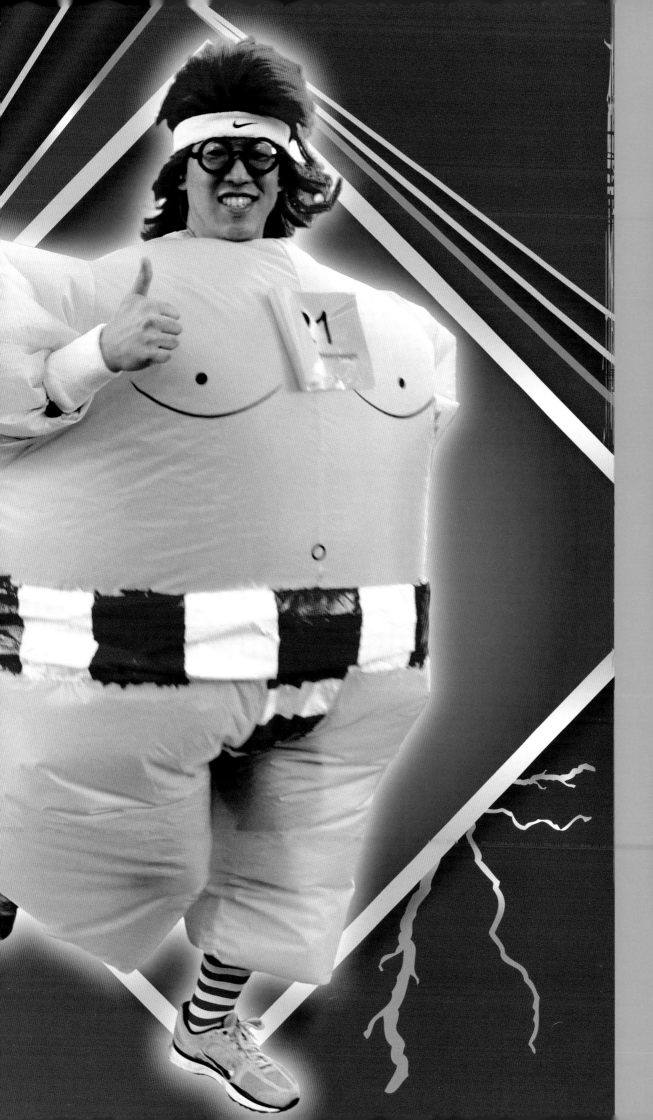

FOU FOU FOU

La star du show était Billy, capturé dans un marécage en 1906 près de La Nouvelle-Orléans. Étonnamment docile, Billy permettait à ses propriétaires de le seller et de lui mettre des rênes pour emmener les enfants en balade. Il ne manquait pas d'épater les touristes avec ses tours, glissant du toboggan et prenant part à des batailles sur l'eau avec le fameux lutteur alligator George Link. Billy apparut dans plusieurs films entre 1920 et 1960. En effet Il réagissait toujours de manière fiable et constante vis-à-vis de la nourriture : aussitôt que de la viande était brandie à côté de lui, il ouvrait la gueule, offrant une prise de vue parfaite à la caméra.

at the California Alligator Farm
Los Angeles, Cal.

→ Les alligators n'étaient pas qu'une attraction touristique. La ferme produisait aussi des sacs à main, ceintures, porte-monnaie en peau d'alligator, certains avec des crânes et griffes en guise de déco. Le tout était vendu dans la boutique de souvenirs.

SOUVENIR
from the
CALIFORNIA ALLIGATOR FARM,
LOS ANGELES, CAL.
"Drop In."
M

675:—"Chicken Dinner" at the Alligator Farm, Los Angeles, Calif.

The California Alligator Farm
LOS ANGELES

The California Alligator Farm
SEE THE TRAINED ALLIGATORS.
1000 ON EXHIBITION
OPEN EVERY DAY

Our Only SALESROOM is at the Farm
We make a specialty of Alligator Bags Ornamented with Genuine Alligator Heads and Claws

One of the most novel and interesting sights in the world. Most stupendous aggregation of Alligators ever exhibited.
OPPOSITE LINCOLN PARK
LOS ANGELES, CALIFORNIA
Lincoln Park Cars Stop at the Door
Alligator Goods at Wholesale Prices

Un aperçu du passé. Une brochure des années 1920 pour la ferme californienne des alligators, accueillant plus de 1 000 reptiles.

À cheval sur un un alligator!

➔ La Californie a accueilli une attraction touristique spectaculaire où les visiteurs pouvaient nourrir et même s'asseoir sur des alligators adultes de 136 kg.

La ferme californienne aux alligators fut créée en 1907 à Los Angeles par « Alligator Joe » Campbell et son partenaire Frances Earnest. Pour seulement 25 cents, jusqu'à 130 000 personnes par an pouvaient admirer les talentueux spectacles des alligators. Ceux-ci avaient même appris à grimper à l'échelle et à danser la valse.

Les alligators étaient triés par taille, du plus petit au plus long (4 mètres) et séparés de façon à ce que les plus gros ne mangent pas les plus petits d'entre eux. Les visiteurs de la ferme étaient cependant, eux, encouragés à se promener parmi les alligators et même à nager avec eux.

Malgré leur réputation dangereuse, les alligators étaient très gentils et le seul accident enregistré fut un guide qui perdit son bras alors qu'il faisait une démonstration avec sa tête dans la bouche du crocodile. Heureusement, les visiteurs l'aidèrent à se libérer et à s'échapper, la tête intacte !

Campbell, qui était un ancien coureur sur autruche, attrapa les alligators en imitant leurs cris à l'état sauvage. Ils apparaissaient ainsi à la surface des marais et rivières où ils furent capturés et emmenés à la ferme.

Suite à un déclin du nombre des visites, la ferme ferma ses portes en 1984, avec un rodéo final pour capturer tous les alligators qui dura 5 jours. Ils furent ensuite transportés dans une réserve privée.

➔ La ferme fit la publicité pour le plus grand alligator en captivité, « Okeechobee », dont on disait qu'il avait 500 ans, une totale aberration étant donné que l'espérance moyenne de vie d'un alligator est plus proche de 60 ans. La ferme fournissait également des alligators entraînés et autres reptiles pour les films hollywoodiens, dont *Tarzan* et *La plus heureux des milliardaires* (Walt Disney).

➔ De temps à autre, des inondations causaient la montée des eaux dans les lacs et les marais de la ferme, permettant aux alligators de s'échapper. Les reptiles se retrouvaient ainsi dans les étangs publics du coin ou dans les jardins et piscines privées des maisons avoisinantes !

↙↘

CHAT CONTRÔLEUR DE GARE

→ Les passagers de la station Kishi au Japon sont accueillis par un contrôleur à quatre pattes, une chatte nommée Tama. Quand la compagnie de chemins de fer Wakayama Electric dut se débarrasser de son personnel de la ligne Kishigawa, Tama, qui vivait aux abords de la station, fut nommée chef de chats errants. Kishi posséde maintenant un café sur le thème de Tama et une boutique de souvenirs. La compagnie baptisa aussi un train à son nom.

légalement mort Après avoir disparu de son domicile d'Arcadia dans l'Ohio en 1986 et déclaré mort 8 ans plus tard, Donald Miller Jr. a été retrouvé vivant en 2005. Considéré comme décédé, on lui refusa le droit de conduire. Un juge du comté d'Hancock rejeta sa demande d'abrogation de déclaration de décès en 1994 car la limite de 3 ans autorisant l'abrogation avait été dépassée.

ça creuse Billy Jones, originaire de Galles du Sud et chauffeur retraité de la JCB, fut conduit jusqu'à sa tombe dans la pelle mécanique qu'il avait conduite pendant 40 ans.

penny rare Un prototype exceptionnel de penny datant de 1792 ne fut jamais mis en circulation et fut l'un des quatorze pennies encore existants vendus pour 1,15 million de dollars lors d'une vente aux enchères à Schaumburg dans l'Illinois en 2012.

cellules privatives Une prison de Fremont en Californie permet aux détenus d'avoir des cellules privatives avec télé câblée au prix de 155 $ par nuit – le prix d'un 3 étoiles dans la région.

zolps admis L'université de Loyola à Chicago offre une bourse aux étudiants catholiques dont le nom de famille est Zolp. Les candidats doivent fournir un certificat de naissance, de baptême ou de confirmation pour prouver leur éligibilité au programme.

joyeux miroir Les étudiants de l'université de Tokyo au Japon ont créé un miroir qui reflète une version plus joyeuse d'eux-mêmes. Il utilise une technique appelée la réflexion incendiaire, qui consiste à filmer à l'aide d'une caméra cachée les expressions du visage, soulevant les commissures des lèvres et froissant la zone autour des yeux afin d'afficher un sourire sur le visage.

lente goutte L'expérience de la goutte de poix a été menée par l'université du Queensland en Australie depuis 1927 pour démontrer la fluidité du goudron. Pendant les 86 années suivantes, 8 gouttes de goudron, soit une toutes les décennies, sont tombées d'un entonnoir en verre sans que personne ne les voie. En août 2013, le professeur John Mainstone, qui fut en charge de l'expérience pendant 52 ans, au cours desquels il y eut 5 gouttes que personne ne vit tomber, mourut en attendant que la neuvième goutte soit un jour capturée par une webcam.

terrier de hobbit Pendant plus de vingt ans, Dan Price vécut dans un minuscule terrier circulaire, de 2,4 mètres de large, qu'il s'est lui-même construit sous terre sous des pâturages à chevaux, près de Joseph dans l'Oregon. Le « terrier de hobbit » où l'on doit rentrer à quatre pattes est équipé en électricité ainsi que d'un garage en bois où il gare son vélo. Il a quitté sa famille et son travail pour vivre de cette façon, versant 100 $ par an de loyer pour le terrain, vivant de petits boulots et écrivant sur cette expérience.

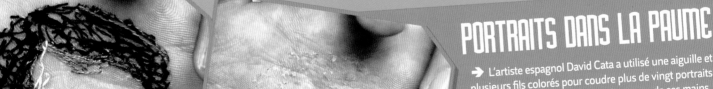

PORTRAITS DANS LA PAUME

→ L'artiste espagnol David Cata a utilisé une aiguille et plusieurs fils colorés pour coudre plus de vingt portraits de ses amis et de sa famille dans la paume de ses mains. Utilisant son corps comme une toile, il perce la couche supérieure de sa peau à l'aide d'une aiguille pour s'éviter trop de souffrance puis y passe le fil pour faire un point. Chaque image lui a pris quatre heures de couture avant de la photographier pour ensuite retirer prudemment les fils afin de permettre à sa peau de cicatriser. Ce projet artistique, qui voulait souligner l'importance de ses proches dans sa vie, a laissé des cicatrices dans ses paumes pendant quatre semaines, après lesquelles il a pu recommencer un nouveau portrait.

→ En janvier 2014, par des températures de - 37 °C, les chutes du Niagara ont gelé, sur leur côté américain, avant même que l'eau n'atteigne le lac, formant d'incroyables glaçons de 52 mètres. Le vortex polaire, à l'origine de ce grand froid, affecta 240 millions de personnes aux États-Unis et dans le sud du Canada.

Chutes gelées

success-story Créée en 1853 à New York, la société d'ascenseur Otis estime que ses ascenseurs transportent l'équivalent de la population mondiale tous les 9 jours.

peinture nasale Né avec une paralysie cérébrale, l'artiste paraplégique franco-canadien Gille Legacy peint avec son nez. En dépit d'une paralysie totale de ses membres inférieurs et supérieurs, il a le plein usage de son cerveau, et en plongeant son nez dans la peinture – une technique dont il se sert depuis l'âge de 8 ans –, il parvient à exposer ses œuvres à travers les États-Unis, le Canada et la France.

chèvre acquittée Gary la chèvre fut innocentée par une cour australienne en 2013 après avoir été accusée de vandalisme pour avoir mangé une exposition florale sur le parterre d'un musée de Sydney. La police avait condamné le propriétaire, Jim Dezarnaulds (connu comme humoriste sous le nom de Jimbo Bazoobi) à 440 $. Il fit appel et l'homme et sa chèvre se présentèrent devant la cour, Gary coiffé d'un grand chapeau de toutes les couleurs pour l'occasion.

lampe en pain Yukiko Morita de Kyoto, au Japon, fabrique de magnifiques abat-jour à partir de miches de pain. Pour créer ses œuvres, elle creuse des pains, sèche la croûte, applique un revêtement de résine pour éviter les moisissures et insère les LED.

intrus dans l'aéroport Un kangourou a surpris les passagers de l'aéroport de Melbourne en Australie en bondissant dans une pharmacie du second niveau du terminal. Le kangourou, dont on suppose qu'il venait du bush voisin, fut capturé dans la section produits cosmétiques grâce une injection de tranquillisant.

courrier indésirable La ville espagnole de Brunete a géré un problème de déchets canins en identifiant les propriétaires des chiens et en leur renvoyant par la poste les excréments en question. En une semaine, 147 boîtes de déjections furent envoyées par courrier spécial aux propriétaires de chiens locaux avec sur l'emballage la mention « objet trouvé ».

vies parallèles Deux frères britanniques, Ron et Fred Boyes, qui avaient été séparés pendant quatre-vingts ans et ignoraient tout de l'existence de l'autre, découvrirent, quand ils se rencontrèrent enfin, que tous deux avaient atteint le même classement dans la Royal Air Force, avaient joué au même poste au football et avaient chacun une fille prénommée Wendy. Les frères furent séparés dans les années 1930, chacun dans une partie différente du Royaume-Uni, Ron dans le Derbyshire et Fred dans l'Oxfordshire. Ils furent réunis après des recherches généalogiques entreprises par leur famille.

pont volé En Turquie, des voleurs se sont emparés d'un pont entier en métal, mesurant 258 mètres de long et pesant 22 tonnes.

lit de cimetière Le sans-domicile-fixe Fabio Beraldo Rigol dort dans un cimetière de Sao Paulo au Brésil depuis plus de treize ans. Il dort dans une crypte abritant six chambres mortuaires, à côté du squelette de son ami décédé et enterré là.

poignard volant Après avoir sauté d'un hélicoptère, Jeb Corliss, casse-cou originaire de Malibu en Californie, a volé à une vitesse de 160 km/h dans un canyon large de 7,6 mètres à son point le plus étroit. Le saut spectaculaire, connu sous le nom de « poignard volant », a été réalisé à travers une fissure de 274 mètres dans les montagnes chinoises de Langshan.

gazon noir Le collège de West Salem dans l'Oregon a joué son match de football à domicile sur un gazon synthétique noir. L'école a ainsi économisé près de 150 000 $ en renonçant à utiliser le gazon teint en vert.

saut en groupe En juillet 2013, 101 femmes parachutistes ont formé une fleur dans le ciel au-dessus de Kolomna en Russie.

marathon de glace Pour le marathon annuel de glace sur le lac Baïkal en Sibérie, les coureurs portent des cagoules, chapeaux de fourrure, jambières et lunettes de soleil, ainsi que des chaussures de course, pour parcourir les 42 kilomètres sur le lac gelé (1 mètre d'épaisseur de glace) avec des températures de – 12 °C. L'air est si pur et le terrain si plat sur ce lac le plus profond du monde que les coureurs peuvent apercevoir la ligne finale sur le bord opposé presque aussitôt après leur départ.

jour de plongeon Malgré des vomissements et des ecchymoses sur les jambes, Dennis Bettin, étudiant de 25 ans à l'université allemande de sport de Cologne, plongea 714 fois depuis un plongeoir de 3 mètres de haut en 24 heures en juin 2013, soit l'équivalent d'un plongeon toutes les 2 minutes.

rassemblement de perruques 32 682 fans de l'équipe de baseball des Angels de Los Angeles ont porté des perruques rouge et blanc durant la 5e manche du match contre les Astros de Houston à Anaheim en Californie, le 1er juin 2013.

skateboard fusée En fixant des fusées sur sa planche à roulettes, Eddie McDonald, 24 ans, a atteint une vitesse de plus de 60 km/h alors qu'il dévalait la rue principale de Barcaline dans le Queensland en Australie.

invités sportifs La suite Penthouse Real World de trois chambres au Hard Rock Hotel et Casino à Las Vegas au Nevada dispose de sa propre allée de bowling. À l'hôtel voisin du Palms, la suite Hardwood offre, elle, son propre terrain de basket.

Pouvoir du

➜ En Inde, où l'électricité est peu fiable, les fêtes foraines peuvent fonctionner à l'aide d'énergie propre, comme le montre cette grande roue qui utilise l'huile de coude. Des groupes d'hommes passent de siège en siège grâce à d'adroites et dangereuses acrobaties, alors que la roue est en mouvement, pour lui permettre de tourner telle une roue de hamster humaine.

SURF SUR LE FLANC

➔ La nouvelle mode chez les jeunes en Arabie Saoudite est de conduire leur voiture à toute allure sur deux roues. Comme si ce n'était pas déjà assez fou, leurs amis les rejoignent sur l'extérieur du véhicule ! Le surf sur le flanc est le dernier sport automobile extrême à débarquer dans le pays, où le dérapage à vive allure est également très en vogue dans les milieux souterrains.

gros dur Lors de la compétition de l'homme le plus fort du monde en 2013 à Sanya, en Chine, Brain Shaw de Fort Lupton dans le Colorado, souleva plus de 442,5 kg, à peu près le même poids qu'un cheval. Ses biceps mesurent près de 60 cm de circonférence, son cou est plus large que les cuisses de la plupart des hommes et lorsque, adolescent, il jouait au basket, un adversaire s'est assommé juste en se heurtant contre sa poitrine.

long club Le golfeur professionnel Michael Furr d'Arlington au Texas, se sert d'un club de 4,3 mètres de long – presque 4 fois la longueur d'un club normal – pour envoyer la balle jusqu'à 131,7 mètres. Auparavant, il avait réussi un coup en frappant la balle d'un tee de 1,8 mètre, perché sur une échelle.

muscle

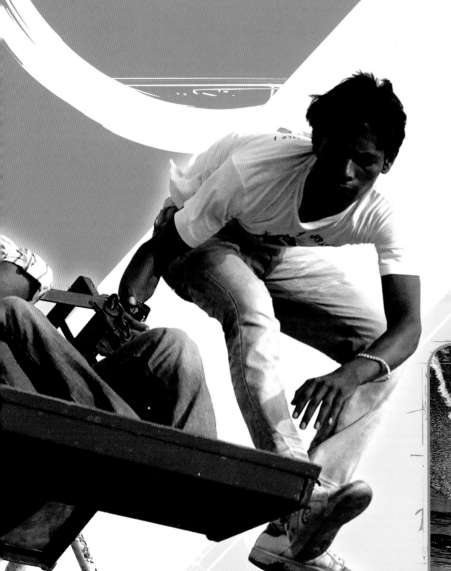

SURF À SKIS ➔ Chuck Patterson est un pionnier du surf à skis, un sport extrême où il skie sur les vagues. Ce skieur californien s'est mis au surf en testant des skis spécialement construits pour briser les vagues de Chuck à même dompté les vagues de 12 mètres du spot de surf de Maui à Hawaï, l'un des plus grands au monde, en se faisant tracter par un Jet Ski pour mieux attraper la vague.

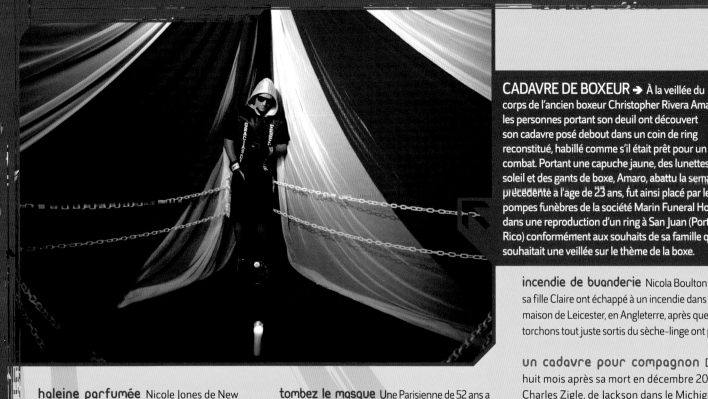

CADAVRE DE BOXEUR → À la veillée du corps de l'ancien boxeur Christopher Rivera Amaro, les personnes portant son deuil ont découvert son cadavre posé debout dans un coin de ring reconstitué, habillé comme s'il était prêt pour un combat. Portant une capuche jaune, des lunettes de soleil et des gants de boxe, Amaro, abattu la semaine précédente à l'âge de 23 ans, fut ainsi placé par les pompes funèbres de la société Marin Funeral Home, dans une reproduction d'un ring à San Juan (Porto Rico) conformément aux souhaits de sa famille qui souhaitait une veillée sur le thème de la boxe.

incendie de buanderie Nicola Boulton et sa fille Claire ont échappé à un incendie dans leur maison de Leicester, en Angleterre, après que des torchons tout juste sortis du sèche-linge ont pris feu.

haleine parfumée Nicole Jones de New York City mange du déodorant et elle y est accro. Elle en mange un demi-stick par jour soit quinze par mois. Elle dit : « C'est vraiment doux, et ça fond dans la bouche. Le goût est unique. »

prix morbide Matt Kratoville, un fan de base-ball de 54 ans de Novato en Californie, a gagné une crémation gratuite en remportant le 1er prix du concours « Nuit Funéraire » lors d'un match des Pacifics de San Rafael le 23 août 2013. Il devait écrire son propre faire-part de décès.

tombez le masque Une Parisienne de 52 ans a remplacé sa fille de 19 ans à un examen écrit d'anglais de 2 heures pour tenter d'avoir une meilleure note. Pour se faire passer pour une ado, la mère portait un épais maquillage, un jean taille basse et des Converse, mais un contrôleur de l'examen a fini par découvrir la supercherie.

plaques tournantes Kelly Grace, originaire de Brisbane, trouva les plaques d'identité du soldat américain John W. Sacchetti à proximité d'une ancienne base de l'armée. Elle les renvoya à la famille du soldat après des recherches sur internet, 70 ans après leur perte au cours de la Seconde Guerre mondiale.

un cadavre pour compagnon Dix-huit mois après sa mort en décembre 2010, Charles Zigle, de Jackson dans le Michigan, était encore assis dans son fauteuil favori à regarder la télévision. Sa colocataire, Linda Chase, avait gardé son corps momifié, le lavant et l'habillant tous les jours, et lui faisant la conversation tout en regardant les courses automobiles de Nascar.

sauveteurs Lorsque Dorothy Fletcher, 67 ans, venant de Liverpool en Angleterre, eut une crise cardiaque sur un vol pour la Floride, sa vie fut sauvée grâce à la présence à bord de 15 cardiologues en partance pour une conférence à Orlando. Quand l'hôtesse de l'air demanda une assistance médicale, ils se levèrent tous, prêts à aider. Ils firent rapidement une injection à la patiente et utilisèrent le matériel médical disponible à bord pour stabiliser son état. L'avion fut dérouté vers la Caroline du Nord où Madame Fletcher reçut les traitements complémentaires en soins intensifs avant un complet rétablissement. Sa fille Christine témoigna : « Ma mère ne serait pas vivante aujourd'hui sans l'aide de ces cardiologues dont nous ne connaissons même pas les noms. »

DOUBLE NEZ

→ Snuffles, un berger allemand de 5 mois, résidant dans un centre de secours pour animaux, est né avec un défaut congénital rare donnant l'illusion qu'il a deux nez. Plutôt que d'avoir les narines collées l'une à l'autre, elles sont séparées en leur milieu, permettant au chien de bouger chaque moitié de façon autonome !

cercueil en laine Les pompes funèbres John Fraser and Son d'Inverness, en Écosse, proposent de nouveaux cercueils écologiques en laine, renforcés par un châssis en carton recyclé et doublés de coton, pouvant supporter jusqu'à 267 kg.

visage familier Henry Earl de Lexington, dans le Kentucky, âgé de 64 ans, fut arrêté par la police plus de 1 500 fois dans toute sa vie – si souvent que ses portraits pris lors d'arrestations ont été assemblés en une vidéo mise en ligne. Depuis sa première arrestation en 1970, il a passé près de 6 000 jours en prison, soit une moyenne de plus d'un jour sur trois derrière les barreaux.

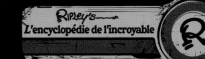

Femme tigresse

➜ **Katzen Hobbes est une véritable Catwoman, dont le corps est tatoué à 90 % de rayures noires tigrées.**

Elle a longtemps porté de véritables poils de moustaches de tigre envoyés par des zoos du monde entier et implantés dans ses joues au moyen d'anneaux spéciaux pour le piercing. Désormais, ses moustaches sont dessinées par scarification, assez profondément pour que les cicatrices soient permanentes.

Cette mère de deux enfants, originaire d'Austin dans le Texas (connue également sous le pseudonyme de Katzen Ink), a mis dix ans à parfaire tous ses tatouages de tigresse. Durant cette période, plus de 160 tatoueurs ont travaillé sur son corps, dont 23 en même temps ! Elle s'est évanouie plus d'une fois tant la douleur causée par tous ces artistes à l'œuvre sur son dos, ses jambes et son ventre, était insupportable.

Malgré tout, être mi-femme et mi-féline lui plaît. «Je ne peux imaginer ne pas être une tigresse. Je suis une œuvre d'art vivante.»

doigts collants Des bandits de Bad Hersfeld, en Allemagne, ont volé dans un camion 5,5 tonnes de Nutella.

masque de beauté Les femmes qui sont soucieuses de leur apparence peuvent dorénavant appliquer sur leur visage un masque sans expression, grâce au masque Uniface conçu par Zhuoying Li, diplômé de l'école du design Parsons de New York. Li a créé le masque – aux larges yeux, longs cils, un menton étroit et des petites joues – en réaction aux standards peu réalistes de beauté véhiculés par la société moderne.

réveil-étudiant Pour éviter de s'endormir en révisant, quelques étudiants de Fujian, en Chine, ont attaché leurs cheveux au plafond avec des pinces à linge. Chaque fois qu'ils s'assoupissent, les pinces tirent leurs cheveux et les réveillent.

tête en cage Tentant désespérément de mettre fin à 26 ans de tabagisme, le Turc Ibrahim Yücel prit l'habitude d'enfermer chaque jour sa tête dans une cage métallique verrouillée. Chaque matin avant d'aller travailler, il demandait à sa femme ou sa fille de fermer à clé la cage, qu'il fabriqua lui-même à partir de 40 mètres de fils de cuivre, et de conserver les clés. La cage lui permettait de respirer, manger des biscottes ou boire à la paille, mais le maillage était trop étroit pour lui permettre de fumer une cigarette.

tranche de peau Torz Reynolds de Londres a mis 90 minutes pour retirer de son corps le tatouage du nom de son ex Stuart May à l'aide d'un scalpel aiguisé. Elle lui envoya ensuite le morceau de peau tatoué par la Poste.

dernière volonté Juste avant sa mort en 2013 chez lui, dans l'Ohio, un fan de football, Scott Entsminger, fit une dernière requête à son équipe préférée. Sa nécrologie précisait : « Il demande que six joueurs de l'équipe des Browns de Cleveland portent son cercueil, afin qu'il touche le fond une dernière fois grâce aux Browns. » L'équipe n'avait plus remporté le championnat depuis 1964. Les supporters surnomment leur stade « l'usine à tristesse » après une série de résultats décevants.

coffre pas si fort Deux cambrioleurs furent tués en utilisant un chalumeau pour braquer un coffre-fort rempli de feux d'artifice à Hopkinton dans le New Hampshire. Les flammes déclenchèrent les fusées, provoquant une explosion. On pense que les hommes ignoraient tout du contenu du coffre.

chant funéraire. Robert Nogoy, de Pampanga aux Philippines, fabrique des cercueils équipés de machines karaoké pour rendre les funérailles moins pesantes.

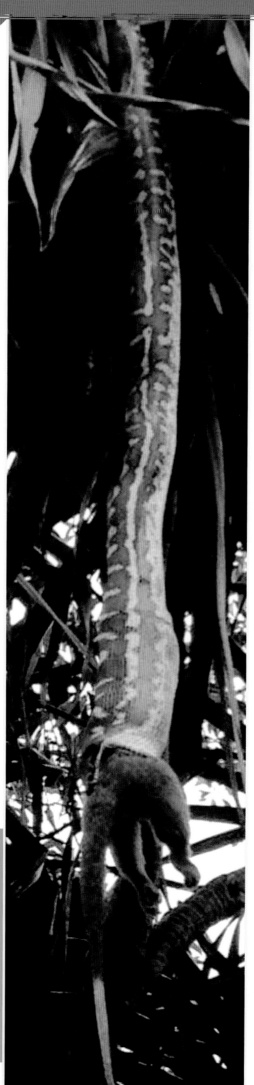

bien accrochés Passionnés d'escalade, Fang Jing et son époux Lu Zhao ont posé pour leurs photos de mariage, accrochés à plusieurs centaines de mètres du sol le long d'une paroi rocheuse à Liuzhou, en Chine. Après la cérémonie, ils sont ainsi restés suspendus pendant plus de trois heures, tout comme leur intrépide photographe.

troc truqué En Floride, un homme a été arrêté par les agents de la protection de la nature après être entré dans une épicerie de quartier où il a essayé d'échanger un alligator vivant de 1,20 mètre contre un pack de 12 bières.

travail du chapeau Sam Hunter Baxter, de Tenby au Pays de Galles, a gagné plus de 13 500 € dans un concours d'inventeurs en concevant un chapeau haut-de-forme qui sert aussi de brosse à dents. Il a inventé ce gadget pour les gens pressés, après avoir calculé qu'on passe en moyenne 75 jours à se brosser les dents au cours d'une vie.

fâchée À Swansea, au Pays de Galles, une femme était si fâchée d'apprendre que son mari la trompait qu'elle a changé l'inscription qui surplombe l'entrée de son pub préféré, le Noah's Yard, pour y écrire « Paul, je divorce ». Un peu plus tard, toujours furieuse, elle l'a remplacée par « Et le chien vient avec moi ».

vachement chargé La police de Malaisie a été stupéfaite de découvrir quatre vaches vivantes entassées à l'arrière d'une voiture. Après avoir volé les animaux dans une ferme de Bukit Mertajam, les malfaiteurs les avaient fait grimper dans le véhicule dont ils avaient enlevé le siège arrière mais qu'ils durent abandonner quand la surcharge eut raison de lui.

dernière heure Chaque semaine pendant trente ans, le Dr John Farrer a grimpé par un étroit escalier en colimaçon pour remonter l'horloge de l'église du village de Clapham, dans le Yorkshire, en Angleterre. L'horloge s'est soudainement arrêtée à 8 h 15, le 1er janvier 2014, au moment précis où le docteur mourait à l'âge de 92 ans.

L'APPÉTIT DU PYTHON

➡ En décembre 2012, ce python tapis a été photographié en train d'avaler un marsupial. Le serpent était accroché dans un arbre, près de la maison du photographe à Byron Bay, en Australie, avant de disparaître avec sa proie dans la forêt. Le python tapis étouffe ses victimes avant d'étirer ses mâchoires de manière à pouvoir avaler des animaux bien plus gros que sa propre tête.

double braquage Le 6 novembre 2013, les locaux d'un bookmaker de Manchester, en Angleterre, ont été braqués deux fois en cinq minutes, par deux équipes différentes.

pour être clair Quand David Waddell a décidé de quitter le conseil municipal d'Indian Trail, en Caroline du Nord, il a rédigé sa lettre de démission en klingon, la langue de la race guerrière imaginée par les auteurs de Star Trek.

toilettes ambulantes En Écosse au XVIIIe siècle, des gens avaient pour travail de marcher dans les rues avec un pot de chambre et une grande cape qu'ils louaient aux passants désireux de se soulager.

nu et là Un homme nu a dû être secouru après s'être caché dans sa machine à laver à Mooroopna, en Australie. Il faisait une partie de cache-cache avec sa partenaire qu'il espérait surprendre, mais il est resté coincé dans la machine. Il a fallu aux policiers 20 minutes pour l'en extraire, grâce notamment aux vertus lubrifiantes de l'huile d'olive.

parachutées En 2013, quelque 2 000 souris mortes ont été lâchées au-dessus de la base aérienne américaine de l'île de Guam afin de combattre une invasion de serpents (*Boiga irregularis*). Remplies de poison, les souris ont été larguées depuis des hélicoptères volant à basse altitude, chacune équipée d'un petit parachute fait de carton et de papier de soie.

branché Vêtu d'un costume blanc et portant un bouquet de fleurs, le militant péruvien Richard Torres a « épousé » un arbre dans un parc de Buenos Aires, afin d'attirer l'attention sur des questions environnementales. Et pour donner plus de véracité à la cérémonie, il a embrassé l'arbre.

enseveli Tandis qu'il déneigeait une piste cyclable, un conducteur de chasse-neige de Nøtterøy, en Norvège, a été intrigué par le guidon d'un vélo qui dépassait de la neige. Et il a ainsi découvert un cycliste, âgé de 26 ans, qui gisait inconscient sous la neige. Transporté à l'hôpital, celui-ci s'est rapidement rétabli.

dernier voyage Le corps momifié de Tambo Tambo, un aborigène australien, a été renvoyé chez lui afin qu'il y soit inhumé en 1993, après avoir passé 109 ans dans un funérarium de Cleveland, Ohio.

record détenu Bien que la population des États-Unis représente seulement 5 % de celle du monde, les prisons du pays comptent 2,2 millions de détenus, soit un quart du total des prisonniers dans le monde.

Au feu !

➜ Cette image spectaculaire d'un homme en feu a été prise sans effets spéciaux par Benjamin Von Wong, un photographe de Montréal. Mais rassurez-vous, tout était prévu et personne n'a été blessé.

En vue de réaliser cette image unique, il a posté le message suivant sur Facebook: « Qui veut être couvert de feu ? » Lui aussi photographe, Jo Gorsky s'est porté volontaire pour faire le cascadeur. Il a revêtu des vêtements spéciaux ignifugés et s'est enduit la peau d'un gel protecteur avant d'être enflammé. Le plus grand danger pour lui est venu du vent fort qui s'est levé au moment de la photo, rendant le feu plus difficile à contrôler.

le ténor des meubles en kit À San Francisco, Charles Vickery propose à ses clients d'assembler leurs meubles en kit tout en leur chantant des airs d'opéra. Pour un supplément, il le fera même revêtu d'un smoking avec des gants blancs et un chapeau.

la vie en roses Chen Li, programmeur informatique de la province de Zhejiang, en Chine, a fait sa demande en mariage en offrant à sa fiancée un bouquet de 999 roses fabriquées avec des billets de banque, pour une valeur de plus de 28 000 €. Il a passé 4 jours à plier les billets.

prison de papier Après avoir trébuché sur une grosse pile de papier dans sa cuisine, Noel Rainer, 85 ans, collectionneur compulsif de l'Essex, en Angleterre, est resté coincé pendant trente heures au milieu d'une montagne du fouillis qu'il a accumulé pendant vingt ans.

le prix du remords Rongé par le remords d'avoir volé 800 $ dans un magasin de Thornapple Township, dans le Michigan, dans les années 1980, le voleur a remboursé la somme anonymement trente ans plus tard, en y ajoutant 400 $ d'intérêts.

à la victorienne À Seattle, Sarah Chrisman, 33 ans, a décidé de vivre à la victorienne. Elle porte des vêtements victoriens faits sur mesure, cuisine en suivant les recettes trouvées dans des magazines d'époque, et évite d'utiliser des appareils électroménagers qui n'existaient pas au XIXe siècle. Elle a également remplacé sa voiture par une bicyclette centenaire.

SURFEURS DE MÉTRO ➜

N'essayez pas de les imiter. « Surfer le métro » est une très dangereuse nouvelle mode chez certains adolescents russes. Elle consiste à grimper sur l'arrière du train pendant son arrêt à la station et s'accrocher au risque de leur vie tandis que la rame fonce dans les tunnels. Certains casse-cou vont encore plus loin et grimpent sur le toit des wagons, ce qui est encore plus dangereux. Récemment, deux étudiants de 19 ans ont ainsi tragiquement trouvé la mort en s'écrasant sur l'entrée d'une portion basse de tunnel.

HUMOUR À FROID

➔ Des farceurs d'Aix-la-Chapelle, en Allemagne, avaient construit en neige la réplique grandeur nature d'une coccinelle Volkswagen sur un emplacement de stationnement interdit. Le résultat était si réaliste qu'un agent ajouta sa propre touche à l'œuvre sous la forme d'une contravention.

● Une contractuelle a collé une contravention sur une voiture à Seattle, en 2010, sans s'être aperçue que le conducteur, qu'elle croyait endormi à l'intérieur, était en fait décédé.

● Le traîneau du Père Noël a reçu un PV, dans le Cheshire, en Angleterre, en 2011, pendant que des membres de la Poynton Round Table, déguisés en elfes, distribuaient des cadeaux aux enfants.

● Pour ne pas recevoir une amende pour sa conduite erratique, un chauffeur de bus de Zhongshan,en Chine, s'est caché sous son bus pendant plus d'une heure avant que la police réussisse à l'en déloger.

● Handicapé, Peter Stapleton a reçu une contravention pour stationnement illicite à Londres en 2007 pendant qu'il réajustait sa prothèse de jambe qui était tombée.

● Ce qu'il restait de la voiture de Nicky Clegg a reçu un PV en 2007 à Worcester, en Angleterre, après avoir été écrasée par la chute d'un arbre.

● Un corbillard a reçu une contravention de 35 $ alors qu'il stationnait devant un funérarium à Milwaukee, dans le Wisconsin, en 2010.

● Le cheval de Robert McFarland, maréchal-ferrant retraité du Yorkshire, a reçu un PV en 2001. À la rubrique « description du véhicule », l'agent avait noté « Cheval marron ».

UN PIANO EN BANANES ➔
Un nouveau dispositif baptisé MaKey MaKey, qui transforme n'importe quel objet en pavé tactile, permet d'utiliser des bananes comme touches de piano. Il est relié par un câble USB à un ordinateur. Si vous installez un programme de piano sur l'ordinateur et reliez le MaKey MaKey aux bananes, celles-ci deviennent des touches de piano sur lesquelles vous pouvez jouer un morceau. Le dispositif fonctionne avec tous les matériaux plus ou moins conducteurs comme de la pâte à modeler, du ketchup, des crayons, des pièces de monnaie, ou même des gens.

les mêmes vêtements Dale Irby, un instituteur de Dallas, au Texas, a porté les mêmes vêtements pour la photo de classe chaque année pendant quarante ans. La deuxième année, il découvrit avec embarras qu'il portait la même chemise et le même pull que l'année précédente et décida d'en faire une plaisanterie récurrente qu'il entretint jusqu'à sa retraite.

ravagé Un incendie qui a détruit huit appartements à Holland Township, dans le Michigan, mettant trente personnes à la rue, a été provoqué par un résident qui voulait faire cuire un écureuil avec un chalumeau à gaz sur son balcon en bois.

fou du volant Un Australien de 38 ans a été arrêté alors qu'il conduisait sa voiture dans la banlieue d'Adelaïde sans volant. Les policiers ont constaté qu'il dirigeait le véhicule à l'aide de pinces fixées sur la colonne de direction.

promenade Le 27 juillet est la journée de la promenade des plantes. Il s'agit d'une initiative des Américains Thomas et Ruth Roy, qui pensent que promener vos plantes dans le quartier peut les aider à s'épanouir.

Chelsea Katseanes, la copine de Dallin, se détend sur la chaise face à une des plus belles vues du monde... Si on n'a pas le vertige.

CHAISE HAUTE

➔ Voici une chaise longue idéale pour les alpinistes casse-cou. Faite de corde, elle est fixée sur une paroi rocheuse de plus de 100 mètres d'une montagne de Rock Canyon, dans l'Utah.

Elle a été créée par Dallin Smith, un alpiniste de la région. Mais après avoir passé des heures à l'acheminer jusque-là, il ne l'a laissée en place que pendant une semaine parce que son installation mécontentait d'autres alpinistes qui menaçaient de la jeter dans le lac le plus proche.

Il a fallu plusieurs semaines pour fabriquer la chaise à partir de deux cordes d'alpinisme entrelacées autour d'une structure métallique. Elle est fixée à la paroi par deux solides crochets.

fortune du pot Des objets romains en céramique, en forme de disque, exposés dans un musée du Sussex de l'Ouest, en Angleterre, pendant cinquante ans sous la croyance qu'il s'agissait de pièces de jeu, se sont révélés être une forme primitive de papier toilette. Les disques étaient délibérément aplatis pour la commodité des Romains qui utilisaient également des éponges imbibées de vinaigre et montées sur des bâtons pour se nettoyer.

réveil douloureux En associant un réveil et une déchiqueteuse, Rich Olson de Seattle a inventé un réveille-matin qui met en pièces un billet d'un dollar si l'utilisateur ne se lève pas rapidement pour arrêter le mécanisme lorsqu'il a sonné.

pont des soupirs L'artiste australienne Jodi Rose aime tellement les ponts qu'elle a organisé une cérémonie le 17 juin 2013 pour épouser un pont français vieux de 600 ans, le Pont du Diable, à Céret. Bien que le mariage ne soit pas officiellement reconnu par l'État, Jodi avait invité quatorze personnes, revêtu une robe de mariée traditionnelle et fait faire des bagues pour elle-même et pour le pont.

précoce Jamie Edwards, un garçon de 13 ans de Preston, en Angleterre, a réussi en mars 2014 à construire un réacteur nucléaire dans le cadre du cours de sciences de son école.

TRANSFORMER HUMAIN

➔ Cet homme est un vrai Transformer. Drew Beaumier, de Fountain Valley en Californie, est depuis toujours un fan des robots extraterrestres. Lorsqu'il a acheté pour 300 $ une voiture-jouet Power Wheels, il a décidé de la démonter et de se servir des pièces pour devenir un Transformer humain. Il a ensuite réassemblé les pièces en les collant sur des sous-vêtements de sport qu'il peut enfiler. Pour plus de réalisme, il a fixé des roues sur ses bras et ses jambes. En se recroquevillant, il peut ainsi rouler dans la rue comme une voiture.

dans la jungle Ho Van Thanh et son fils Ho Van Lang ont vécu pendant plus de quarante ans dans la jungle après avoir fui leur village en 1972, lors d'un bombardement américain pendant la Guerre du Vietnam. On les a retrouvés en 2013, âgés respectivement de 82 et 41 ans, vêtus de pagnes en écorce. Ils ont survécu dans une cabane dans les arbres, en se nourrissant de fruits.

mystérieux incendie Pendant que ses propriétaires étaient absents, un incendie mystérieux a ravagé une maison de Fareham, en Angleterre, sans que personne le remarque, jusqu'à ce qu'il soit éteint par l'eau des conduites qui avaient explosé. Un voisin, venu surveiller la maison, l'a trouvée couverte de suie et inondée par l'eau qui jaillissait des tuyaux.

dernière demeure Expulsé de sa maison à Niš, en Serbie, Bratislav Stojanovic a vécu dans une tombe d'un cimetière abandonné depuis plus de quinze ans. Il partage les lieux avec les restes d'une famille décédée voici plus d'un siècle et les a rendus plus accueillants avec quelques bougies, un matelas et des couvertures.

la pelle de la danse Le chorégraphe français Dominique Boivin danse avec de gros engins de chantier. Il fait correspondre ses mouvements à ceux des mastodontes et exécute également des numéros, perché ou accroché à leurs bras articulés.

réseau Selon les Nations Unies, davantage d'humains ont accès à des téléphones portables qu'à des toilettes correctes.

L'empereur Norton

→ Le 17 septembre 1859, un banquier ruiné de San Francisco, nommé Joshua Norton, se proclama Empereur des États-Unis. Il régna officiellement pendant vingt et un ans, déclarant l'abolition du Congrès, émettant des obligations, inspectant les canalisations de la ville et les forces de police, et ajoutant plus tard à ses titres celui de Protecteur du Mexique.

Revêtu de son uniforme d'apparat bleu avec une paire de bottes trop grandes et fendues pour soulager ses cors aux pieds, et portant un sabre cabossé, Norton devint un personnage populaire dans la ville. Les restaurants affichaient fièrement des plaques à leur porte pour revendiquer son parrainage. Arrêté pour vagabondage, il fut libéré le lendemain matin avec des excuses du chef de la police.

L'empereur prenait ses responsabilités très au sérieux. Lorsque la Guerre de Sécession éclata, il écrivit aux présidents Abraham Lincoln et Jefferson Davis pour leur ordonner de venir participer à des négociations avec lui à San Francisco. Aucun des deux ne répondit. Lorsque Norton mourut, sans un sou, en 1880, plus de 10 000 personnes défilèrent devant son cercueil pour lui rendre hommage.

Tout excentrique qu'il était, Norton fut le premier à suggérer qu'on construise un pont suspendu dans la baie de San Francisco. Des campagnes récentes ont proposé de renommer le Bay Bridge pour lui donner le nom d'Emperor Norton Bridge, en l'honneur du souverain fantasque mais visionnaire de la ville.

Se proclamant Empereur des USA, Norton « régna » pendant 21 ans.

Il levait des impôts qu'il collectait lui-même auprès des commerçants et des hommes d'affaires.

Son portrait était imprimé sur ses titres de créances.

Les gens faisaient la révérence en le croisant dans la rue.

Sa popularité était telle qu'il mangeait et voyageait souvent gratuitement.

Les théâtres de la ville lui réservaient une place au balcon les soirs de première.

mise en scène À 22 ans, Zeng Jia, de Hubei, en Chine, a mis en scène ses propres funérailles pour voir ce que les gens pensaient vraiment d'elle. Maquillée par une équipe de spécialistes, elle est restée allongée dans le cercueil pendant une heure tandis que ses proches défilaient pour lui rendre un dernier hommage. À l'issue de la veillée funèbre, elle a surpris tout le monde en sortant du cercueil pour faire un discours.

vêtements doublés Nancy Featherstone et son époux Don, de Fitchburg dans le Massachusetts, s'habillent chaque jour en vêtements assortis depuis 1978, même lorsqu'ils ne sont pas ensemble. Couturière, Nancy a confectionné 600 tenues identiques pour elle et son mari dévoué.

la mort vache Dans le Sud-Est du Brésil, un homme de 45 ans est mort dans son lit quand une vache adulte est tombée à travers le toit et l'a écrasé. C'était la 3e fois en trois ans qu'une vache tombait à travers un toit dans la région.

erreur informatique Le fournisseur d'électricité néo-zélandais Meridian Energy a envoyé par erreur une lettre à un réverbère d'Oakura, menaçant de lui couper le courant s'il ne fournissait pas ses coordonnées complètes sous huit jours.

ambassadeur sur mars En prévision du jour où il sera établi qu'il y a de la vie sur Mars, l'État du Delaware a nommé de Dr Noureddine Melikechi pour être son ambassadeur sur la planète rouge, avec pour mission de faire la promotion du Delaware auprès des touristes et des investisseurs martiens.

conversations de taxi À la veille des élections générales de 2013, Jens Stoltenberg, Premier ministre de Norvège, a décidé de vérifier par lui-même ce que les électeurs pensaient en se faisant passer, pendant un après-midi, pour un chauffeur de taxi d'Oslo. Une caméra cachée enregistrait les réactions de ses passagers dont plusieurs le reconnurent.

hommes en jupe Quand les responsables des chemins de fer suédois refusèrent d'autoriser les conducteurs de train à porter des shorts pour travailler l'été, ceux-ci contournèrent l'interdiction en mettant des jupes.

colis de folie Parmi les objets que des Britanniques ont essayé d'expédier par la Poste en 2012 et 2013, on trouve un chat mort, un hamster vivant, un bassin de jardin (avec l'eau et les poissons), une tarte chaude, 500 poupées Barbie, et une adolescente que sa mère essaya ainsi de rapatrier d'un voyage scolaire parce qu'elle s'ennuyait de sa famille.

bloqué à l'aéroport Rodrigo Ben-Azul a passé plus de deux mois à l'aéroport de Santiago, au Chili, en attendant que des proches lui envoient d'Espagne de quoi payer son billet pour rentrer chez lui. Le jour, il errait dans l'aérogare avec sa valise, et il dormait la nuit dans des recoins tranquilles.

le message du grillage Johnny Mata Jr. a fait sa demande en mariage à Krystal Salazar avec un message composé à l'aide de gobelets en plastique insérés dans un grillage pour former les mots « KRYSTAL... ÉPOUSE-MOI ». Il avait utilisé la même technique pour l'inviter au bal de fin d'année du lycée six ans plus tôt. Les deux fois, elle a dit oui.

naufragé volontaire L'homme d'affaires australien David Glasheen a perdu 10 millions de dollars en une journée lors du krach boursier de 1987. Après avoir perdu sa maison de Sydney, il s'est installé sur l'île de Restoration Island, face aux côtes du Queensland, dont il est le seul habitant depuis 1993. Il vit dans un abri de bateau et fabrique de la bière qu'il échange contre du poisson sur le continent, après 40 minutes de traversée dans des eaux infestées de crocodiles.

collision en chaîne Une conductrice qui avait accidentellement percuté un faon près de Colorado Springs, aux États-Unis, a été elle-même heurtée quelques instants plus tard par la mère du faon. Tandis qu'elle se penchait sur le jeune animal pour constater ses blessures, une autre voiture percuta la biche, la projetant sur elle.

tatouage vibreur Pour éviter aux usagers de rater un appel ou SMS lorsque leur téléphone est en silencieux, le fabricant Nokia a déposé un brevet pour des tatouages ferromagnétiques qui vibreront sur la peau pour transmettre les signaux du téléphone.

compte à rebours Le Suédois Fredrik Colting a inventé une montre qui décompte chaque seconde jusqu'à la mort de son propriétaire. L'espérance de vie de la personne est calculée à partir de son histoire médicale et de ses habitudes de vie. Une fois qu'on a soustrait son âge, le compte à rebours se met en marche sur la montre Tikker, théoriquement pour encourager celui qui la porte à profiter au mieux du temps qui lui reste.

mort en direct L'acteur gallois Gareth Jones a succombé à une crise cardiaque en 1958 pendant une émission de télé en direct de la série *Armchair Theatre*. L'événement est survenu peu de temps avant que le personnage qu'il interprétait soit censé avoir une crise cardiaque.

squelette globe-trotter Susan Weese d'Albuquerque a parcouru le monde pendant un an en compagnie d'un squelette féminin en plastique de 19 kg, grandeur nature et anatomiquement correct, nommé Sam. Elle l'a photographié dans de nombreuses villes comme Paris, Rome, Berlin, New York et Chicago.

cercueil à réaction À Medford, dans l'Oregon, l'inventeur Robert Maddox a conçu un cercueil à réaction inspiré par la série télé *Les Monstres*, capable d'atteindre 100 km/h en 9 secondes. Basée sur la Dragula du grand-père de la série, la Maddoxjet Coffin Car a un cockpit installé derrière un cercueil en bois, le tout monté sur un châssis en tubes d'acier. Il a fallu à Robert un mois et 1 300 $ pour la construire.

balayeuse millionnaire Yu Youzhen de Wuhan, en Chine, a fait fortune dans l'immobilier. Pourtant, à 54 ans, elle continue de travailler à la propreté des rues pour moins de 10 € par jour. Depuis 1988, 6 jours par semaine, elle se lève à 3 heures du matin pour aller balayer, afin de montrer le bon exemple à ses enfants.

CACA-RAPACE

➔ Les larves de lémas à pieds noirs se couvrent de leurs propres excréments pour se camoufler et éviter à leur corps de se déshydrater. Ils déposent un mélange de matières fécales et de mucus sur leur dos pour former une sorte de carapace qui donne à leur corps une apparence marron, brillante et humide, extrêmement peu appétissante pour les prédateurs.

bouquet de mariage Quand Nick Meadow (Prairie) a épousé Tamsin Flower (Fleur) sur l'île de Wight, une des demoiselles d'honneur s'appelait Issy Bloom (Fleur). Et parmi les invités on trouvait Richard Plant (Plante) et Tom Gardener (Jardinier).

que dalle En juin 2013, des pèlerins se sont rassemblés à l'aéroport de Phoenix, en Arizona, après qu'une tâche ressemblant à Jésus a été découverte sur une dalle au sol de l'aérogare 3.

mauvais timing Un cambrioleur qui s'était introduit dans une maison du Comté de Palm Beach, en Floride, a fait l'erreur d'y laisser son téléphone. Son identité a été révélée quand sa mère l'a appelé alors que les policiers venaient d'arriver sur les lieux du crime.

SAUVETAGE ➔
Une quarantaine de passagers et d'employés des chemins de fer japonais ont uni leurs forces pour faire bouger un train de plus de 30 tonnes, afin de secourir une femme qui était tombée dans un trou de 20 cm entre le train et le quai dans une gare proche de Tokyo. Ils ont réussi à soulever le train suffisamment pour qu'elle soit libérée. Et avec un retard de seulement huit minutes, le train a pu repartir.

loup adulte Chaque année en février depuis vingt-cinq ans, dix amis de lycée de Spokane, dans l'État de Washington, jouent au jeu du loup à travers tout le territoire américain. Le temps et leurs professions les ont dispersés et il n'est pas rare que ces quadragénaires traversent le pays et élaborent des ruses compliquées pour toucher un autre joueur et éviter la honte d'être le loup pour les onze mois suivants. L'un d'eux, l'avocat Patrick Schultheis, se rend parfois à Hawaï en février pour diminuer le risque d'être touché.

chienne de vie Scott Janssen participait à l'édition 2012 de la course de chiens de traîneau Iditarod, en Alaska, quand un de ses chiens s'effondra et cessa de respirer. Scott réussit à le ranimer en lui faisant du bouche-à-bouche.

buzz-ball Le 22 septembre 2013, un match de baseball entre les Angels de Los Angeles et les Mariners de Seattle fut retardé car le stade fut envahi à 2 reprises par un essaim d'abeilles. Certains supporters fuyaient les stands, d'autres se cachaient sous des couvertures, jusqu'à ce qu'un apiculteur réussisse à éloigner les abeilles à l'aide d'un seau de miel.

pet comme poste En utilisant un produit inoffensif scellé dans une enveloppe transparente, Fart by Mail, société californienne de vente par correspondance créée par Zach Friedberg, permet d'envoyer des cartes humoristiques qui sentent comme de vrais pets.

le chant des sirènes Eric Ducharme, de Crystal River en Floride, est depuis l'enfance fasciné par les sirènes. Devenu adulte, il nage régulièrement sous l'eau revêtu d'une fausse queue. Il a même créé une entreprise qui fabrique sur mesure des queues de sirène faites de silicone et de latex. « Quand j'enfile une queue, explique-t-il, je me sens transformé. »

l'homme-escargot Depuis plus de cinq ans, Liu Lingchao, de Liuzhou en Chine, porte son logement sur son dos, comme un escargot. Son domicile mesure 1,50 mètre de large et 2,20 mètres de haut. Il est fait de feuilles de plastique attachées à un cadre de bambou. Et comme il ne pèse que 60 kg, il est facile pour lui de le transporter tandis qu'il sillonne le pays, ramassant des bouteilles vides pour vivre.

tombés du ciel Plutôt qu'une procession traditionnelle, Lauren Bushar et Ben Youngkin, d'Asheville en Caroline du Nord, ont choisi d'arriver à leur mariage en se laissant glisser le long d'une tyrolienne.

infatigable Spécialiste de l'ultra-marathon, le Danois Jesper Olsen a fait le tour du monde en courant. Deux fois. Trois ans après avoir achevé sa première boucle, il est reparti de Norvège en juillet 2008. Au terme d'un voyage de 37 000 km qui est passé notamment par l'Afrique du Sud et l'Argentine, il est arrivé à Terre-Neuve en juillet 2012.

morts étranges Chaque année, de septembre à novembre, juste après le coucher du soleil, des centaines d'oiseaux de plus de quarante espèces meurent en s'écrasant sur les bâtiments et les arbres de Jatinga, un village de l'Assam, en Inde. Désorientés par le brouillard de la mousson, ils sont attirés par les lumières du village. Pour promouvoir le tourisme, les autorités locales ont créé une fête annuelle autour de ces mystérieux « suicides ».

pavillon des arts L'artiste américain Joe Sola a créé six peintures à l'huile si petites que l'exposition s'est déroulée dans l'oreille du propriétaire d'une galerie de Los Angeles. Un simple poil de pinceau étant trop gros, il a réalisé ses œuvres avec une aiguille d'acupuncture de 0,12 mm et un microscope. Composées de minuscules grains de pigment, montées sur des fonds blancs, elles ont été placées dans le canal auriculaire de Tif Sigfrids où le public peut les découvrir.

règlement de comptes Un tribunal de Glarus, en Suisse, a effacé une dette vieille de 655 ans qui obligeait un fermier et sa famille à payer plus de 60 € chaque année à l'Église catholique. En 1357, quand Konrad Mueller tua Heinrich Stucki, il offrit une lampe à l'église locale pour sauver son âme, et s'engagea à l'alimenter avec l'huile de ses noyers pour l'éternité. La promesse a été tenue par tous les propriétaires successifs de la terre de Mueller, jusqu'au récent jugement.

problème épineux Sandra Nabucco s'est retrouvée avec 272 épines douloureusement plantées dans le cuir chevelu quand un porc-épic est tombé sur elle depuis un réverbère alors qu'elle promenait son chien à Rio de Janeiro. Les chirurgiens ont retiré les épines à la pince à épiler et lui ont prescrit des antibiotiques contre l'infection. « Quel choc, raconte-t-elle ! J'ai senti un coup sur ma tête et j'ai senti les épines en passant la main. La douleur était immense. » Quant au porc-épic, il a survécu grâce à Sandra qui a amorti sa chute.

exercice de maths Lorsqu'ils remportent une loterie ou une tombola, les Canadiens doivent résoudre un problème de maths simple pour pouvoir toucher leur prix car les jeux de pur hasard sont illégaux au Canada.

SUCETTE AU SANG

→ Lorsque la température atteint 46 °C en janvier 2014, les gardiens du zoo de Melbourne, en Australie, donnèrent au lion Harari une sucette faite de 30 litres de sang congelé pour le rafraîchir. Ils préparèrent également des glaces à partir de viandes, de poissons et de fruits pour Honey, un ours brun de Syrie.

MARATHON SUMO

➜ Quelque 150 concurrents, revêtus de tenues gonflables qui leur donnaient l'allure de lutteurs sumos, se sont dandinés pendant 5 km autour du parc de Battersea, à Londres, pour la course annuelle des sumos.

Les participants se sont efforcés d'éviter les chutes et les crevaisons au cours de cet événement conçu par les organisateurs pour rendre les courses un peu plus amusantes.

les grands moyens Robert McKevitt a été licencié pour avoir utilisé un chariot élévateur de 3,5 tonnes de sa société afin de récupérer une barre chocolatée coincée dans un distributeur à Milford, dans l'Iowa.

carie préhistorique En étudiant la mâchoire fossilisée d'un Sinosaurus, un dinosaure carnivore qui vivait il y a 190 millions d'années, les scientifiques ont conclu qu'il était le premier animal connu à avoir eu mal aux dents. Le spécimen, découvert dans le Yunnan, en Chine, présentait une alvéole dentaire complètement remplie, indiquant que la perte de sa dent était due à des problèmes dentaires plutôt qu'à un choc.

coincé dans l'ascenseur Originaire de Suède, Thomas Fleetwood a survécu pendant quatre jours sans eau ni nourriture dans un ascenseur cassé de l'hôtel qu'il possède à Bad Gastein, en Autriche. Ayant brisé un panneau de verre de la porte pour pouvoir renouveler l'air de la cabine, il ne fut secouru que lorsqu'un ami remarqua le courrier qui s'accumulait devant l'hôtel fermé.

défi jedi Depuis qu'il a créé le Darth Valley Challenge en 2010, Jonathan Rice de Longmont, dans le Colorado, enfile chaque été le costume noir de Dark Vador pour courir pendant un mile (1,6 km) dans la Vallée de la Mort par des températures supérieures à 50 °C. En 2013, il a franchi la distance en 6 minutes et 36 secondes, expliquant que le plus gros problème vient du casque qui laisse à peine passer l'air.

tic-tac obstiné La pendule Beverly, située dans un foyer de l'université d'Otago en Nouvel'.e-Zélande, fonctionne toujours alors qu'elle n'a pas été remontée depuis 1864.

terreur sur le pont Wanda Keating McGowan, 55 ans, s'est accrochée désespérément pendant 20 minutes, suspendue au-dessus de la New River de Fort Lauderdale, en Floride, quand le pont du chemin de fer sur lequel elle marchait s'est ouvert. Elle a finalement été secourue par les pompiers qui sont venus la chercher avec une échelle.

ciel ! L'armée indienne a récemment passé six mois à observer ce qu'elle pensait être des drones espions chinois, avant de s'apercevoir que ces objets volants mal identifiés étaient en fait les planètes Jupiter et Vénus.

[VOS / TÉLÉCHARGEMENTS]

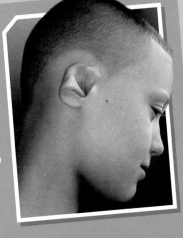

OREILLE PLIABLE

Jordan Clarkson d'Oklahoma City nous a envoyé cette photo montrant son incroyable capacité à replier presque entièrement son oreille.

TROU PERDU

→ Perché au bord d'une falaise, à 2 600 mètres d'altitude, dans le massif de l'Altaï, en Sibérie, voici un sérieux candidat au titre des WC les plus isolés du monde. Leurs utilisateurs sont les cinq employés de la station météo de Karaturek, un trou si perdu que la nourriture y est acheminée par hélicoptère. Le seul visiteur est le facteur, qui vient une fois par mois collecter les données météo.

police se goure Un policier de Stoke-on-Trent, en Angleterre, était convaincu d'avoir interpellé quatre personnes utilisant des faux passeports après avoir constaté qu'ils s'appelaient tous Abu Dhabi. Il avait confondu la mention de leur pays d'origine avec leur nom.

un cas isolé Jusqu'à sa mort en 2012, le Britannique Brendon Grimshaw a vécu seul pendant cinq ans sur une île des Seychelles, avec pour seule compagnie ses chiens et 120 tortues géantes.

garde-fou Matthew Matagrano, un ancien détenu de Rikers Island, à New York, s'était introduit dans la prison déguisé en gardien à l'aide d'un badge et d'une fausse carte. Il a été repéré alors qu'il changeait les prisonniers de cellules.

à tombeau ouvert Trois hommes ont volé une camionnette en Allemagne sans savoir qu'elle contenait douze cadavres et leurs cercueils. Ils ont agi alors que le conducteur s'était arrêté pour se laver les mains, en route pour un crématorium de Meissen. Ils se sont débarrassés de leur cargaison dans une forêt de Pologne.

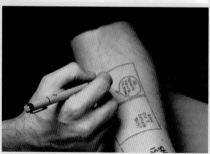

LA BD DANS LA PEAU → Combinant ses passions pour les tatouages et la BD, Patrick Yurick, un artiste de San Diego, en Californie, s'est fait tatouer sur l'avant-bras gauche quatre cases vides dans lesquelles il dessine chaque jour pour créer une nouvelle BD. L'opération lui prend un quart d'heure chaque matin.

SUICIDE AUX CARTES À JOUER

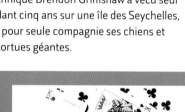

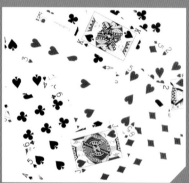

■ Incroyable mais vrai, le 20 octobre 1930, William Kogut, un condamné à mort de la prison de San Quentin, en Californie, s'est suicidé à l'aide de simples cartes à jouer. À l'époque, l'encre rouge utilisée contenait de la nitrocellulose, dangereusement volatile lorsqu'elle est humide. Ayant arraché un des pieds de son lit, il en boucha une extrémité avec un manche à balai, bourra le tube de morceaux de cartes rouges avant d'y verser de l'eau pour créer un mélange explosif. Il plaça ensuite sa bombe artisanale sur le radiateur à pétrole de sa cellule et s'allongea, la tête contre l'extrémité du tuyau. Avec la chaleur, l'eau se transforma en vapeur jusqu'à ce que l'explosion propulse les fragments de cartes à jouer suffisamment fort pour qu'ils pénètrent dans son crâne, et le tuent.

détour Sabine Moreau, 67 ans, avait pris sa voiture pour retrouver une amie à la gare de Bruxelles. Mais, suivant les indications du GPS, elle fit un voyage de 1 450 km au lieu de 60, pour se retrouver en Croatie. En deux jours sur la route, elle avait traversé cinq frontières, mais elle était si perturbée que ce n'est qu'en arrivant à Zagreb qu'elle s'est aperçue qu'elle avait quitté la Belgique.

ressuscitée Alors qu'elle venait d'être déposée dans son cercueil, Peng Xiuhua, de Lianjiang en Chine, s'est assise et a demandé pourquoi il y avait tant de monde dans sa maison. La femme, âgée de 101 ans, avait été déclarée morte quand ses filles n'étaient pas parvenues à détecter son pouls et son corps s'était rigidifié.

voleur de grand chemin Un homme de 40 ans a été arrêté pour avoir volé toute une portion de route à Komi, en Russie. Il avait démantelé 82 dalles de béton armé, pour une valeur de plus de 5 000 €, et les avait chargées dans trois camions qui furent interceptés par la police.

saoul perdu Après une virée nocturne à Qingdao, en Chine, Jiang Wu était tellement ivre qu'il prit un conteneur de fret pour son hôtel bon marché et se retrouva enfermé dans une boîte métallique prête à partir pour un voyage de deux semaines vers les États-Unis. Heureusement, il avait son téléphone avec lui. Mais la police eut bien du mal à le localiser au milieu de milliers de conteneurs. Finalement, parce qu'il frappait sur les parois métalliques, on le retrouva dans une boîte empilée à 18 mètres du sol.

CROCODILE INFILTRÉ

➔ Pour s'approcher au plus près des crocodiles du Nil et des dangereux hippopotames, le Dr Brady Barr, naturaliste de la télé américaine, décida de se déguiser comme eux.

Revêtu d'une combinaison constituée d'une fausse tête attachée sur une cage métallique recouverte de toile, il réussit à ramper jusqu'à toucher des crocodiles de 4 mètres de long, en Tanzanie, sans se faire repérer. À l'aide d'un lourd déguisement barbouillé d'excréments d'hippopotame pour masquer son odeur, il s'approchait d'un troupeau de 10 000 animaux dans le parc national de South Luangwa en Zambie lorsqu'il s'embourba et fut obligé d'appeler à l'aide.

INDEX

Les pages en *italique* indiquent les photos

CRÉDITS PHOTOS

Jeju Island

Ripley's MUSÉES

31 MUSÉES DE FOU !

Il ya 31 musées Ripley dans le monde, chacun avec des expositions différentes de la merveilleuse et étrange collection Ripley .

Atlantic City
NEW JERSEY

Baltimore
MARYLAND

Blackpool
ANGLETERRE

Branson
MISSOURI

Cavendish
CANADA

Copenhagen
DANEMARK

Gatlinburg
TENNESSEE

Genting Highlands
MALAISIE

Grand Prairie
TEXAS

Guadalajara
MEXIQUE

Hollywood
CALIFORNIE

Jackson Hole
WYOMING

Jeju Island
CORÉE DU SUD

Key West
FLORIDE

London
ANGLETERRE

Mexico City
MEXIQUE

Myrtle Beach
CAROLINE DU SUD

New York City
NEW YORK

Newport
OREGON

Niagara Falls
CANADA

Ocean City
MARYLAND

Orlando
FLORIDE

Panama City Beach
FLORIDE

Pattaya
THAÏLANDE

San Antonio
TEXAS

San Francisco
CALIFORNIE

St. Augustine
FLORIDE

Surfers Paradise
AUSTRALIE

Veracruz
MEXIQUE

Williamsburg
VIRGINIE

Wisconsin Dells
WISCONSIN

Un supplément offert !

Vous en voulez plus ?
Découvrez vite de nouvelles
anecdotes 100% françaises
et toujours aussi incroyables !

scannez
ce code
ou rendez-vous
sur la page :

www.zethel.com/encyclopedie-incroyable

Votre dose quotidienne de savoir

SCIENCE&VIE TV

la chaîne pour comprendre

———

@ScienceetvieTV
www.science-et-vie.tv

Disponible chez tous les opérateurs TV habituels

UNE CHAÎNE